Schaamteloos

Rachel Shukert

Schaamteloos

Vertaald door
Leonard Beuger

Artemis & co

ISBN 978 90 472 0154 0
© 2008 Rachel Shukert
Published by arrangement with Sterling Lord Literistic, Inc.
© 2010 Nederlandse vertaling Artemis & co, Amsterdam en Leonard Beuger
Oorspronkelijke titel *Have you no Shame?*
Oorspronkelijke uitgever Villard Books, an imprint of The Random House
Publishing Group, New York
Published by arrangement with Sterling Lord Literistic, Inc.
Omslagontwerp Nanja Toebak
Omslagillustratie © Bob Carey, Getty Images
Foto auteur © Tina Schula

Verspreiding voor België:
Veen Bosch & Keuning uitgevers n.v., Antwerpen

Voor Ben

Inhoud

1

Nazi's tussen de muren

Ik was nog best klein, misschien een jaar of acht, toen het ineens tot me doordrong dat ik een enorme hekel had aan de andere kinderen. Nou bedoel ik niet meteen dat ze dood moesten of zo, maar feit was dat we elkaar niet zo gek veel te zeggen hadden. Toen we net nieuw waren in de buurt had ik mijn best wel gedaan: ik was braaf met ze belletje gaan trekken, had de sproeier uit de garage gesleept en op het gazon gezet en zo. Maar op een gegeven moment heb je gewoon genoeg middagen kluiten staan gooien naar voorbijkomende auto's en snakt de ziel naar iets verfijnders. Het doodtrappen van glimwormen en met je schoen hun lichtgevende ingewanden uitsmeren tot een spookachtig glanzende veeg in het gras heeft natuurlijk ook zo'n charme, maar het komt niet in de buurt van een avondje thuis teksten uit een obscure operette van Gilbert en Sullivan uit je hoofd leren en je daar vervolgens heel superieur over gaan zitten voelen. Ik tuurde met een minachtend lachje uit mijn slaapkamerraam en keek neer op de hangjongeren uit de buurt, die ordinaire barbaren die waarschijnlijk nog nooit gehoord hadden van Derek Jacobi en die elkaar bekogelden met waterballonnen of vrolijk met z'n allen een spichtig toekomstig binnenhuisarchitectje terroriseerden. Ik verzon intussen mijn eigen spelletjes. Geheime spelletjes voor een eenling zoals ik en helemaal toegesneden op mijn hoogstpersoonlijke fixaties.

Bijvoorbeeld:

MENSEN BIJ WIE WE ZOUDEN KUNNEN ONDERDUIKEN ALS DE
NAZI'S KOMEN

Dat was natuurlijk niet mijn enige spelletje. Een ander spel was
'Hoeveel Keer', een van mijn lievelingsspelletjes. Bij dat spel se-
lecteerde ik een video – meestal iets met een epische sfeer, zoals
Gejaagd door de wind, De tien geboden, Dokter Zhivago – en dan probeerde ik uit hoe vaak ik hem, kauwend op een krachtig werkza-
me combinatie van winegums en hoesttabletten, achterelkaar
kon bekijken zonder te gaan hallucineren. Of ik las de verzamelde
werken van Tennessee Williams hardop voor aan een levenloos
publiek: opgezette dieren, barbiepoppen, en mijn vier jaar jongere zusje dat nog niet in staat was om te protesteren. Teddy
Sneeuwbult en Marty de Aap roemen nog altijd mijn optreden in
de rol van Blanche DuBois als *de* onvergetelijkste interpretatie
van de laatste tien jaar, en hoewel Meneertje Popple mijn Amanda
Wingfield een 'verkeerd gecast, halfhartig eerbetoon aan Lauret-
ta Taylor' noemde dat 'weinig gelijkenis vertoonde met het origi-
neel', was mijn 'opwindende en opgewonden' vertolking van
Alma Winemiller uit *Een zomer smeult tot as* in één woord 'onover-
treffelijk'. (Bij het ter perse gaan was mijn zus niet bereikbaar
voor commentaar.)

Maar mijn allerfavorietste manier om de lange middagen
thuis door te brengen was om me op de bank te nestelen met een
deken, een schrijfblok en een tweeliterfles cola light en mijn speciale lijstjes op te stellen.

1   De Petersons van hiernaast
2   De Begleys van de overkant (eerste keus – flipperkast in souter-
    rain)
3   Mevrouw Olsen van school

4　Juf Koons van school (beginnen met mijn rekenhuiswerk echt
te maken, in plaats van de uitkomsten van het bord over te nemen tijdens het nakijken)
5　Julie van schaatsen (achternaam achterhalen)

Enzovoorts. Soms, als ze zin had, hielp mijn moeder me erbij.
'De *Nagels*?' krijste ze dan. 'Ben je nou helemaal gek geworden?
Als het mocht zouden die *slaven* houden, de Nagels.'
'Maar bij de Nagels krijg je met Halloween kingsize snickers!'
'De Nagels zijn lid van de Nationale Wapenvereniging en ze
gaan naar de kerk daar bij Dodge Street, waar ze Jerry Falwell als
spreker hebben gehad. Streep die maar van je lijst.'
Dus streepte ik de Nagels van mijn lijst, als zijnde slavenbezit-
ters en zwaarbewapende nazi's.
Mijn moeder raakte op dreef. 'En je vriendinnetje Julie? Lieverd, ik weet dat jullie erg op elkaar gesteld zijn, maar die moeder
van haar gaat op haar rug liggen voor de eerste de beste ss'er die
haar verdomme op een biertje trakteert.'
Daar had ik niet van terug.
'Maar wat denk je van de ouders van je vriendinnetje Gret-
chen? Zijn dat geen quakers of mennonieten? Daar kun je waarschijnlijk wel terecht, als ze tenminste niet al zijn opgepakt, samen met de Jehova's getuigen.' Ze liep het lijstje nog eens na,
terwijl ze zachtjes met haar tanden klapperde. 'Hmmm. Ik weet
niet of de Petersons wel zo'n goed idee zijn.'
'Denk je dat die ons niet bij ze zouden laten onderduiken? Je
hebt ze de sleutel van ons huis gegeven! *Waarom zou je onze sleutels
geven aan mensen die ons dood willen hebben?*'
Ze zuchtte. 'De Petersons zijn geweldige buren. Maar ze hebben, wat is het, zeventien, achttien honden.'
Wel een punt inderdaad. Wij zijn niet echt dierenliefhebbers.
'Vijf, volgens mij.'
'Oké. Maar dan gok ik toch liever op Auschwitz.'

Terwijl mijn moeder in de keuken aan de slag ging met het avondeten (spaghetti, vruchtensalade en plakjes jonge kaas, uitgestoken in de vorm van menora's, sjofars, en dreidels met behulp van haar geliefde feestkoekjesset, het eten dat ik achttien jaar lang heb gegeten – en dan vraagt mijn echtgenoot zich nog af waarom ik zo'n moeite heb met dingen als orgaanvlees), begon ik aan een nieuw lijstje.

MEE TE NEMEN OP DE VLUCHT VOOR DE NAZI'S

Voedsel natuurlijk: hersluitbare zakjes cheerio's en skittles, pakjes appelsap, en blikjes cola light uit de voorraadkast. Familiefoto's – ik zou graag willen dat foto's van mijn omgebrachte familieleden een ereplaats kregen in Yad Vashem[†]. Een paar gepast deprimerende kledingstukken en, ten slotte, boeken. Die boeken waren het belangrijkste. Zelfs een opwindende activiteit als vluchten voor de Gestapo kende natuurlijk zijn stillere momen-

---

[†] Welkom bij de speciale notenreeks getiteld *Aantekeningen ten behoeve van onze niet-joodse vrienden!* Geheel in de geest van de interculturele dialoog zal in de rest van dit boek telkens een volgende aflevering van deze notenreeks verschijnen, aangeduid met het teken van het kruis in plaats van de meer gebruikelijke asterisk, wanneer wij een verwijzing of grap dermate 'typisch joods' achten dat een toelichting noodzakelijk zal zijn. Yad Vashem bijvoorbeeld is een gedenkplaats en museum in Israël, waar de herinnering aan de Holocaust in stand wordt gehouden en waar een van de meest uitgebreide collecties van memorabilia op dit gebied wordt bewaard: foto's, nazidossiers, en vele waardevolle Duitse verzamelobjecten uit het betreffende tijdperk, zoals zeep gemaakt van joden, lampenkappen van jodenhuid, en een grote verzameling geïllustreerde antisemitische propaganda, waaronder tekeningen van beeldschone blonde kinderen in lederhosen en dirndl-jurkjes, die worden lastiggevallen en bedreigd door groteske karikaturen van monsterlijke, angstaanjagende joden, waarvan er vele een verbijsterende gelijkenis vertonen met Harvey Weinstein. Een bezoek aan Yad Vashem is een ongelofelijk aangrijpende, emotionele, en vaak louterende ervaring, tenzij u dat hele Holocaust-gedoe niet ziet zitten, in welk geval het toch nog steeds een bezoek waard is, alleen al om u te kunnen verbazen over de onvergelijkbare spanwijdte van het joods vernuft. Geen wonder dat de AIPAC (de Amerikaanse pro-Israël-lobby) al die ongelukkige christelijke senatoren zo goed onder zijn knokige, klauwachtige joodse duim weet te houden – of niet soms?

ten, en de boeken die ik meenam stonden tjokvol handige tips voor als ik ergens vast kwam te zitten of bijvoorbeeld terechtkwam in een kruipruimte vol met ratten onder een leegstaand gebouw in Warschau waar ik me samen met drie anderen schuilhield en leefde van half verrotte aardappelschillen, en waar we in het holst van de nacht moesten rondkruipen om onze behoefte te kunnen doen in een bevroren rioolbuis. Ik heb het natuurlijk over het genre dat bekendstaat als Jeugdliteratuur/Holocaust, een verzameling teksten speciaal ontworpen om joodse kinderen er telkens opnieuw aan te herinneren dat, hoe veilig zij zich ook mogen voelen, er altijd weer mensen zullen zijn die hen wensen te verdelgen. Of zoals een scherpzinnige jonge lezer opmerkte in de rubriek 'Hoe vond jij dit boek?' (in het kader van mijn onderzoek heb ik onlangs op Amazon wat rondgesnuffeld tussen dat soort boekwerken): 'Zou jij een jood willen zijn als de Duitsers je gingen doodmaken. Nou, ik niet.'

Zo had je *Afkloppen; een meisje groeit op in bezet Frankrijk* door Renée Roth-Hano, dat beschrijft hoe je je kunt laten doorgaan voor een katholiek meisje dat door de nonnen is opgevoed. Ik heb eruit geleerd wanneer je precies een kruis moet slaan (uit vrees, eerbied, of bijgeloof), of een heilige aan moet roepen (bij verloren voorwerpen, een moeilijk probleem, en wanneer je wordt overvallen door een roversbende), en dat Fransen die joden aanduiden als 'sluwe Israëlieten' minder gewelddadige antisemieten zijn dan degenen die de voorkeur geven aan het meer traditionele 'vuile Christus-moordenaars'. Uit *Het eiland in de vogelstraat* van Uri Orlev leerde ik hoe je een hol of een tunnel kunt graven onder de muren van het getto door, hoe je een geweer moet onderhouden en ermee schieten, en dat de enige die je echt kunt vertrouwen je tamme muis is. En in *Gouden sterren* van Lois Lowry ontdekte ik hoe belangrijk het is om Deens te zijn.

Zulke rampverhalen waren er meer dan genoeg, maar in tegenstelling tot hun tegenhangers in het werkelijke leven kwamen die dappere, onnozele kinderen, die Henryks en Hannahs en Boleks en Shmuliks, uiteindelijk zelden in Auschwitz terecht. Ze mochten dan misschien al hun aardse bezittingen verliezen, racistische scheldwoorden naar hun hoofd gesmeten krijgen door hun klasgenoten en leraren, of zelfs hun ouders of jongere broertjes en zusjes voor hun ogen vermoord zien worden, (kortom, alles meemaken wat geschikt leek voor jonge lezers, en bevorderlijk kon zijn bij de vorming van hun joodse identiteit), maar het was duidelijk dat de belevenis van een dodenkamp, al was het dan ook maar in een verhaal, gewoon té beangstigend was. Daar was echter één opvallende uitzondering op: *Rekenkunde van de duivel* door Jane Yolen.

Het had iets heel stoers, dat boek. Als je het had gelezen – niet alleen had opgezocht in de bibliotheek en naar het omslag had gestaard en van angst drie of vier dagen verlamd was geraakt, maar echt had *gelezen* – dan vormde dat een soort statussymbool. Het maakte je tot iemand met wie men rekening diende te houden, een waanzinnig enfant terrible van het type dat rustig haar hand in een aquarium vol piranha's zou steken of dat drie keer achterelkaar om middernacht 'bloedvrouw' tegen de spiegel durfde te zeggen met doodsverlangen in haar ogen. De anderen zouden over je gaan zitten fluisteren achter in de auto waarmee iedereen werd opgehaald om naar school gebracht te worden op de eerste dag van het nieuwe schooljaar, alsof je Dennis Hopper was. *Haar kun je maar beter niet lastigvallen. Die is gek. Geschift. Die heeft* Rekenkunde van de duivel *van voor tot achter gelezen en daarna is het nooit meer goed gekomen met haar.*

De verfilming met Kirsten Dunst in de hoofdrol heeft de griezeligheid van het boek wel enigszins afgevlakt, maar *Rekenkunde van de duivel* blijft toch naar alle waarschijnlijkheid het meest angstaanjagende boek dat ooit voor kinderen is geschreven. Het is in elk geval het meest angstaanjagende boek dat ik ooit heb gelezen. Het ijzersterke uitgangspunt is dit: Hannah Stern, een modern meisje van dertien, brengt liever haar tijd door met niet-joodse vriendinnetjes dan te studeren voor haar bat mitswa en heeft een hekel aan de bezoekjes aan haar bejaarde grootvader, die het concentratiekamp heeft overleefd, aan catatonische spierkrampen lijdt, en zijn dagen slijt voor de tv die continu is afgestemd op het Hitler... ik bedoel History-kanaal, terwijl de tranen hem onbeheerst over de wangen stromen. 'Ik heb genoeg van al dat herdenken!' roept ze uit. Maar, zoals ieder joods kind dat tijdens de Hebreeuwse les weleens een rondreizende vertegenwoordiger van de Liga tegen Jodenbelastering heeft horen spreken, wel weet: *Wie niet zijn geschiedenis herdenkt, is gedoemd die te herhalen.* Volgens mij staat dat gedrukt op de minifrisbees die ze uitdelen als ze klaar zijn met hun bangmakerij. Voor Hannah, die op een nonchalante manier omgaat met het lijden van de oudere vertegenwoordigers van haar volk (terwijl ze op haar dertiende toch echt beter zou moeten weten), neemt een en ander een wel bijzonder levendige vorm aan. Als ze de deur opent voor Elia tijdens het Pesach-feest bij haar grootouders (waar ze *mopperend* mee naartoe is gegaan – foei meisje! *Foei klein JOODS MEISJE!*), voelt ze een vreemde windvlaag over haar gezicht trekken en wordt ze op mysterieuze wijze weggevoerd naar... *het toverland van Birkenau!*

Het kat-in-een-vreemd-pakhuis/kind-op-nieuwe-school-scenario komt in de kinderliteratuur erg vaak voor, en speelt in op de kinderlijke angst voor het vreemde, voor de eenzaamheid, voor het gevoel van nergens bij horen. Maar in de meeste van die verhalen is geen bijrol weggelegd voor Josef Mengele. Uiteindelijk krijgt Hannah echter, met enige hulp van haar medegevangenen, de overlevingstechnieken binnen het kamp onder de knie – de basisetiquette rond aardappel en eetnap, het uitbuiten van de lesbische neigingen der vrouwelijke bewakers, en natuurlijk 'nooit gaan staan naast iemand met een *G* in haar naam. *G* betekent *Griek*, en Grieken blijven nooit lang overeind' – om uiteindelijk te ontdekken dat dergelijke regels in feite niet meer zijn dan een bijgelovig ritueel dat de gevangenen hebben ontwikkeld om zichzelf wijs te maken dat ze op de een of andere manier het onvermijdelijke toch kunnen afwenden of tenminste uitstellen, en nee maar! kijk eens aan, het ondankbare Joods-Amerikaanse Prinsesje wordt naar de gaskamer gestuurd. Zo! Dat zal haar leren!

Maar gelukkig voor Hannah wordt haar centrale zenuwstelsel niet verlamd terwijl ze vergeefs met haar nagels langs de muren krabt om uiteindelijk na een pijnlijke doodsstrijd te stikken, maar brengt het gas haar, alsof ze drie keer heeft geklikt met de hakken van haar robijnen schoentjes, weer veilig terug naar haar eigen tijd en is ze grijzer maar wijzer en vermoedelijk iets meer bereid om zo af en toe haar grootouders eens op te bellen. Misschien zal ze nu af en toe zelfs weleens bij hen op bezoek gaan, beetje kletsen, daar zal ze toch niet dood aan gaan? Nee, natuurlijk niet. De tyfus, sadistische medische experimenten, en die hongerige rottweilers als je uit de veewagons stapt, daar ga je dood aan. Bubbe en Zayde willen je alleen maar af en toe even zien, is dat nu zo erg?

De boodschap ging niet aan mij voorbij. En terwijl ik oefende met het uit elkaar halen van de douchekop om te kijken of er geen Zyklon B-korrels in zaten alvorens de kraan open te draaien, nam ik me voor dat ik mijn zusje vooruit zou schuiven als er iemand op seideravond de deur moest openmaken voor Elia. Ze was bijna vijf jaar jonger dan ik en zat nog niet eens in de kleuterklas; zij had gewoon veel minder om voor te leven.

Dat was waar wij mee werden opgevoed. Dat waren de verhalen waar onze hoofden mee vol zaten – ik gebruik hier het Rothiaanse 'wij', het 'wij' dat iedere joodse persoon omvat van mijn generatie, waar dan ook in Amerika. De generatie van onze ouders, de babyboomers, had zich geconcentreerd op vrolijke joodse dingen zoals de staat Israël en Sandy Koufax. Er werd maar zelden over de Holocaust gesproken bij hen thuis of op godsdienstles. Het was nog te kort geleden, het leefde nog te zeer, het herinnerde nog veel te pijnlijk aan de wrede onverschilligheid van de wereld. Maar wij konden die last wel dragen, die erfenis van onuitsprekelijk leed. Er was nu genoeg tijd voorbijgegaan. Wij liepen niet het gevaar onder het gewicht ervan te worden verplet.

Ik ging naar een joodse school, en mijn klas had een doorlopende opdracht: wij moesten een keer per week een krantenartikel zien te vinden met een of andere joodse inhoud, dat artikel uitknippen, aan een schriftblaadje bevestigen met een nietje of een paperclip (we mochten geen plakband gebruiken, maar netjes lijmen was toegestaan), en op het schriftblaadje moesten we dan, *met vulpen*, een korte samenvatting schrijven van het betreffende artikel. De definitie van 'joodse inhoud' was vrij ruim – een stukje dat ging over iemand die Aaron Spelling heette was soms al goed genoeg, of, afhankelijk van het humeur van de juf, een recensie van de nieuwe film van Billy Crystal – en ook de eisen die aan de samenvatting werden gesteld waren niet erg hoog; een zin daaruit kon bijvoorbeeld luiden: 'Wat er joods is aan dit artikel, is dat het een artikel is over Israël, wat het land is van de joden, en zodoende heeft dit artikel dus iets joods.'

Zo'n stukje was niet moeilijk te vinden. Joden – om maar te zwijgen van hun tegenstanders – slagen er doorgaans goed in om in het nieuws te blijven. Er was altijd wel ergens een stukje te vinden over Yasser Arafat of Jeffrey Katzenberg, en in geval van nood was er altijd nog *The Jerusalem Post* die mijn vader tweemaal per maand ontving en waarin alles joods was, zelfs de advertenties. En het was in die krant dat ik, terwijl ik op zekere avond wanhopig mijn best deed om mijn huiswerk af te krijgen in het halfuur tussen *Golden Girls* en *L.A. Law*, het artikel aantrof dat mijn geest zou verwoesten en mijn ziel zou blijven kwellen, en dat mij uiteindelijk van de steile rots der geestelijke gezondheid af zou duwen en naar de afgrond van een ware nazipsychose zou laten duikelen.

Het was hier dat ik voor het eerst iets las over de tweelingen van Mengele.

Onder de omineuze de titel 'Het meisje in de kooi' stond daar een verslag uit de eerste hand van de gruwelijke, perverse medische experimenten van de kampdokter van Auschwitz, bijgenaamd 'de Engel des doods', experimenten die waren uitgehaald met tweelingen die daar gevangenzaten, voornamelijk kinderen. *Niet doen*, zei ik tegen mezelf, terwijl ik met grote ogen naar de inkttekening staarde die erbij stond, gemaakt in zulke ruwe halen dat het bijna pijn deed. *Ophouden met lezen. Zoek een leuk stukje over Teddy Kollek† en laat het verder zitten.*

Ik was negen, maar ik herinner me nog ieder detail uit dat verhaal alsof ik het gisteren heb gelezen. Hoe zij en haar tweelingzusje, die zich bij het verlaten van de veewagens probeerden te verbergen onder de rokken van hun moeder, ontdekt werden onder geroep van 'Zwillinge! Zwillinge!' en uit hun moeders armen gerukt werden terwijl zij haar dood werd ingestuurd. Hoe de tweeling naakt werd opgesloten in een kooitje en injecties kreeg die ze merkwaardige aanvallen bezorgden. Hoe haar zusje op een dag zo'n heftige aanval kreeg dat ze uit de kooi werd gehaald en nooit meer terugkwam. De zonder verdoving uitgevoerde, zinloze operaties, hoe haar been werd opengesneden en er met een scalpel over haar botten werd geschraapt, de chemicaliën die in hun ogen werden gedruppeld om te zien of die van kleur zouden veranderen, en de huiveringwekkende gelegenheden waarbij ze naakt bij Mengele op schoot zaten, die hen teder streelde en op zachte, vaderlijke toon toesprak. En dan kwamen deze twee, dit meisje en haar zusje dat later stierf, vier jaar oud toen ze aankwamen, er van alle tweelingen die in het medische blok voor zulke

---

† Voormalige burgemeester van Jeruzalem, die ik mij altijd heb voorgesteld als iemand van het Ed Koch-type, zowel qua uiterlijk als qua persoonlijkheid, maar dan een stuk stoerder.

martelingen werden vastgehouden nog het beste van af. Zij werden niet onderworpen aan experimentele verwijdering van hun baarmoeder of geslachtsveranderende operaties. Zij werden niet met de ruggen aan elkaar genaaid zoals de zigeunertweeling die Mengele kunstmatig had geprobeerd samen te voegen, en die drie dagen hadden liggen krijsen voordat ze aan het koudvuur waren bezweken.

Zoals alle kinderen was me van kleins af aan voorgehouden hoe gevaarlijk het was om met vreemdelingen te praten. Vreemdelingen koesterden allerlei weerzinwekkende plannen, en een dom of hebberig kind dat zich liet verleiden met snoepjes of een mooie nieuwe fiets, kon er zeker van zijn dat het in een onderaardse kamer vol ratten terecht zou komen, vastgebonden met elektriciteitsdraad, een prop in de mond, het hele lichaam overdekt met brandplekken van een sigaret, en gedwongen zou worden om allerlei smerige opdrachten te vervullen die met de geslachtsdelen van de vreemdeling van doen hadden. Bijna hysterisch van al dit soort verhalen heb ik mijn moeder op een dag over mijn angsten verteld, en zij troostte mij. De meeste vreemdelingen waren gewoon heel aardige mensen, zei ze, die kinderen, noch hun geslachtsdelen, absoluut geen kwaad wilden doen. Maar er zaten een paar rotte appels tussen, niet zoveel, maar wel een paar, en het was natuurlijk jammer dat we daar nu juist altijd over te horen kregen, maar zo was het nu eenmaal.

'Maak je niet te veel zorgen, liefje,' zei ze, en ze streelde mijn haar. Ik begroef mijn kleine, natte gezichtje in de troostrijke ronding van haar borst. 'Je hoeft heus niet de hele tijd angstig rond te lopen. En je weet dat papa en ik je altijd zullen beschermen, tegen wat dan ook.'

Maar op de avond dat ik met mijn Mengele-probleem bij haar kwam, was ze in een luchthartiger stemming.

'Dr. Mengele, hè? Misschien moeten we je daar dan maar eens heen sturen als je weer eens "te ziek" bent om naar school te gaan.'

Ze giechelde hoogst geamuseerd. 'Ach zo, een kleine joodse maisje miet zere keel? Wai zullen deze keel maal UITRUKKEN, dan kan hai geen pain meer doen!'

Ik keek haar zwijgend aan, doodsbleek en misselijk.

'Nou, kom op, liefje. Ik maak maar een *grapje*.'

'Grapjes horen leuk te zijn,' fluisterde ik.

Ze rolde met haar ogen. 'Jezus christus, doe toch niet zo moeilijk! Ga verdomme je huiswerk afmaken – het is bijna tijd voor *L.A. Law*.'

Ze loog. Mijn moeder had gelogen. De meeste mensen waren helemaal niet aardig. De meeste mensen zagen je als doelwit, als slachtoffer, als iemand om misbruik van te maken, om te kwellen, om uit te buiten voor politieke of andere doeleinden. Als een hulpeloze speelbal waarop alle monsters van deze wereld hun eigen van haat vervulde perversies en hun laagste en duisterste verlangens konden uitleven. Dat was nu eenmaal het wezen van het kind. Dat was nu eenmaal het wezen van de jood. En volgde daaruit dan niet logisch, dat een joods kind wel het ergste was wat je zou kunnen zijn? En ze waren overal, de slechte mensen. Ze hadden het nog altijd op ons gemunt, allemaal, en ze stonden klaar om toe te slaan op het juiste moment, zo'n moment waarop de wereld weer eens extra gevoelig zou zijn voor haat. Ze waren overal. De neonazistische skinheads die ons toegrijnsden op de bedelbrieven van de Liga tegen Jodenbelastering, dat meisje uit de kleuterklas met die reusachtige roze bril op, dat tegen me zei dat joden geen Kinderen waren van God, de vriendelijke automonteur, een onopvallend lid van de Oekraïense gemeenschap in Michigan, die een beruchte kampbeul bleek te zijn geweest die mensen hun eigen oren liet opeten. Mijn moeder had gezegd dat ze me tegen dat soort gruwelen zou beschermen, dat zij en mijn vader zouden zorgen dat ik veilig was. Ook al gelogen. Want waar waren al die andere moeders? Waar waren de moeders van de tweelingen van Mengele? Dood. Vergast. Dood, vergast en nergens goed voor.

Beneden hoorde ik de eerste schrille tonen van de herkenningsmelodie van *L.A. Law*.

'Lieverd?' riep mijn moeder onder aan de trap. 'Lieverdje?'

Ik haalde diep adem. 'Ja?'

Ze zweeg even, een beetje van haar stuk gebracht door de voelbare angst in mijn stem. 'Heb je zin in een beetje ijs?'

Dwaas mens. Zich niet bewust van de naderende storm die binnenkort onze gelukkige leventjes in miljoenen bloederige stukjes uiteen zou slaan, groef ze steeds dieper in haar kartonnen beker met Edy's Grand-roomijs, en knoeide op haar pasgewassen nachthemd, terwijl het schijnsel van de televisie – de televisie! de helse achtergrondmuziek die onze oren en onze gedachten afsluit van de waarheid! – flakkerend over haar uitdrukkingsloze, gedoemde gezicht trok. Ze keek naar *L.A. Law*; *L.A. Law* sloeg ze nooit over. Maar waar zou ze zijn als ze straks die achterlijke jongen, Benny, kwamen halen? Of als ze die roodharige Engelse lesbienne kwamen halen die er dit seizoen in zat? Bleef ze dan nog gewoon doorkijken, bleef ze dan nog gewoon vetarm chocolade-ijs met stukjes vetarme chocolade lepelen? *Lepel maar rustig verder hoor, lepel maar rustig door.* Want als ze Douglas Brackman komen halen, of *als ze Stuart Markowitz komen halen*, dan is het te laat. Dan is het te laat voor ons allemaal.

Die nacht kon ik niet slapen.

En de volgende nacht ook niet.

En de nacht daarna ook niet.

Want binnen in de muren van mijn slaapkamer, muren die geschilderd waren in heel licht porseleinblauw, een kleur die ik zelf had uitgezocht uit het stalenboek dat de schilder had meegebracht, binnen in die muren zaten ze, daar kropen ze zo zachtjes en stiekem rond dat minder scherpe zintuigen, minder slimme hersens dan de mijne het voor het gescharrel van muizen zouden hebben gehouden: de nazi's.

Nazi's! Grijze ogen die opglommen in het flakkerende licht, hondenoren die stevig tegen de gipsplaten werden gedrukt, lange, elegante neuzen die de geur opsnoven van het ellendige jodenkind. Niets ontging ze. Het ogenblik dat ik mijn ogen zou sluiten was ik verloren, want op dat moment zouden ze toeslaan, en O! Welk een nieuwe Hel ging open voor deze hulpeloze Dochter Israëls! Maar ik zou niet zomaar meegaan. Ik weigerde mijn lichaam te verdoemen tot de ashoop. Ik zou niet het zoveelste slachtoffer worden zonder gezicht, de zoveelste naamloze arme flikker (in de betekenis van zielenpoot), de zoveelste takkenbos op hun gruwelijke vuurstapel. Ik niet! *Niet vannacht!*

'Ik moet eens even met jou praten,' zei mijn moeder. Ik was net thuisgebracht van ballet.

Ik begon ongeduldig te wriemelen; ik wilde gauw wat popcorn gaan maken in de magnetron en dan meteen verder lezen in *Dagboek Neurenberg* van G.M. Gilbert. 'Eh, nu even niet, oké?'

'Ja, nu even wel. Ga zitten.'

'Ik moet eigenlijk eerst even onder de douche... ik ben nog helemaal zweterig van ballet...'

'Ga zitten!'

Ik schrok van haar heftige toon. Ik ging zitten. 'Is er een of ander gevaar?'

'Nee, schatje. Er is niet een of ander gevaar.' Ze knipperde heftig met haar ogen.

'Mam! Moet je huilen? O lieve god! Is er iemand dood?'

'Nee, lieveling...'

'Is oma dood? Of *papa?* O lieve god! WAT IS ER MET PAPA GEBEURD?'

'Er is niks met papa gebeurd. Er is met niemand iets gebeurd.'

'Maar waar wil je dan met me over praten?'

Ze keek me een langdurig moment aan, haar ogen als glas, haar lippen omlaag getrokken tot een wrang, hard mondje. Ik voel de laatste tijd de spieren rond mijn eigen mond weleens diezelfde sikkelvorm aannemen. Het geeft het gezicht een duidelijke uitdrukking, het maakt er een gezicht van dat zegt: 'O wee, o wee. Wat is de wereld toch een droevig oord, vol gekken en monsters.' Het is mijn minst favoriete gezicht.

'Wat is er dan? IK HEB HONGER!'

'Ik werd vanmiddag opgebeld door mevrouw Finkel.'

'Mevrouw Finkel?'

'Van de bibliotheek. Je weet wel, van het Joods Gemeenschapscentrum. Ze is een vriendin van oma...'

'Ja, ik *weet* wie het is. Maar hoe komt die aan ons nummer?' vroeg ik.

'Hoe bedoel je: hoe komt die aan ons nummer? Waarschijnlijk gewoon opgezocht in het boekje van de Hadassah, zo zou ik haar nummer ook hebben opgezocht.'

Bijna alle joodse vrouwen en meisjes, overal in het land, zijn lid van de Hadassah, de Amerikaanse Zionistische Vrouwenbond. De gids van de plaatselijke afdeling is een echte *Wie is wie* van joodse vrouwen in heel de omgeving. Toevallig had ik een paar dagen eerder langs mijn neus weg tegen mijn moeder gezegd dat we er misschien eens over moesten nadenken of we ons lidmaatschap van die organisatie niet beter konden beëindigen en onze namen uit hun register laten verwijderen, want als Ze ons zouden komen halen, zou het boekje van de Hadassah waarschijnlijk het eerste zijn dat Ze na zouden pluizen.

'Mam!'

'En weet je wat mevrouw Finkel tegen me zei?'

'Mam, ik heb je toch gezegd...'

'Mevrouw Finkel zei dat jij vanmiddag alle vier de videobanden van *Shoah* had proberen te lenen.'

'Nou en? Die mogen gewoon alle vier tegelijk worden geleend! Het is een set! Ze tellen samen voor één videoband!'

Ze trok nog steeds dat vreselijke gezicht. Ik haatte dat gezicht. 'Ze zei dat het de zevende keer was in drie weken dat jij die banden hebt proberen te lenen.'

'Ja allicht; elke keer zei ze dat ze waren gereserveerd.'

'Ze staan op de lijst van dertien-jaar-en-ouder, lieverd.'

'Wat wil je daarmee zeggen?'

'Daar wil ik mee zeggen dat je dertien jaar moet zijn of ouder om ze te mogen lenen. Dat is de regel.'

'Daar heb ik nog nooit van gehoord, van die regel.'

'Maar het is toch gewoon de regel, lieverdje.'

'DAT IS DAN EEN KLOTEREGEL!'

Nu barstte mijn licht ontvlambare moeder dan toch eindelijk even uit. 'En wanneer wou jij daar dan naar gaan kijken, hè? NEGEN EN EEN HALF UUR SHOAH! Of wou je soms een nachtje vrij nemen van het god mag weten wat voor kloterig gesodemieter dat jij uithaalt met de muren van je kamer op tijdstippen dat normale mensen liggen te slapen?'

Ik vond het nooit leuk om een lange periode van slapeloosheid onbenut te laten, en had me in de wakkere kleine uurtjes beziggehouden met het uitknippen van beroemde joden uit allerlei tijdschriften, om die met behulp van stukjes uitgekauwde kauwgom tegen de muren van mijn kamertje te plakken, als een soort talismans tegen het onuitspreekbare kwaad dat op de loer lag. De zorgvuldig geordende portretten van mijn verwanten – Bette Midler, Groucho Marx, Alan Dershowitz – zouden de vijand op afstand houden, had ik het gevoel, zoals een halssnoer van knoflook vampiers verdrijft. Op plekken die extra gevoelig leken voor infiltratie (boven mijn bed, op de naden) plakte ik mijn kleine verzameling posters van Broadway-musicals, ervan overtuigd dat die machtige schare van joden en homo's ondoordringbaar zou blijken voor zelfs de meest stoutmoedige van de spookachtige *Einsatzgruppen* die tussen onze gipsplaten huisden. De gelijkenis met Anne Franks beroemde slaapkamermuur in het Achterhuis, op ontroerende wijze versierd met kleurige prentbriefkaarten en krantenadvertenties met filmsterren en baby's erin was mij niet ontgaan; maar als die arme Anne, redeneerde ik, maar een tikje verstandiger was geweest, een tikje *etnocentrischer* in haar keuze van afbeeldingen, had het allemaal heel anders kunnen aflopen. Mij zou de Gestapo niet te pakken krijgen, niet zolang die reusachtige foto van Henry Kissinger tegen mijn muur hing.

'Ik moet er niet aan denken hoeveel keer achterelkaar jij wel niet naar die verdomde film zou gaan zitten kijken,' ging mijn moeder hoofdschuddend verder. 'Hoe vaak heb jij van de zomer godverju niet zitten kijken naar *Een natie wordt geboren*? Zeventien keer? Achttien? Vaak genoeg in elk geval om een *normaal* mens al psychotisch te maken – god mag weten wat jij daaraan hebt overgehouden.'

'Vind je mij psychotisch?'

'Nou ja, je bent pas acht. Dat weten we pas zeker als je rond de twintig bent en de hallucinaties serieus beginnen op te treden,' zei mijn moeder – die werkzaam was in de geestelijke gezondheidszorg. 'Het is formeel onethisch om iemand van je eigen familie te diagnosticeren. Maar de staat Nebraska heeft mij bevoegd verklaard om vast te stellen wie psychotisch is en wie niet, en volgens mij ben jij goed onderweg.'

Ik begon te huilen.

'Kindje, je moet me even iets zeggen.' Ze keek me peinzend aan. 'Wat gebeurt er met je als je angstige gedachten krijgt?'

Het bloed stroomt naar mijn wangen. Mijn hartslag slaat wild op hol. Ik begin aan mijn huid te plukken of het een canvas tas is waar ik in gevangen zit, een canvas tas vol ratten. Mijn maag draait om. Ik voel me alsof ik flauw ga vallen, alsof ik moet kotsen, en als dat niet gebeurt wil ik uit het raam springen, in de hoop dat de pijn of de dood me aan iets anders zal laten denken. 'Ik weet het niet,' zei ik.

'Oké.' Opnieuw kneep ze haar lippen samen. *Het is niet makkelijk om de moeder te zijn van een schizofrene derdeklasser, maar ja; wat nu gedaan?* 'Andere vraag. Denk jij ooit weleens aan iets anders dan aan de Holocaust?'

De Holocaust. Ik hapte even naar adem bij het horen van dat woord. Ik gebruikte dat woord niet meer. Het spookte door mijn hoofd, onuitgesproken, in mijn gedachten vermeden, als de naam van iemand op wie je verliefd bent die je niet durft uit te spreken omdat de jongen in kwestie het door een of andere Specifiek Jongensachtige Mystieke Kracht misschien zou kunnen horen, en acuut het hartverscheurende besluit zou nemen niet langer aan dezelfde tafel zijn lunch te nuttigen als jij, zodat je net zo goed nooit meer naar school zou hoeven te gaan. Of net zo goed niet meer zou hoeven blijven leven. Dan zou je net zo goed de foto van Woody Allen van je muur kunnen scheuren en de nazi's binnen kunnen laten om je te komen halen.

'Denk jij ooit weleens aan iets anders dan aan de Holocaust?' Ze wachtte op een antwoord.

'Soms. Maar dan...'

'Dan wat?'

'Nou, soms als ik merk dat ik niet aan de... dat ik er niet aan denk, dan zorg ik zelf dat ik er weer wél aan ga denken. Dan denk ik aan iets dat ik heb gelezen of wat ik op een plaatje heb gezien, en dan blijf ik daaraan denken totdat ik niet meer kan ophouden met eraan te denken.'

'Maar waarom mag je van jezelf niet ophouden met eraan te denken? Wat denk je dat er dan gebeurt?'

'Wie niet zijn geschiedenis herdenkt, is gedoemd die te herhalen,' reciteerde ik plechtig. Die woorden zouden ongetwijfeld een eind maken aan iedere verdere discussie. Dan kon ik naar mijn kamertje sluipen, de rest lezen van Von Ribbentrops getuigenis in het proces van Neurenberg, en in alle rust kunnen genieten van de golf van panische angst die daarop zou volgen, tot het etenstijd was.

'Wie heeft dat gezegd?' vroeg mijn moeder.

'Dat weet ik niet. Elie Wiesel misschien?'

'Nee! Wie heeft dat tegen jóú gezegd?'

'O.' Ik moest bijna lachen. 'Iedereen.'

'Iedereen? Op school?'

Op school, op Hebreeuwse les, in elk boek uit de joodse kinderliteratuur dat ik ooit had gekregen of gewonnen, en onder elk stekelig beeldhouwwerk ter herinnering aan de Holocaust dat ik ooit in een Joods Gemeenschapscentrum had zien staan met een titel als *Verzuim niet te herdenken* of *Zes miljoen... en het tellen gaat door.*

Het was in de kindergeneeskunde nog geen geaccepteerd gebruik om angsten bij jonge kinderen met medicijnen te bestrijden. Ook was ze geenszins van plan een verbale aanval te doen op de joodse gemeenschap en het joodse onderwijs, die door steeds weer een overweldigende nadruk te leggen op slachtofferschap en te blijven volharden in hun opvatting dat de jongsten en kleinsten van het volk dezelfde mate van psychisch leed moeten doorstaan als de ouderen om te boeten voor het feit dat ze opgroeien in een land en een tijd die relatief vrij zijn van haat en gevaar, een soort retroactief overlevingsschuldgevoel in de hand werken dat uiteindelijk op verschillende manieren tot uiting zal komen in de nog ongevormde psyche van die jongsten. Ze konden hun joodse identiteit laten opgaan in de algemene cultuur, en hun heimelijk gevoel van schaamte maskeren met puberale bravoure – 'Ik ben wel joods, maar niet echt *joods*' of, nog beter, kiezen voor het 'Mijn familie is joods, maar zelf ben ik niks'-type opvatting, ofwel ze konden hun treurige erfenis uitbouwen tot een joodse identiteit die al het andere zou verteren, en hen onverdraaglijk zou maken voor hun leeftijdgenoten, joods of niet-joods, zodat ze hun enige sociale uitlaatklep voortaan zouden kunnen vinden op de bijeenkomsten en geheimzinnige congressen van de behoudender stromingen binnen de joodse jeugdcultuur, waar ze opgewonden de laatste mode in keppeltjes aan elkaar konden laten zien, de schoonheid van de sabbatviering konden bewenen, en het haar mooi konden invlechten van die andere te dikke en onaantrekkelijke meisjes, allemaal voorbestemd om maagd te blijven tot halverwege het laatste jaar van hun studie Joodse Vorming aan de universiteit van Wisconsin.

Dus zei mijn moeder alleen een beetje droevig: 'Luister eens goed naar me. De volgende keer dat je weer zulke gedachten krijgt, wil ik dat je je ogen dichtdoet, tot drie telt, en dan zo hard mogelijk STOP! roept. Oké?'

'STOP!' schreeuwde ik.

'Nee! Zachtjes, in gedachten!' Mijn moeder greep naar haar oor. 'Gil maar in je hoofd.'

Ik gilde maandenlang in mijn hoofd. Mijn moeder zette haar goede werk voort en verklaarde de meeste van mijn boeken tot verboden literatuur. Ze verving ze door *De Babysittersclub* en, tegen beter weten in, de *Sweet Valley High*-reeks. 'Ik zie je liever oppervlakkig worden en seksueel vroegrijp, dan zo morbide psychotisch,' zei ze. Uiteindelijk begonnen de gedachten minder te worden. Ik kon zelfs het woord *Holocaust* hardop uitspreken. Ik controleerde niet langer de douchekop op gas en pakte ook geen tasjes meer vol met schone sokken en pakken Liga, en toen hij een paar jaar later in de bioscoop kwam was ik in staat om met een vriendin van Duits-katholieke afkomst naar *Schindler's List* te gaan kijken zonder hysterisch te worden – hoewel we vlak voor de film begon op de parkeerplaats een merkwaardig sterke joint hadden gerookt en we onze popcorn weg moesten gooien omdat die ons opeens deed denken aan een maxi-beker vol verse mensentanden, tweede portie gratis.

Maar de ware verlossing bleef uit tot ik in Auschwitz kwam.

Het was op zo'n joodse tienertour met honderden andere joodse tieners uit heel de wereld, en op de een of andere manier leek het heel passend dat mijn eerste persoonlijke aanraking met de vernietigingskampen samenviel met mijn eerste persoonlijke ontmoeting met joodse jongeren uit Long Island en New Jersey. De planning was als volgt: een razende tour van één week langs het beste wat Polen te bieden had. Aan de kleinere kampen maakten we onze handen niet vuil: Treblinka, Plaszow, het haastig verlaten Majdanek, door de vluchtende Duitsers zo volkomen intact achtergelaten, dat het volgens de deskundigen binnen achtenveertig uur weer helemaal op topcapaciteit zou kunnen draaien. Dat kwam allemaal later nog wel.

In plaats daarvan gingen we regelrecht naar Auschwitz.

Dat is de 'Eerst de Hoge Achtbaan'-methode: niet eerst een beetje rondtreuzelen bij de kanovijver en het sprookjesbos, maar meteen beginnen met het echte werk, dan komt de rest later wel, als we daar dan nog tijd voor hebben. En na een week besteed te hebben aan het grondig en systematisch verpulveren van het laatste beetje vertrouwen in de mensheid dat wij nog bezaten, zou de tweede week in het teken staan van een bezoek aan het wonder, aan de glorie, aan de triomf van de joodse geest die de staat Israël is; zo konden wij onze ouders de zekerheid geven dat ook wij zouden opgroeien tot het soort mensen dat andere joden trouwt, hun kinderen naar godsdienstles stuurt, en, na het opzetten van een goedlopende medische praktijk, ferme hoeveelheden geld zou gaan bijdragen aan de juiste stichtingen en goede doelen.

Er was me gezegd dat deze beide ervaringen mijn leven zouden veranderen.

We brachten wat tijd door met ons te oriënteren op onze omgeving, bij te komen van de jetlag, en het verkennen van de nog zeer tere groepsdynamiek binnen onze nieuwe, kleine jongerengemeenschap. Zoals te voorspellen was, had ik daar de voor mij gebruikelijke moeilijkheden mee; de sociale subcategorie die het best paste bij mijn persoonlijke interesses – het theater, de adeldom van een goedgesneden cocktailjurk, leven en werk van miss Bette Davis – zou zich pas werkelijk herkenbaar gaan aftekenen in mijn studentenjaren, maar ik deed dapper mijn best, zoals dat hoort, en algauw waren we met z'n allen helemaal klaar voor een van de belangrijkste programmapunten: hysterisch huilen.

Dat deed ik dan ook, ineengezakt tegen een pilaar in de Sorteerkamer in Auschwitz. We waren langzaam de spelonkachtige ruimte rondgewandeld en hadden de enorme bergen met spullen bekeken die ooit aan mensen hadden toebehoord – een berg haar, een kamer stampvol kinderspeelgoed. Zelfs over de gezichten van de meest geharde en verbolgen leden van onze groep stroomden de tranen, maar mijn geweeklaag moet wel bijzonder verscheurend (of opzichtig) zijn geweest, want vrijwel meteen voelde ik hoe er een arm zachtjes om mijn schouder werd geslagen.

Het was Bettina, een kleine blonde vrouw van in de zeventig. Er reisden verschillende overlevenden van de Holocaust mee in ons gezelschap, maar Bettina was daarvan verreweg de meest geliefde – en de minst door spoken achtervolgde. Ik draaide me een beetje om zodat ik haar vriendelijke gezicht kon zien, en dadelijk sloeg ze haar armen om me heen, en wiegde me zoals een moeder zou doen.

'Ssst, liefje, *sha*. Huil toch niet zo. Stil maar.'

'Ik kan er niks aan doen!' snotterde ik.

'Dat weet ik toch, lieverd, dat weet ik. Maar zo hoeft het nou ook weer niet. Luister eens, kindje: jij hoeft niet onze pijn te verduren,' zei ze, en ze veegde de tranen van mijn gezicht met een beetje vochtige, opgevouwen tissue. 'Onze pijn is van ons. Die hoef jij niet voor ons te voelen.'

'Maar al die mensen...' Ik kon echt niet ophouden. 'Al die dingen hier.'

'Dat zijn maar dingen, *bubbeleh*. Alleen maar dingen.' Ze gebaarde naar een enorme kist. 'En je moet bedenken dat sommige van de mensen die deze dingen gebruikt hebben, misschien gewoon nog wel ergens in leven zijn!'

Ik volgde met mijn blik haar hand, die wees naar de kist vol lege gaspatronen.

'Oké,' zei ze. 'Die dan misschien niet. Maar kijk daar. Die schoenen. Misschien zit daar, wie weet, wel een paar van mijn eigen oude schoenen tussen. En ik sta hier gewoon naast je. Zie je nou wel, lieverd?'

'Is het niet heel pijnlijk voor u?' vroeg ik. 'Om hier te zijn?'

Er trok een donkere wolk over haar ogen. 'Pijnlijk? Jazeker, lieverd, het is pijnlijk. Natuurlijk. Maar laat me je één ding vertellen: het is een stuk minder erg dan de vorige keer dat ik hier was.'

Ik moest hardop lachen, en een meisje vlakbij hield even op met snikken en staarde ons aan. Bettina dook met haar arm in haar enorme handtas, en haalde een verkreukelde reuzenzak M&M's tevoorschijn. 'Hier,' zei ze, en ze gaf een tikje tegen mijn wang. 'Pak aan.'

Ik pakte hem aan.

'Eet op!'

Ik begon te eten.

Het was alsof er een reusachtig gewicht van mijn schouders was gehaald. Ik voelde me licht. Ik voelde me vrij – althans een paar dagen lang, totdat het antisemitische Poolse dieet zijn eigen van haat vervulde wreedheden begon te voltrekken in mijn spijsverteringskanaal, en mij verplaatste in een situatie die regelrecht ontleend leek aan een moppenboek uit 1962. 'Zou u misschien in verwachting kunnen zijn?' vroeg de Poolse arts na de opsomming van mijn symptomen.

'Nee,' zei ik. 'Ik ben ongesteld.'

'Ah,' zei de Poolse arts, 'en denkt u dat u misschien in verwachting zou kunnen zijn?' Pam *pam*! Tralaa!

Maar die toestand klaarde ook weer helemaal vanzelf op na onze aankomst in een kibboets vlak buiten Tel Aviv en na het veroveren van enige kilo's Israëlische komkommersalade en pakweg een dozijn verse tomaten. Mijn reisgenoten en ik, onze harten bevrijd uit de verstikkende banden van het getto, genoten met volle teugen van de overerfde rechten van het land onzer vaderen: de gewijde bezienswaardigheden, het ontbreken van een minimumleeftijd voor alcoholconsumptie, en het openlijk suggestieve gedrag van de vlotte, met Uzi's omhangen jongens van de beveiliging.

Waar we ook dringend aan toe waren, was waar iedere grote groep tieners die voor langere tijd onder elkaar is zonder ouderlijk toezicht dringend aan toe is. Wij waren dringend toe aan datgene wat, naast de flitsende ervaring van een internationale reis, twee weken geoorloofde afwezigheid van school, en de bijzondere eer voortaan te behoren tot de relatief kleine groep van geloofsgenoten die de gaskamers vanbinnen heeft gezien en het kan navertellen, ook een belangrijke aanbeveling was om aan een reis als deze deel te nemen: wij waren dringend toe aan een potje neuken. Of liever: we waren dringend toe aan wat we op dat moment onder de term vonden vallen. Voor mij bestond dat uit driftig gefrunnik onder de gordel, de verwijdering van enige (maar niet alle) kleding, en zeer incidenteel, een luttele en voorzichtige fellatio. Ik was natuurlijk opgetogen bij het vooruitzicht, maar voelde me er desondanks, en voor mijn doen merkwaardig kalm bij. Ik had dagenlang kromgelopen van de maagpijn zonder maar één keer te denken dat het maagkanker was, of darmkanker, of de ziekte van Crohn. Ik had gevlogen, in een Pools vliegtuig, 's nachts nota bene, en in plaats van geheel automatisch de foetushouding aan te nemen, had ik al die uren heel vrolijk zitten babbelen met een paar Engelse jongens, zuurtjes gegeten en van alles over Manchester United gehoord. In Majdanek stonden mijn nieuwe vriend Andrew en ik zomaar, zonder er verder over na te denken, pal naast een gedenkteken dat zes ton menselijke as toonde een discussie te voeren over de vraag of het wrange horrordrama *Sweeney Todd*, dan wel de urbane emotionaliteit van *Company* het meest representatief was voor Sondheims artistieke vermogens. En dus stelde ik mijzelf de vraag: zou ik nu echt voor mijn verdere leven verlost zijn van irrationele angsten en niet langer gehinderd worden door gevoelens van schuld en argwaan? Zou ik nu voortaan naar de slotscène van *The Sound of Music* kunnen kijken zonder een kussen over mijn hoofd te trekken? Zou ik nu nooit meer dromen dat ik instap in de Honda Civic van mijn moeder en plotseling ontdekken dat het Hitler zelf was die achter het stuur zat? Was ik genezen?

We vlogen op de terugweg ergens boven de Atlantische oceaan, toen een magere jongen zich op de stoel naast me liet neerzakken. Het was de eerste keer dat ik hem zag sinds hij drie dagen daarvoor op een vrije middag plotseling in mijn kamer had gestaan, en na een kort, plichtmatig kletspraatje opeens zijn ene hand onder mijn blouse had geschoven en zijn andere, heel opwindend, in mijn vagina.

'Wij moeten even met elkaar praten,' zei hij.

Ik dacht: ik zal je voor zijn, en ik zei: 'Hé, luister...' (Hoe heette hij ook alweer? Hoe?) 'knul, ik vind je hartstikke aardig en zo, maar ik ben op het ogenblik niet echt eh, op zoek naar een, zeg maar, een *relatie* of zo, weet je wel.'

Hij keek me een tikje verrast aan. *Mooi zo.* 'Eh... ja. Helemaal mee eens, wat mij betreft. Ik bedoel eh, ja. Maar daar wou ik het niet met je over hebben. Ik wou even iets van je weten. Iets persoonlijks nogal.'

'Eh, oké...'

'Oké. Heb jij weleens een aidstest laten doen?'

Wat? 'Hoezo?'

Beschuldigend stak hij zijn middelvinger voor mijn gezicht omhoog.

'Waar wil je me voor uitmaken?'

'Nergens voor! Maar kijk dan.' Hij wees naar een nijnagel aan de beschimpende vinger. De huid eromheen was opgezwollen en vertoonde een randje bloed.

'Wat nou?'

'Ja, dat is een open wond, ja! En dit is de vinger waarmee ik je... jeweetwel... *gevingerd* heb.'

Het begon me langzaam te dagen.

'Ik ben wél getest,' ging hij verder. 'Dus ik weet dat je van mij niks hebt kunnen krijgen. Maar als jij niet getest bent... en eh, nou ja, je leek me behoorlijk... *ervaren*... dan eh...'

Tot op de huidige dag spijt het me dat ik toen niet te trots was om het te ontkennen! In plaats daarvan riep ik, terwijl mijn hartslag snel begon op te lopen: 'Ik ben nog maagd!'

Een passerende El Al-steward keek ons bevreemd aan. *Verwende Amerikaanse pubers.*

'Dat maakt niet uit,' zei het Postbus 51-spotje Dat Ik Per Ongeluk in Mijn Onderbroek Had Toegelaten. 'Je kunt het overal van krijgen, zeg maar.'

'Zeg maar zelfs van *pijpen?*'

'Ja pijpen, of als iemand die, zeg maar... *je gebeft heeft...* het heeft, dan kun je het krijgen als hij, zeg maar, bijvoorbeeld op zijn tong gebeten had...' Zijn stem stierf weg en hij keek me mismoedig aan. 'Ben je echt nooit getest?'

'Nee,' fluisterde ik.

'*Kolere!*' Fel blies hij zijn adem uit, en woedend schudde hij zijn hoofd. 'Ik wou dit allemaal niet nog een keer meemaken. Fuck. Ik wou dit *niet* nog een keer meemaken.'

'Het spijt me,' bracht ik haperend uit, slap van schrik.

'Laat maar.' Hij sloeg zo hard op het opklaptafeltje dat het zichzelf opklapte en vastklikte. 'Ik had het je moeten vragen voordat we iets deden. Alleen... zorg alleen wel dat je je laat testen, oké?' Hij verdween, nog altijd hoofdschuddend, door het gangpad.

Trillend vluchtte ik naar het toilet achter in het vliegtuig, waar ik ineengedoken bleef zitten totdat de steward omriep dat we binnen enkele ogenblikken zouden gaan landen in Houston. Ik was helemaal niet genezen. Maar er waren nog veel angstaanjagender dingen in de wereld dan een stelletje stomme nazi's.

2

De stad van ooit

Mijn vader is niet bijzonder ijdel, maar net als de meeste mensen is hij niet ongevoelig voor complimentjes. Er zijn een paar heel eenvoudige trucjes waarmee je hem om je vinger kunt winden.

Laten we bijvoorbeeld zeggen: je loopt door de gang, in de richting van de wc, en je komt langs zijn werkkamer, een rommelig vertrek dat vol ligt met spullen waaraan je kunt zien wat hem allemaal bezighoudt: fietstijdschriften, het nieuwste model keppeltje, *Star Trek*-attributen met een wisselende mate van krankjorumiteit – en als bij toverslag zwaait de deur open, en wordt de gang opeens gevuld met lispelende folkmuziek, die op een of andere manier sterk doet denken aan het precieze moment waarop fruit begint te rotten.

'Schatje, kom eens binnen. Je moet dit even zien.'

'Ik moet nodig,' zeg je dan.

'Het duurt maar heel eventjes,' dringt hij aan.

En dan worden er grote overtrekvellen ontrold, markeerstiften uit de kast gehaald, en er wordt je aanschouwelijk uitgelegd hoe de nieuwe inrichting van de plaatselijke winkelstraat krachtig nieuw leven zal brengen in het stadje Gematigd Rechts in Kansas, of Behoorlijk Bekrompen in Oklahoma; hoe de inwoners niet meer naar de grote supermarkt zullen gaan maar naar het kleine boekwinkeltje, niet naar de Burger King maar naar het ambachtelijke kaasboertje; hoe ze zullen veranderen van het soort mensen dat woont op het platteland van Oklahoma in het soort mensen dat je vindt op het platteland van Vermont. En mijn vader is een man van een en al goedheid, en Judy Collins jodelt op de achtergrond iets over zeelui en Maine en de lente, en je moet nu écht, écht, écht heel nodig plassen, dus je glimlacht maar gauw wat en doet alsof je reuze geïnteresseerd bent in zijn tekeningen en diagrammen.

'Geniaal!' roep je uit, terwijl een warme bel urine gevaarlijk dicht tegen je binnenste schaamlippen aan drukt. 'Het Amerika van de kleine steden zal volkomen opleven!'

Hij glimt van plezier, als een kleine jongen die een goede beurt heeft gemaakt voor het bord, en het opgeluchte gevoel dat je het toilet nog net op tijd hebt gehaald wordt versterkt door de wetenschap dat je papa gelukkig hebt gemaakt.

Een andere manier om hem gelukkig te maken is door hem aan te zien voor iemand die niet uit Nebraska afkomstig is.

'Zal ik je eens wat vertellen?' Hij straalt, net terug van een bijeenkomst in een of ander onmogelijk kosmopolitisch oord als Houston of Philadelphia. 'Iedereen die ik daar tegenkwam, echt *iedereen*, zei: "Wat? Nebraska? U ziet er veel meer uit alsof u uit een plaats komt als Boston, of..."' *(korte betekenisvolle pauze)* '"New York."'

'Ze dachten daar dat ik uit New York kwam,' zegt hij nog eens, en hij schudt verbaasd zijn hoofd. 'Wat zeg je me daar nou van?'

Het is niet zo dat hij zich schaamt voor zijn woonplaats – helemaal niet zelfs. Hij heeft er zich bijna twee decennia lang, zowel binnen als buiten het gemeentehuis, voor ingespannen die stad beter, mooier en aansprekender te maken. Maar Omaha bleek opvallend resistent tegen iedere poging tot verbetering, althans van het soort dat mijn vader voor ogen had. Ik bedoel, de gemiddelde inwoner van Omaha is er het type niet naar om te koop te gaan lopen met zijn tweecijferig IQ en zijn volslagen gebrek aan interesse in alles waar geen motor in zit, waar geen kogels in kunnen, of waar je niet de homo's de schuld van kunt geven – maar hij komt wel graag in een vertrouwd ketenrestaurant. En ze zijn niet van plan om in de nabije toekomst gebruik te gaan maken van de fiets voor het woon-werkverkeer. Omaha is Omaha. Het vertoont heel weinig neiging om New York te worden, of zelfs maar Kansas City.[N]

Toch is een vaag gevoel van sufheid onder de inboorlingen van Omaha wijdverspreid als het om hun stad gaat. Als je er een paar tegenkomt in het winkelcentrum of bij de supermarkt, zeggen ze na vluchtige bestudering van je haar, je kleren en de vinger waar een trouwring aan zou kunnen zitten: 'Zo, dus jij zit nog steeds in New York?'

'Ja.'

'Zit je ergens in Albany of zo, of echt in de stád?'

N Welkom bij deze nieuwe reeks van nuttige annotaties, genaamd *Belangrijke momenten uit de geschiedenis van Nebraska*. Deze notenreeks zal telkens worden aangeduid met een letter N, waarin iets weerklinkt van de hoofdletter N zoals die door de spelers van ons voetbalteam op de helm wordt gedragen, en die volgens sommigen naar het begrip 'kennis' verwijst. Behoort u tot de zeven mensen die ons volkslied 'Beautiful Nebraska' kennen, neuriet u dan vooral mee. U hoeft geenszins te gaan staan en het hoofddeksel af te nemen, want in tegenstelling tot sommige *anderen* (bescheiden kuchje richting Iowa) zijn de Nebraskanen een nederig volkje dat zich al snel onplezierig gaat voelen bij ieder vertoon van praalzucht en gewichtigdoenerij.

En dan nu: een Belangrijk Moment uit de geschiedenis van Nebraska: Lezing omtrent de Wijze Waarop Wij door Andere Bewoners van Mid-West Amerika Worden Gezien. Ik citeer hier een gedachtewisseling die in Kansas City plaatsvond tussen mijn ouders en een studievriendje van mij dat daarvandaan kwam. Wij liepen met z'n vieren naar een restaurant aan de Plaza (en als u niet weet wat dat is, dan verwijs ik u naar Google, want ik ben *niet* van plan ook nog een notenreeks *Welkom in Kansas City en omgeving* op te gaan zetten). Daar zagen we een stelletje lompe boerenkinkels met een stadsplattegrond voor hun neus aan komen sloffen, met grote ogen om zich heen kijkend naar de hoge gebouwen en de dure winkels terwijl hun spetterend witte sportschoenen glansden in het donker. Natuurlijk maakten we wat flauwe grapjes over hen, totdat mijn vriendje zei: 'Ik bedoel er niks mee hoor, maar als mijn ouders hier geweest waren, zouden ze gezegd hebben: "O, die komen waarschijnlijk uit Omaha."'

'Ik woon in het centrum.'

'Goh, de Big Apple, dus.'

'Ja.'

'Is het daar niet ontzettend duur allemaal?' Dat is geen vraag, hoewel het als een vraag is geformuleerd. Maar je kunt wel zien waar het heen gaat.

'Ja, nogal.'

Je gesprekspartner zucht met enige weemoed. 'Het is vast hartstikke leuk om in zo'n grote stad te wonen. Altijd van alles te doen, en al die verschillende mensen. Ik zal je vertellen, ik heb een paar jaar in Milwaukee op school gezeten, en ik vond het er geweldig. Ik heb op een of andere manier altijd het gevoel gehad dat ik uiteindelijk ook nog weleens in de grote stad terecht zou komen.'

Een en ander is bedoeld om de spreker te kenschetsen als iemand van een bepaald slag, namelijk van het slag dat boeken leest, Japanse gerechten eet, en bevriend is met homo's.[N] Het slag dat op een kandidaat stemt en niet op een partij.

'Maar ik ben bang dat mijn familie gewoon te belangrijk voor

N   Dat is helemaal niet iets vanzelfsprekends. Op een ander Belangrijk Moment uit de geschiedenis van Nebraska hebben wij namelijk, zoals iedereen weet, in het jaar 2000, met niet minder dan 70 procent van de hoofdelijke stemmen, Motie 416 oftewel het Amendement ter Verdediging van het Huwelijk aangenomen, dat al snel daarna bekend kwam te staan als het meest restrictieve stuk wetgeving op dit gebied in het hele land. Dit amendement op de reeds geldende Wet ter Verdediging van het Huwelijk verbood niet alleen een huwelijk of wettelijk samenlevingscontract tussen twee partners van hetzelfde geslacht, maar hield ook een expliciet verbod in om als homostel een lobby te beginnen of een petitie te houden om tot een wetswijziging te komen, en beroofde samenwonende paren van hetzelfde geslacht van hun bestaande rechten als ongehuwd samenwonenden met een intieme relatie, waardoor de wettelijke status van langdurig samenwonende paren in de praktijk werd teruggebracht tot niet meer dan die van toevallige huisgenoten. In 2005 werd dit amendement door een federaal gerechtshof neergesabeld als flagrant ongrondwettelijk, waar vervolgens niemand zich iets van aantrok. Daarnaast zijn er in Omaha een aantal homobars te vinden die een bloeiend bestaan leiden, met name de Max, dé pretplek om naartoe te gaan als je een lekkere kerel met een brede, blote borst wilt versieren in een atmosfeer die nauwelijks te onderscheiden is van die op een uit de hand gelopen kerstborrel van de zaak.

me is,' gaat hij of zij dan verder. 'Ik bedoel, ik zou mijn neefje/
kleindochtertje/petekind nooit ofte nimmer in de steek kunnen
laten.' En met een glimlach speelt de betreffende inwoner van
Omaha vervolgens zijn troefkaart uit: 'Je zult daar wel eenzaam
zijn.'

Hoewel ik op dit moment geen kinderloze vrijster ben van achter in de dertig die haar vruchtbare jaren heeft vergooid met het
drinken van buitenissige cocktails en het dragen van veel te dure
schoenen, is het verwijt overduidelijk. In het verleden heb ik het
weleens nodig gevonden dergelijke inwoners van Omaha ervan te
verzekeren dat mijn leven helemaal niet zo fantastisch is, dat
mijn inkomsten zeer onregelmatig zijn, dat ik maar zelden voor
vier uur 's middags een kledingstuk aantrek met een ritssluiting
erin en dat ik beangstigend vaak 's avonds thuis voor de buis naar
realityshows zit te kijken, maar die aandrang heb ik inmiddels
verloren. 'Eenzaam? O nee, nooit!' kwetter ik. 'Daar heb ik het veel
te druk voor. Druk-druk-druk! Ik bedoel, heel vermoeiend allemaal natuurlijk, maar zo de moeite waard. Ik kan me niet voorstellen dat ik ergens anders zou wonen.'

'Maar weet je, Omaha is ook zo klein niet meer,' klinkt dan het
antwoord. 'We hebben sinds kort zelfs een J. Crew, dus eh...'

O, nou, in dat geval. Ik bedoel, als ze in Omaha tegenwoordig net
als in de rest van de beschaafde wereld het voorrecht hebben om
hun paardrijjasjes en sportcapri's met ananaspatroon eerst te
mogen passen voordat ze die kopen, kan het vast niet lang meer
duren voordat Gwyneth Paltrow er een huis gaat kopen.

Maar goed, ik ken dat gedrag, verontschuldigend en afwerend
tegelijk – een minderwaardigheidscomplex getemperd door
een kritisch en opstandig gevoel. Zo voel ik me als ik in Europa
ben.

'Ze dachten dat ik uit New York kwam,' zegt mijn vader nog een
keer, en hij schudt ongelovig en blij zijn hoofd.

Natuurlijk zeiden ze dat, en niet alleen vanwege zijn opleiding aan de Yale-universiteit, zijn slanke gestalte, en zijn voorkeur voor tweed. Nee, ze zien vooral zijn donkere teint, zijn krachtige neus, en zijn woeste bos warrige krullen, die net zo verschillen van de vlakke gezichten met bleke ogen van de Slavische boeren die de grazige vlakten van onze fraaie staat ooit hebben bevolkt, als de Klaagmuur verschilt van een Beierse *Biergarten*. Mijn vader ziet er onmiskenbaar joods uit. *En wie*, denken al die collega's van hem uit Brookline, Bethesda en Great Neck, *heeft er ooit gehoord van een jood uit Nebraska?*

'Wij horen hier ook helemaal niet te wonen,' zegt mijn moeder terwijl ze door de bevroren voorruit naar de antiabortusdemonstranten tuurt, die plaatjes van bloederige foetussen op de voordeur van het huis van haar verloskundige aan het plakken zijn.

'Dit was toch nooit de bedoeling,' kreunt mijn vader als hij de uitslag leest van een enquête die in onze stad is gehouden en waarin een overweldigende meerderheid van de ondervraagden te kennen geeft dat wat Omaha het hardste nodig heeft 'meer parkeerruimte' is.

'Wat is dit voor een teringstad? Waarom zijn jullie hier verdomme gaan wonen?' schreeuw ik naar hen allebei als dat mens van de slijterij geweigerd heeft mijn paspoort te accepteren als een geldig document om mijn leeftijd mee aan te tonen, met als reden dat ze 'nog nooit zo'n ding gezien heb'.

'Slimme actie,' juicht mijn moeder. 'Zij weet tenminste wanneer er een zuipschuit voor haar neus staat.'

Ik ben natuurlijk een waanzinnig druk, hip en belangrijk persoon met opvattingen die wereldwijd van groot belang zijn, dus logischerwijs krijg ik in mijn drukke, hippe en belangrijke leven veel vragen voorgeschoteld. Hoe blijf je zo onmogelijk slank? Hoe is het om rolmodel te zijn voor een hele generatie vrouwen? Stopt deze metro ook bij Thirty-third Street? Heb jij deodorant op vandaag? Maar vaker nog dan al die vragen over de bijzonderheden van mijn huidverzorgingsschema, mijn mening over de toekomst van de feministische beweging, en de vraag of ik alsjeblieft, álsjeblieft, die kutkattenbak een keer wil verschonen, komt de volgende vraag aan bod: 'Hoe is jouw familie eigenlijk in Nebraska terechtgekomen?'

Ik zal het u vertellen. Dit is het verhaal – en ik vertel het maar één keer – van Waarom mijn joodse ouders in Nebraska wonen. En als er nog tijd over is als ik uitverteld ben, laten we ons dan rond het vuur voor onze hutten verzamelen om te luisteren naar de stamoudsten die ons op hun beurt het verhaal vertellen van Hoe de olifant zijn slurf kreeg.

Mijn vader is geboren en getogen in Omaha. Van vaderszijde was hij de telg van een familiebedrijf in vlees en vleeswaren dat vanuit Chicago dwars door Missouri getrokken was om hun waren te produceren in een nog niet eerder aangeboorde markt voor koosjere salami en betaalbare riblappen. Mijn moeder is geboren in South Bend, Indiana, een andere kleine voorpost van het Joods Emporium van Winnetka (de JEW, zogezegd), en verhuisde naar Omaha op haar negende toen haar moeder, die al jong weduwe was geworden, hertrouwde met een man van middelbare leeftijd, die de eigenaar was van een winkel in uniformen. De joodse gemeenschap van 'de Poortstad', de omvangrijkste van Nebraska, was niet groot, maar wel goed georganiseerd: er waren drie synagogen, een Joods Gemeenschapscentrum en een heel scala van winkels en bedrijven, waaronder twee concurrerende koosjere slagerijen. Een van die twee slagerijen was het eigendom van mijn familie, en de andere, kreeg ik altijd te horen, hoorde toe aan de leiders van een enorme sinistere groep samenzweerders die het uitsluitend gemunt had op de ondergang van onze familie. Hun netwerk van spionnen en strijders, dat niet alleen bestond uit de grote bazen maar ook uit al hun voormalige klanten, was uitgestrekt en almachtig. Het leken soms wel gewone, vriendelijke mensen, die je een aai over je bol gaven tijdens de kiddoesj† na de zaterdagochtenddienst, of die ogenschijnlijk heel aardige kleinkinderen hadden – maar daar liet ik me niet door misleiden. Dat soort mensen had jarenlang een regelmatige portie Shukert-haat binnengekregen via hun runderhotdogs en ingemaakte tong – en ze konden onder geen beding worden vertrouwd.

'Sommige mensen,' placht mijn oma te zeggen, 'doen wel net alsof ze joods zijn, in de synagoge en zo, maar laat ik je één ding vertellen, lieverd: die zijn helemaal niet zo joods.'

Ik geloof dat haar stelling bedoeld was in de lijn van de vermaning die Christus gaf aan zijn discipelen in Mattheus 6:5-6: 'En wanneer gij bidt, zo zult gij niet zijn gelijk de geveinsden; want die plegen gaarne, in de synagogen [...] staande, te bidden, opdat zij van de mensen mogen gezien worden; en zo ook is het dat zij beweren dat de hamburger die zij verkopen voor negenenzestig centen het pond, even zo goed en heilig is als die welke wordt verkocht voor drieënzeventig centen het pond door degenen die in de liefde zijn van de Heer en gezegend in Zijn ogen.... voorwaar, Ik zeg u, dat zij hun loon weg hebben.' Maar wie weet? Mijn grootmoeder had zo haar eigen ideeën over dingen – bijvoorbeeld dat garnalen† koosjer zouden zijn 'als die wetten vandaag de dag op-

---

† De gezellige bijeenkomst in de synagoge na de zaterdagochtenddienst, waarbij de gemeenteleden onder een hapje en een drankje even bijpraten over wat er die week allemaal gebeurd is. Vooral populair bij de ouderen; de mannen drinken in een hoekje schnaps en koosjere pruimenbrandewijn, terwijl de vrouwen onder luidruchtig gekauw de verdiensten van elkaars kleinkinderen bespreken, en ondertussen proberen een paar kilo rugelach achterover te drukken middels hun handtassen die speciaal voor dat doel vanbinnen bekleed zijn met aluminiumfolie.

† Daar zijn we weer, beste heidenen! Jullie weten ongetwijfeld hoe de joodse godsdienst staat tegenover varkensvlees, maar wisten jullie dat ook garnalen net als alle schelpdieren niet-koosjer zijn (of *treife*, zoals wij ingewijden het noemen)? Waarom dat zo is? Het antwoord luidt: *dat weet niemand*. Maar ik heb het opgezocht in Wikipedia, dat ik voor al mijn achtergrondinformatie gebruik, en daar heb ik het volgende opgepikt: 'Schelpdieren brengen hepatitis over, wat tegen de Joodse wetten indruist.' Slaapt dus gerust in uw bedden, overbrengers van hepatitis! Niet zult ge worden verteerd door Abrahams Volk!

gesteld zouden worden' en dat Pasen een 'lentefeest' was, dat correct gevierd kon worden door aan elk van haar kleinkinderen een reusachtig speelgoedkonijn te geven met een zonnehoedje op en een buik vol pastelkleurige snoepjes. Maar joden zijn er dol op om onder elkaar ruzie te maken over de meest onbeduidende flauwekul. Dan hoeven ze tenminste niet te denken aan al die mensen om hen heen die het op hen gemunt hebben.

Vanuit dit gezellige, rancuneuze sjtetl in het Midwesten waren mijn ouders – intelligente strebers die zich vagelijk bewust waren van elkaars bestaan – dus weggetrokken naar hun intelligente, streberige universiteiten aan de oostkust, in de verwachting nooit meer terug te zullen keren, behalve dan voor de feestdagen en de vakanties; momenten waarop mijn vader tijdelijk zijn plaats achter de gehaktmolen weer innam, hoewel hij in een elegante uiting van rebellie vegetariër geworden was, iets wat hij tot op heden volhoudt. Op een zomerse middag kwam mijn oma, mijn moeders moeder, die een tijdje enigszins genezen leek van de kanker waaraan ze uiteindelijk toch zou sterven, onze winkel binnen om haar runderlappen voor de sabbat op te halen, en zag dat de jongeheer Shukert thuis zijn vakantie doorbracht, net als haar eigen jongste dochter. De ouders van mijn vader waren het met haar eens dat zulks een uiterst interessante gelegenheid bood. Zoals te voorspellen viel protesteerden de jongelui hevig, maar de gezamenlijke wilskracht van een man die zijn sigarettenverslaving van drie pakjes per dag van de ene op de andere dag zonder enige hulp had weten af te zweren, een vrouw die de afgelopen tien jaar een experimentele chemotherapie had weten te doorstaan, en een andere vrouw die haar kinderen altijd op een *zeer* strikt schema van heilzame klysma's had gehouden, maakte aan die rebellie spoedig een einde. De rest van de zomer en tijdens de rest van hun opleiding gingen ze regelmatig met elkaar uit. Vervolgens verloofden ze zich. Mijn moeders moeder stierf. Ze trouwden en verhuisden meteen naar Berkeley, waar mijn vader zijn architectuurstudie voortzette.

Het was 1973. Mijn moeder liet haar haar groeien tot op haar middel en at geen vlees meer. Mijn vader begon te fietsen. Studievrienden en hoogleraren kwamen bij hen eten. Mijn moeder leerde kaasfondue te maken, die ze serveerde op een tafel gemaakt van sinaasappelkistjes. Ze hadden heel weinig geld, maar ze hadden elkaar en ze woonden op loopafstand van het huis waar Patty Hearst gevangen werd gehouden door het Symbionese Bevrijdingsleger.

'Kenden jullie mensen die lid waren van het Symbionese Bevrijdingsleger?' vraag ik.

'Nee,' zegt mijn moeder kortaf.

'Rookten jullie hasj?' vraag ik.

'Ga naar je kamer.'

Patty Hearst wordt vrijgelaten, mijn vader haalt zijn bul en ze verhuizen naar Austin, waar mijn moeder toegelaten was tot de opleiding psychologie aan de universiteit van Texas.

'Hoorns op!' zegt mijn moeder, als een echte UT-student.

Haar colleges beginnen. Ze eten Mexicaans en drinken zoete thee in restaurants. Mijn vader vindt werk bij een gerenommeerd architectenbureau, en raakt het tijdens de bouwcrisis van 1975 weer kwijt. Hij komt in een zware depressie terecht. Ze zijn volkomen blut. Ze gaan niet meer uit eten en de tafel van sinaasappelkistjes is niet langer een geintje. Mijn vader fietst met hernieuwde razernij, kijkt dwangmatig naar herhalingen van *Star Trek* en wordt een actief lid van de plaatselijke synagoge. Mijn moeder begint te experimenteren met de samentrekking *y'all* (Texaans voor 'jullie').

Ze ontwikkelen een blijvende voorliefde voor de muziek van Kinkie Friedman & the Texas Jewboys.

Eindelijk, na duizenden mijlen te hebben gefietst, diverse glas-in-loodlampen te hebben gebouwd, en een grote muurschildering met Bijbelse thema's te hebben geschilderd in de hal van de orthodoxe synagoge van Austin, vindt mijn vader een nieuwe baan. Een goede baan, binnen zijn specialisme, bij de afdeling stadsplanologie van een grote gemeente in het Midwesten. Maar wat is het addertje onder het gras? Die gemeente is Omaha.

'Ik denk dat ik daar echt iets zou kunnen bereiken, wat in dit stadium van mijn loopbaan ergens anders niet zo snel mogelijk is,' redeneert mijn vader.

Mijn moeder kijkt hem aan. Maandenlang heeft hij zich gekwetst gevoeld, en zich zorgen gemaakt, en droevig gepiekerd over de succesvolle carrières van minder getalenteerde klasgenoten en collega's. Maar nu is de zon eindelijk weer doorgebroken. 'Oké,' zegt ze.

'Het is maar tijdelijk,' zegt mijn vader. 'Voor een poosje. Ervaring opdoen, een goede referentie in de wacht slepen, en dan kunnen we daarna overal naartoe. Boston. New York. Terug naar Austin, als je dat wilt – of terug naar Berkeley zelfs.'

'Berkeley zou fijn zijn,' zegt ze.

Dus keren ze terug. De wederzijdse familie is dolgelukkig. Mijn vader gaat aan het werk bij de planologische afdeling op het gemeentehuis, waar hij in het begin van zijn studie 's zomers stage heeft gelopen. Hij wordt langzaam steeds enthousiaster over wat hij daar allemaal wel niet tot stand zal kunnen brengen. Mijn moeder begint aan haar dissertatie en gaat stage lopen in de kliniek voor oorlogsveteranen, waar ze patiënten behandelt die in Vietnam hebben gediend en nu last hebben van posttraumatische stress. Haar lange haar, dat tot haar middel reikt, vliegt in brand als het in aanraking komt met de sabbat-kaarsen, en ze knipt het verschroeide gedeelte op schouderhoogte af. Ze weten wat geld bij elkaar te sparen en doen de aanbetaling op een huis – 'een tijdelijk huis,' zegt mijn vader. Mijn moeder stopt met 'y'all' zeggen en voltooit haar proefschrift, en dan zijn opeens de jaren zeventig voorbij. Mijn vader is een gevoelige en charismatische negenentwintigjarige die het goed doet bij de plaatselijke krant en de lokale televisie, en wordt benoemd tot Hoofd Planologie van de gemeente Omaha. Mijn moeder doet een studie om als officieel erkend psycholoog te kunnen werken in de staat Nebraska, en wordt zwanger.

En zo, mijne dames en heren, komen mensen uiteindelijk in Nebraska terecht.

Van alle zelfbevestigende onnozelheden die je tegenkomt op geborduurde kussens en wandtegeltjes in de geschenkafdeling van ziekenhuiswinkeltjes, zijn variaties op het thema 'Haal uit het leven wat erin zit' het meest populair. De meest uitgesproken en deprimerende vorm daarvan is: 'Leef elke dag alsof het je laatste is.'

De ongeëvenaarde stompzinnigheid van zo'n gedachte is onmiskenbaar. Als ik elke dag zou moeten leven alsof het mijn laatste was, waarom zit ik hier dan een wortelkanaalbehandeling te ondergaan? Waarom zou ik dan nog boodschappen gaan doen, of thuis op de loodgieter gaan zitten wachten? Of waarom zou ik dan, nu we het er toch over hebben, kostbare minuten van dit prachtige leven gaan verknoeien met in de rij staan voor het damestoilet? Laten we uit het leven halen wat erin zit. Laten we gewoon onze baan opzeggen, in onze broek piesen en het vliegtuig pakken naar Tahiti. Laten we alleen niet vliegen met een maatschappij die ik zal aanduiden als N...west, tenzij we in onze Tena-ladies het beste uit ons leven willen halen terwijl we zonder doorreisinformatie of maaltijdbonnen gestrand zijn op het vliegveld van Detroit. En laten we even het macabere en meest waarschijnlijke scenario negeren van onze laatste dag op aarde, waarop we nog maar half bij bewustzijn te midden van allerlei apparatuur omringd worden door onze kinderen en kleinkinderen die zich met opgetrokken neus vanwege de stank die we afscheiden rond ons bed hebben verzameld om afscheid te nemen en die zich intussen zorgen maken of de aanvullende verzekering wel de antidoorligmatras met wisseldruk zal vergoeden die ze ons door de verpleging hebben laten aanmeten toen het verdriet nog verser was en ze dachten dat we er misschien nog wel bovenop zouden komen.

Ik geloof niet dat mijn ouders veel op hebben met motto's of lijfspreuken, maar als ze dat wel hadden, zou die van hen kunnen luiden: 'Met grapjes kun je de kabelaansluiting niet betalen' of mijn moeders persoonlijke lievelingsuitspraak: 'Verkloot dit nou eens een keer niet.' Voorzichtigheid, verantwoordelijkheidsgevoel en matigheid zijn hun leuzen. Mijn vader doet altijd net alsof hij de clou van een schuine mop niet begrijpt. Mijn moeder kijkt mensen schuins aan die zo hedonistisch zijn om bij de maaltijd een glaasje wijn te drinken – het hele Franse volk bijvoorbeeld. Maar mijn vader en moeder schudden elke zomer één week lang de ketenen van de 'Staat van de maïspellers' van zich af en gaven zich over aan de vreugde van een vakantie met het ganse gezin: hét moment om hun vleugels uit te slaan, eens goed uit de plooi te komen, en dronken te worden.

Niet dronken van de *alcohol* natuurlijk. Mijn vader is bang voor de calorieën die het bevat, en zoals ik volgens mij al wel duidelijk heb weten te maken ziet mijn moeder alcoholconsumptie als indicatie van een veel omvattender emotioneel probleem, zoals goj zijn. Zelf worden zij dronken van Cultuur, beneveld door Kennis. Ze gaan uit hun bol door de plotselinge overvloed aan vegetarische restaurants. Ze worden euforisch bij de duizelingwekkende gedachte dat ze één fantastische week lang weer Echte Grote Stadsmensen mogen zijn in een Echte Grote Stad. Een stad waar de mensen niet zonder mopperen drie kwartier gaan zitten wachten op een tafeltje bij de Italiaan die op geen stukken na voldoet aan de voorwaarden waarop de centrale organisatie hem onlangs als franchisenemer heeft geaccepteerd. Een stad waar trams rijden, waar meer dan één museum is en een hele lijst met fatsoenlijk gefinancierde democratische kandidaten.

Een stad waar ze *eigenlijk* hadden moeten wonen. Waar ze al die jaren geleden ook gewoond hebben, toen de politiek en de economie en de natuurlijke voortplantingsdrift nog niet alles voor ze hadden verpest. Een stad waar ze zich normale mensen hadden kunnen voelen.

'Waar zouden jullie dit jaar met vakantie naartoe willen?' vroeg mijn moeder op een avond aan tafel aan mijn zusje en mij.

'Naar Disney World!' jubelt mijn zus. Ik rol met mijn ogen. Ik ben negen en veel te wereldwijs voor dat soort commerciële waanzin – maar toch, diep vanbinnen voel ik een sprankje hoop.

'Kom op zeg,' lacht mijn vader honend. 'Laten we de lat alsjeblieft ietsje hoger leggen dan dat.'

Ze denkt na. Haar beentjes schommelen peinzend heen en weer onder haar eetkamerstoel. 'Eh... Disneyland Japan!'

Zoals velen van haar volk is mijn moeder gezegend met een talent om uiterst veelzeggend te zuchten.

Mijn vader wendt zich tot mij. 'Rachy? Wat zeg jij ervan?'

Ik heb kort daarvoor een *Superspeciale Aflevering van de Babysitters Club* gelezen en herlezen waarin *alle* Babysitters vanwege een of ander noodgeval op babysitgebied deelnamen aan een cruise naar het Caraïbisch gebied. Twee van hen beleefden daar een spannende Caraïbische liefdesgeschiedenis (hoewel vanzelfsprekend niet met iemand uit de Caraïben), twee losten er een spannend Caraïbisch mysterie op en zo te lezen hebben ze er allemaal behoorlijk spannend Caraïbisch gewinkeld.

'Nou, als jij op een boot gevangen wilt zitten en je gedwongen wilt zien om zes keer per dag te moeten tafelen met een verzekeringsmakelaar uit Ohio, prima,' zegt mijn vader. 'Als je het mij vraagt is het enige pluspunt van een cruise het feit dat je altijd nog overboord kunt springen.'

Een paar dagen na deze eerste onderhandelingen en na ontvangst van de glanzende folders van de ANWB die zich in rap tempo door het huis verspreiden, worden mijn zus en ik naar beneden geroepen om het opwindende nieuws in ontvangst te nemen: *Van harte gefeliciteerd! U heeft een geheel verzorgde reis van één week gewonnen naar... het prachtige centrum van de stad* [vul hier de naam in van een grote Noord-Amerikaanse metropool]*!*

We kijken elkaar aan. Mijn zusjes onderlip trilt.

'Ik dacht echt dat we deze keer toch naar Disneyland zouden gaan,' fluistert ze. In haar ooghoek welt een traan.

'Ik ook,' fluister ik terug.

'Maar geen Mickey dit jaar,' voegt ze er droevig aan toe.

'Nooit geen Mickey,' zeg ik.

Papa maakt ons om drie uur 's morgens wakker. Hij heeft zijn reiskostuum al aan, bestaande uit een overhemd met buttondownboord, een gestreepte das en een kakibroek, wat precies hetzelfde is als zijn normale kledij, behalve dan dat hij één concessie heeft gedaan met het oog op comfort: hij heeft zijn keurige instappers ingeruild voor een meer versleten paar. Ook heeft hij een schoon overhemd uitgekozen dat niet verpest is door opvallende inktvlekken naast het borstzakje; dit is tenslotte de dag dat hij en zijn gezin vast en zeker zullen neerstorten en omkomen, en dan wil hij er natuurlijk onberispelijk uitzien. Ons vliegtuig vertrekt pas over een uur of vijf, maar mijn vader vindt het prettig om ruimschoots op tijd aanwezig te zijn op Eppley, het vliegveld van Omaha. Je weet nooit wat voor vertraging of gedoe er allemaal niet kan optreden op zo'n enorm vliegveld met tien gates als Eppley. Bovendien is hij toch al de hele nacht op geweest om alle mogelijke rampscenario's te bedenken: ijsafzetting op de vleugels, brand in de pantry, Libische terroristen met niet te ontdekken kneedbommen bij zich (Kunt u zich dat nog herinneren, dat de Libiërs de terroristen waren? Goeie ouwe tijd.), en methodes om ze aan te pakken – dan kunnen wij toch ook wel opstaan om hem gezelschap te houden? Zeer binnenkort is er tijd genoeg om te slapen, als we dood zijn.

Maar meestal stortte ons vliegtuig niet in zee, ontplofte het niet in volle vlucht, en vloog het niet in brand aan het eind van een te korte landingsbaan. Ook werden we niet gekaapt door gemaskerde mannen met machinegeweren en op koers gezet naar Luanda, om daar geëxecuteerd te worden, dan wel op het laatste nippertje gered door de Israëlische Commandotroepen. Nadat mijn vader bij de bagageband zijn gebruikelijke theater heeft opgevoerd persen we ons in een taxi. We turen door de raampjes naar het onbekende uitzicht – de hoge gebouwen, de vastberaden voetgangers, de duiven – en mijn moeder zegt helemaal verbijsterd: 'Het is toch niet te geloven? Nog maar zeven uur geleden waren we in Omaha, en nu zijn we in een heel andere stad. Een heel andere staat!'

Zeven uur maar? Is dat alles? Na gewekt te worden in de kleine uurtjes, mijlenver met overvol gestouwde koffers door drukke vliegveldhallen te hebben gesleurd en een hele middag vastgesnoerd te hebben gezeten in mijn stoel naast een stuiptrekkende man bij wie het schuim uit zijn mond tot over zijn keurige Davenport College-stropdas droop (mijn papa dus) lijken die laatste zeven uur lang genoeg te hebben geduurd om een stevige hoeveelheid uranium te verrijken.

'Nou, verbazingwekkend,' zeg ik.

'Het is net toveren,' doet mijn zus er nog een schepje bovenop. 'Au! Blijf van me af!'

Na aankomst in welk middenklassenhotel dan ook dat redelijk dicht bij het centrum ligt en deze week een aanbieding heeft, beleeft mijn vader zijn laatste beroerte van de dag bij de inschrijfbalie. Als we niet met koffers en al worden weggestuurd om op straat te slapen, mogen we doorlopen naar de lift. Mijn zusje en ik zijn inmiddels compleet losgeslagen en maken van de gelegenheid gebruik om strontvervelend te doen.

'Mam! Rachel slaat keihard op mijn hoofd. Met haar knokkels!'

'Nou en, ik wou alleen maar kijken of er ook iets in zit.'

'er zit niks in!'

'Echt? Niks? Heb jij dan geen hersens?'

'Hou je bek! Jij bent stom.'

'Ik stom? En jij zegt net zelf dat er helemaal niks in je hoofd zit!'

'Wel waar!'

'Stront misschien. Dunne racekak.'

'Jouw hele gezicht is van dunne racekak!'

De deur van de lift gaat open. De ruimte vult zich met een bedwelmend parfum dat een mix is van chloor, plezier en zomer en alles wat Leuk en Goed en Urinebestendig is aan de kindertijd, en er verschijnen twee kleine meisjes met sluik nat haar en reusachtige handdoeken strak om hun schouders gewonden. Mijn zusje en ik staren hen vol verlangen aan, terwijl mijn ouders een zelfvoldane blik wisselen. *Wie gaat er nou met zijn kinderen naar een bruisende metropool, die zo rijk is aan cultuur*, denken ze bij zichzelf, *en laten ze dan een hele middag verknoeien met zwemmen? Wat zijn dat voor ouders?* De meisjes klappertanden en hun lippen zijn helemaal blauw, maar hun gezichten stralen van plezier, vooral ook omdat ze weten dat ze morgen weer mogen zwemmen, en overmorgen ook, samen met andere kinderen die ze hebben ontmoet, nieuwe vriendjes uit Dallas of Cincinnati. Ze gaan zich volproppen met snickers uit de automaat en eindeloos spelletjes doen als 'Zwemtikkertje' en 'Lijstjes Maken' – met echt goeie lijstjes, zoals Europese Hoofdsteden en Priemgetallen – en zo lang in het bubbelbad hangen dat ze bijna een hersenverweking krijgen, die je volgens mijn moeder kunt oplopen als je daar te lang in blijft zitten. Maar ze krijgen helemaal geen hersenverweking. Ze krijgen plezier.

Plezier, plezier, plezier. En wat krijgen wij?

Laat mij eens een typische Familie Shukert Vakantie-dag met u doornemen.

6.30 uur: Mijn vader wordt wakker en bereidt zich voor op zijn dagelijkse rondje hardlopen annex verkenningsmissie, waarbij hij de stand van zaken zal opnemen en de snelste routes naar verschillende toeristische attracties en winkels zal uitstippelen. Wij worden tijdens zijn voorbereidingen verondersteld nog niet wakker te zijn. Mijn moeder is dat echter wel.

PAPA *(luide stem)*: Aveva, waar is… *godverdomme*… waar is mijn hardloperszalf?

MAMA *(ziedend)*: Die heb ik ingepakt.

PAPA: Ik kan 'm anders *godverdomme* nergens vinden…

MAMA *(luide stem)*: Wat wil je nou, Marty? Ik zeg toch: ik heb 'm ingepakt. Kijk eens in het zakje van de grote koffer.

PAPA: Daar *heb* ik al in gekeken, daar zat 't niet… *(schreeuwt)* KUT!

MAMA *(ook schreeuwend)*: Wat? Wat is er gebeurd?

PAPA: Ik stoot m'n teen tegen dat… kloteding… *(Trapt woedend nog een keer hard tegen het 'kloteding'.)* KUT.

MAMA: Marty! Ssst! De meisjes slapen.

O nee, de meisjes zijn wakker.

6.45 uur: Mijn vader gaat de deur uit. Mijn moeder, mijn zusje en ik proberen weer in slaap te vallen in het vreemde, hobbelige hotelbed (of, in mijn geval, op de bijgeplaatste stretcher vanwege een tekort aan tweepersoonskamers).

7.05 uur: Ik val weer in slaap.

7.06 uur: Mijn moeder schudt me wakker. 'Lieverd, als je in bad wilt of zo, kun je beter nu gaan want als papa dadelijk terug is, moet hij onder de douche.'

7.10 uur: Mijn zusje zet de tv aan. *Tekenfilms!* Ik hou meteen op met net doen alsof ik slaap.

7.30 uur: 'Waar blijft je vader, verdomme?' vraagt mijn moeder zich af.

8.00 uur: 'Waar blijft die verdomde vader van jullie, verdomme?' vraagt mijn moeder zich af.

8.30 uur: Mijn vader komt doorweekt van het zweet de kamer binnen. Hij drinkt een blikje cola light. Hij barst los in een gepassioneerde monoloog waarin hij het straatleven in de stadscentra bejubelt, evenals de succesvolle recente pogingen om het aanzicht van de grote steden te verfraaien en de verheven schoonheid van de moderne sneltram – totdat hij plotseling even zwijgt, en ziet dat de tv aanstaat. 'Waarom zijn jullie nog niet aangekleed? En waarom kijken jullie naar dit soort rotzooi?'

8.34 uur: Kort na de abrupte beëindiging van het televisieprogramma sterft het gejammer van mijn zusje weg. Mijn vader doucht, terwijl het vrouwvolk zich haastig aankleedt.

8.50 uur: We ontbijten in een bageltentje verderop in de straat. Het is spitsuur. Mijn zusje en ik zijn de enige kinderen; alle andere klanten drinken zo te zien een snelle kop koffie voordat ze naar hun werk gaan in de verkoopbranche. Mijn zusje neemt een slok van haar sinaasappelsap, zegt dat die veel te sinaasappelig smaakt, en dat ze maagpijn heeft. Mijn moeder neemt haar mee naar het toilet.

9.12 uur: Mijn moeder en mijn zusje komen terug van het toilet. 'Is ze geweest?' vraagt mijn vader. Mijn moeder schudt nee.

'Hou je mond!' zegt mijn zusje. Ze eet een pakje ketchup leeg terwijl mijn moeder haar klamme voorhoofd dept met een vochtige tissue.

9.15 uur: We beginnen aan een opwekkende, cultureel inspirerende wandeling naar een belangrijk internationaal museum voor moderne kunst, waar we de eerste helft van deze ochtend zullen doorbrengen. 'Is het ver hiervandaan?' vraag ik aan mijn vader.

'Nee,' zegt hij, 'niet zo ver.'

9.45 uur: Om de tijd te verdrijven trakteert mijn vader mij op een voordracht over stadsontwikkeling en architectuur rond de laatste eeuwwisseling. 'Zo zie je daar bijvoorbeeld de sterk gedetailleerde gevel van het gerechtsgebouw die volkomen symmetrisch is uitgevoerd... de vrij complexe zuilenrij, die Weense invloed wil logenstraffen... bijzonder typerend voor het neoclassicistische tijdperk... Ik ben in wezen natuurlijk een modernist, dus het is niet echt iets voor mij, maar als we naar het natuurkundig museum lopen zullen we onderweg een paar schitterende voorbeelden zien van...' Mijn zusje begint lage, knorrende geluiden uit te stoten waaruit kan worden afgeleid dat een nieuw rondje toiletbezoek niet lang meer op zich zal laten wachten.

10.15 uur: Een vol uur na aanvang van onze geforceerde mars – ik bedoel onze opwekkende, cultureel inspirerende wandeling – arriveren we bij het belangrijk internationaal museum voor moderne kunst, en hebben we zo'n 8,7 kilometer te voet afgelegd. 'Met de bus had het twee keer zo lang geduurd,' zegt mijn vader vol overtuiging. 'En een taxi, nou, dat kun je wel vergeten.'

'Het dichtstbijzijnde damestoilet is op de tweede verdieping,' zegt de vrouw achter de balie tegen mijn moeder, en ze geeft ons vier muntjes van dun metaal met scherpe randjes. Mijn moeder en mijn zusje verdwijnen. Ik snijd mijn vinger aan de scherpe rand van mijn muntje maar verdring mijn tranen.

10.17 uur: Monet.

10.19 uur: Seurat.

10.21 uur: Renoir, Pissarro, Gauguin, Cézanne, Rousseau.

10.25 uur: Vuillard. Bonnard. Toulose-Lautrec. 'Zijn al die dames prostituees?' vraag ik aan mijn vader – ik heb dat woord onlangs geleerd. 'Waar is je moeder, verdorie?' pruttelt hij als antwoord.

10.35 uur: Modigliani. Giacometti. Braque. Gris.

10.45 uur: Picasso. Daar zijn mijn moeder en mijn zusje.

11.00 uur: Matisse. 'Wat is er met haar aan de hand?' vraagt mijn vader als hij het betraande gezicht van mijn zusje ziet. Ze zit op een bank in het midden van de zaal te trappelen met haar roze plastic sandalen.

'Ze heeft te hard gedrukt, en toen ze haar billen afveegde zat er bloed bij, en daar is ze van geschrokken. Oké? Of heb je daar een probleem mee?' vraagt mijn moeder korzelig.

11.15 uur: Diverse kubisten.

11.30 uur: Diverse surrealisten. 'Die vind ik leuk,' zegt mijn zusje met vlakke stem, en ze wijst naar een De Chirico vol griezelige verlatenheid.

11.45 uur: Duitse expressionisten. Daar hou ik van, omdat ze zulke onmiskenbare voorboden zijn van het dreigend naderende nazidom, een verschijnsel dat mij bijzonder na aan het hart ligt.

12.00 uur: Abstracte expressionisten, en een van hun vele subgroepen (Morris Louis, Helen Frankenthaler), die ik vooral zou willen kenschetsen als 'Gedeprimeerde joden'. Dit waren, heel toepasselijk, de lievelingsschilders van mijn moeder. 'Kijk,' zucht ze verrukt, en ze grijpt mijn hand als we naar een prachtig sombere Rothko staan te kijken. 'Waar moet jij aan denken als je dat ziet?'

'Aan de dood,' zeg ik.

'Goed zo,' zegt ze.

Vlak bij ons staan twee dertigers in de mannetje-en-vrouwtjeversies van hetzelfde rugbyshirt voor een enorme Pollock, die ondanks zijn bijna kinderlijke uitbundigheid met zijn ingewikkelde weefsels en lussen een melancholische ondertoon uitstraalt, een vleugje taboe en wanhopige droefheid, een blik op de mysterieuze wraakzucht van het leven en de vergankelijkheid van het universum.

'Nah, kom op zeg,' zegt de mannelijke helft van het paar veel te hard, zodat de keurig geklede Europeanen die zachtjes staan te fluisteren voor een De Kooning ervan schrikken. 'Wat een lulkoek; dat zou *ik* nog hebben kunnen maken.'

Goed voorbereid op dit soort situaties, reageert mijn zusje prompt: 'Ja, maar je hebt het niet *gedaan*.'

Mijn moeder straalt.

12.30 uur: Andy Warhol, en vervolgens, precies zoals Andy het gewild zou hebben, het SOUVENIRWINKELTJE!!!!!

12.32 uur: Mijn vader verdwijnt in de architectuurafdeling. 'Je mag één ding uitzoeken,' waarschuwt mijn moeder.

12.40 uur: Mijn moeder geeft de voorkeur aan een boek als mijn ene ding – *Picasso voor kinderen*, *Met Matisse in zijn atelier*, of *Het modernisme en ik; hoe zorg ik ervoor dat mijn kind nog minder in staat is met leeftijdgenootjes om te gaan*. Mijn eigen voorkeur gaat uit naar een felgekleurd plastic doosje met kraaltjes en draadjes met het onweerstaanbare opschrift: MAAK JE EIGEN BALLERI-NASIERADEN!

12.42 uur: Mijn moeder koopt al het bovenstaande. 'En wat wil jij, liever?' vraagt ze aan mijn zusje.

'Ik wil poepen!' is het klaaglijke antwoord.

13.00 uur: Mijn vader komt beladen met plastic tasjes uit de architectuurafdeling tevoorschijn. 'Het natuurkundig museum?' vraagt hij.

13.45 uur: Onder dwang stemt mijn vader erin toe dat we eerst iets gaan eten. Na de consumptie van een pakje appelmoes, een grote kom sla, een hardgekookt ei met mayonaise en een chocoladereep die ze in de ketchup doopt, slaagt mijn zusje erin om een paar korreltjes van iets onaangenaams uit haar darmstelseltje te persen. Uitgeput door alle inspanning die dat heeft gekost valt ze in slaap op mijn moeders arm tijdens de wandeling naar onze volgende bestemming, het wereldvermaarde natuurkundig museum. 'De snaartheorie dus,' begint mijn vader, terwijl hij naast me komt lopen. 'Nou, het doel daarvan is in wezen om de fundamentele bestanddelen van de werkelijkheid te verklaren als...'

14.30 uur: Aankomst, te voet, bij wereldvermaard natuurkundig museum. Vader en moeder zijn nog aanspreekbaar, of niet.

14.45 uur: Ik word overmand door paniekaanval na het betreden van reusachtig model van het menselijk hart.

14.50 uur: Moeder wordt overmand door paniekaanval na betreden van weegschaal in zaal 'voeding en voedingsmiddelen'.

14.55 uur: Vader wordt overmand door paniekaanval als ik plotseling nergens meer te vinden ben. Moeder is weer op toilet met zusje.

15.00 uur: Eindelijk alleen. Ik loop dolgelukkig door de zaal met Aangeboren Afwijkingen.

15.10 uur: Misvormde ledematen!

15.15 uur: Misvormde levers!

15.30 uur: IN UTERO SIAMESE TWEELING, SAMENGE-GROEID BIJ HET HOOFD!

15.30 uur: GELOOFD ZIJT GIJ, O HEER ONZE GOD, GIJ DIE UW SCHEPSELEN IN VELE VORMEN SCHEPT!

16.00 uur: Een machtig gekraak weerklinkt door de zaal met aangeboren afwijkingen; het luidsprekersysteem van het museum zet zich moeizaam in werking. Ik ruk mijn blik los van een weinig bezochte uitstalling die ingaat op de relatie tussen aangeboren syfilis en hydrocefalie, en sla mijn ogen ten hemel alsof God zelf op het punt staat te gaan spreken. 'Rachel Shukert. Melden bij de bezoekersbalie alsjeblieft. Rachel Shukert.'

Is het werkelijk al langer dan een uur geleden dat ik mijn ouders voor het laatst heb gezien? Wat vliegt de tijd toch als je het naar je zin hebt.

16.05 uur: Vader is bijzonder geïrriteerd.

'Wat is er godskolere met jou aan de hand?' vraagt hij briesend. Zijn stemgeluid wordt gekenmerkt door de hoge, nijpende tonen die voortgebracht worden op momenten van bijzondere emotionele spanning. Het is dezelfde toon als waarop hij vaak tegen zijn computer spreekt voordat hij het toetsenbord met een oranje viltstift te lijf gaat – iets wat hij beschouwt als een vorm van rituele vernedering. *'Waar zat jij verdomme?'*

'Dat soort taal is echt nergens voor nodig, meneer,' komt de man achter de balie tussenbeide. Hij trekt deugdzaam een afkeurend mondje.

Ik bespeur in hem een bondgenoot. 'Je moet niet tegen me

schreeuwen, papa,' zeg ik met mijn zachtste stemmetje. 'Ik ben *bang* van je als je zo tegen me schreeuwt.'

Mijn moeder sleurt me zo bedaard mogelijk buiten het blikveld van de waakzame baliemedewerker. 'We waren héél, héél erg ongerust over jou. Snap je dat? *Héél*, heel erg ongerust.'

'Ja, mama.'

'En, waar was je nou?'

Ik heb geen zin om het haar te vertellen. Het laatste waar ik behoefte aan heb is een herhaling van het *Shoah*-incident.

'Beetje rondgelopen,' zeg ik. 'Naar die dieren gekeken en zo.'

In tegenstelling tot de meeste andere kinderen heb ik nooit de minste belangstelling getoond voor het dierenrijk. Mijn moeder trekt een wenkbrauw op.

'En *jullie* gezocht!' voeg ik eraan toe.

'Nou moet je eens goed naar me luisteren,' zegt mijn moeder. 'Pas op dat je nooit meer zo in je eentje gaat rondzwerven. Nooit meer. Beloof je dat?'

Ik beloof het. Alweer een leugen. Waarschijnlijk moeten de luidsprekers alweer ingezet worden als we het eerste het beste warenhuis betreden, laat staan als we weer ergens komen waar modellen opgesteld staan van zieke en misvormde geslachtsorganen.

'Gaan we dan nu naar het winkeltje?'

'Niks winkeltje.'

'Zelfs niet voor een astronautijsje?'

'Zelfs niet voor een astronautijsje.'

'IJFJE!' krijst mijn zusje. 'WIL AFTONAUTIJFJE!'

We gaan naar het winkeltje.

16.45 uur: We komen weer uit het winkeltje. Mijn zusje heeft in haar ene hand een gevriesdroogde ijsstaaf geklemd en in de andere een grote pluchen poppenkastpop in de vorm van een sprinkhaan, en eist te worden begeleid naar het toilet.

'Nee,' zegt mijn moeder.

'Jammer hoor, Rachy,' begint mijn vader, 'echt jammer dat je er niet bij was; je hebt een werkelijk *fascinerende* tentoonstelling gemist over de snelheid van het geluid, en de relatie daarvan tot...'

'Marty,' onderbreekt mijn moeder hem. 'Ik wil nu eigenlijk echt, écht heel erg graag even naar Lords & Taylor. Is dat goed?'

'Ik dacht dat we nu naar het Joods Museum zouden gaan,' zegt mijn vader op gekwetste toon, 'en daarna zouden we naar die synagoge gaan kijken die ze hier tijdens de Amerikaanse Revolutie hebben gebouwd. Dat zal jij leuk vinden,' voegt hij eraan toe met een knikje naar mij. 'Die is prachtig.'

'Marty,' zegt mijn moeder nog een keer. 'Ik wil nu echt, écht erg graag even naar Lords & Taylor.'

'Oké,' zegt mijn vader. 'Oké. En jij, Rachy?' Hij kijkt me aan met een hoopvolle blik in zijn ogen.

Welke partij mijn zusje zou kiezen was duidelijk. Ze was een moederskindje in hart en ziel, en bovendien kon en wilde mijn vader niet tegemoetkomen aan haar exorbitante behoeften op het gebied van de stofwisseling. Maar bij mij wist je het niet. Ik overwoog de mogelijkheden. Ik kon met mijn vader meegaan en de komende zeven miljoen uur staan toekijken hoe hij foto's maakte van plinten en stukjes plafond, waarbij hij een complete voordracht hield over de Moorse invloed op de Sefardische architectuur in de achttiende eeuw, of ik kon mijn moeder vergezellen naar een middenklassenwarenhuis, waar elke sprankje hoop dat bij me opkwam zou worden neergesabeld met een bijtend 'Nee, we gaan niet naar de Rachel-afdeling. Vandaag zijn we hier voor mama, en we gaan naar de mama-afdeling' en ik de komende zeven miljoen uur zou moeten doorbrengen met toekijken hoe ze negentien chique broeken achter elkaar paste, om er uiteindelijk niet een te kopen.

Aan de andere kant zou mijn moeder waarschijnlijk met de taxi gaan.

18.15 uur: De afgesproken tijd waarop mijn afgewezen en gekwetste vader ons zal kunnen terugvinden bij de Lancôme-stand van Lord & Taylor.

19.00 uur: De tijd waarop mijn afgewezen en gekwetste vader ook werkelijk verschijnt bij de Lancôme-stand van Lord & Taylor.

19.20 uur: Het is bijna etenstijd. Als we in New York zijn, eten we frietjes of een stuk pizza bij de McDonald's op Times Square waar mijn moeder ooit, heel opwindend, is beroofd door een stelletje onderwereldfiguren toen ze haastig op weg was naar de Broadwayshow waarvoor mijn vader met korting kaartjes had gekocht bij de TKTS naast de banenwinkel van het leger. Als we ergens anders zijn trekken we ons terug op onze hotelkamer voor een korte pauze in afwachting van het diner.

'Mogen we nu gaan zwemmen?' vraag ik.

'ZWEMMEN!' brult mijn zusje. Voor zo'n klein mensje van nauwelijks vier heeft ze een ongewoon lage en sonore bariton. Die stem is behoorlijk opmerkelijk voor een volwassene, maar voor een kind was het nog vreemder dat ze klonk alsof ze bezeten was door Ted Koppel.

Maar zwemmen is er niet bij. In plaats daarvan worden we gewassen, opgedirkt, in onze netste vakantiekleren gestoken en door onze ouders meegetroond naar een fatsoenlijk restaurant van hun keuze. Thuis aten we dan misschien wel meerdere keren per week broodjes bij de Subway of nuttigden we staande voor de televisie pudding of pakjes slasaus, maar op vakantie gingen we ergens heen waar we geacht werden een basale kennis van tafelmanieren te etaleren, rechtop te zitten, en ons te gedragen.

'Jij bent toch maar een bofkont, meisje,' deelde mijn grootmoeder me ooit een keer mee. Het was op een van de zeldzame uitstapjes waarop mijn grootvader en zij ons vergezelden, en ik had in een museum te lang en te luid lopen klagen. Ik had honger en ik wilde pizza. Ik had dorst en ik wilde limonade. Mijn voeten deden pijn, ik was moe, en waarom konden we niet teruggaan naar het hotel om betaaltelevisie te kijken zoals normale mensen? Als ik het me goed herinner uitte mijn grootvader grotendeels dezelfde klachten, maar híj leek merkwaardig genoeg van bestraffend commentaar te zijn vrijgesteld. 'Ooit zul je maar al te dankbaar zijn dat je ouders hebt gehad die je meenamen naar dit soort plekken, waar je wat cultuur kon opdoen.'

Mijn grootmoeder vertelde veel leugens. Garnalen zijn koosjer. Van ijs eten word je mager. Het lauwe blikje Seven-Up dat ze je gaf was *niet* reeds aangeschaft tijdens de regering van president Ford. En mijn persoonlijke lievelingsleugen: 'Je moet niet boos zijn op je moeder; je moeder is je beste vriendin.'

Het was duidelijk dat de moeder van mijn grootmoeder nooit haar kamer overhoop had gehaald bij een woedende zoektocht naar een geheime voorraad marihuana.

De ober komt om onze bestelling op te nemen, en ik besluit om voor een keer af te zien van mijn gebruikelijke kale pasta met een vleugje olijfolie, en iets te bestellen dat past bij de situatie, iets verfijnds en gewaagds, iets dat ook echt op de kaart staat. Dat blijkt lastig te zijn. Ik eet namelijk geen groene groente. Ik eet ook geen gele groente. Ik eet niets dat romig aandoet, of dat is afgemaakt met een saus of een dressing die romig aandoet. En uiteraard eet ik geen vlees.

Ik ben aan de beurt. Onze ober is modieus en stijlvol gekleed, hij is prachtig gebruind, en hij draagt een zilveren armband om zijn pols. Volgens mij is hij de mooiste man die ik ooit heb gezien. Hij glimlacht naar me. 'En wat mag het voor u zijn, mevrouw?'

Verlegen wijs ik naar het gerecht dat ik heb uitgezocht, iets met rijst en verse tomaten. 'Zit daar vlees in?' vraag ik.

Hij trekt een spijtige frons. Ja dus.

Ik haal diep adem en stel de vraag die ik mijn vader en moeder al wel duizend keer heb horen stellen: 'Kan ik dit misschien ook bestellen zonder vlees?'

'Het spijt me, liefje, maar het is voorgekookt in runderbouillon.'

Ik sla mijn ogen neer. *Stom, stom! Natuurlijk kan het niet.* Maar hij zei 'liefje'. Er is hoop!

Hij knielt op elegante wijze naast me neer, kijkt me recht in de ogen en vraagt vriendelijk: 'Ben jij vegetariër, schat?'

'Jij bent vegetariër omdat je joods bent,' heeft een meisje van wie ik de naam ben vergeten mij ooit eens op hooghartige toon toegevoegd. Ze zweeg vervolgens even om haar tong te voorzien van een lik roze suikerglazuur, en haar reusachtige vissenogen staarden me leeg en zonder te knipperen vanachter enorme lavendelblauwe brillenglazen aan. Een klasgenootje in de peuterklas had cakejes meegebracht om te trakteren. In die cakejes, zei de juf, zat varkensvet. Daarom gaf ze me, heel attent, een muesli-reep die ze speciaal voor dat soort gelegenheden altijd achter de hand had. En bedankt.

'Alleen joodse mensen zijn vegetariër,' gaat het meisje verder. Zoals gewoonlijk ben ik van beide genres de enige. 'Want joodse mensen zijn raar. En vegetariërs zijn ook raar. En jij bent allebei, dus je bent super-, superraar.' De roze glazuur zit om haar mond in dikke lagen, alsof het is opgebracht met een paletmes, zoals bij een rommelige De Kooning. Niet dat ze enig idee zou hebben wie dat is.

'Ik ben ook vegetariër,' zegt de ober. 'Kom, laten we even samen op de kaart kijken, dan vinden we vast wel iets lekkers voor jou. Je houdt wel van tomaten, toch?'

Ik hou inderdaad van tomaten, maar van hem hou ik het meest. Hij hurkt naast me neer. Ik houd de menukaart in mijn bevende handen en laat mijn ijskoude vingertoppen langs de nummers glijden, en bedenk dat ik met hem wil trouwen, of met iemand die precies op hem lijkt. En dat ik voor altijd in deze stad wil blijven, in deze stad waar obers ook vegetariër zijn, waar musea vol kunst en misvormingen te vinden zijn, en winkels vol chique broeken en parfum, en straten vol joden en zwarten en vegetariers en vriendelijke jongemannen, en waar het niemand van hen iets kan schelen dat het zwembad al dicht is als ze terugkomen in het hotel, want zwemmen is iets voor mensen zonder dromen.

3

De Russen komen!

We keken naar het einde van de Sovjet-Unie op televisie, net zoals we vijf jaar daarvoor naar het ontploffen van de *Challenger* hadden zitten kijken. De kleintjes zaten in kleermakerszit op het ruwe, blauwe tapijt van het zaaltje waar we altijd bijeenkwamen voor de weekopening, en wij grote kinderen hadden de eer om achter in het vertrek tegen de wandkasten op een stoel te mogen zitten terwijl we getuige waren van Gebeurtenissen Die Onze Wereld Voor Altijd Zouden Vormgeven.

Ik denk dat je het een dag van geluk mocht noemen. Miljoenen mensen konden eindelijk het zware juk van het communisme afwerpen en voortaan ook de vrijheden ervaren die wij in Nebraska zo gewoon vonden: de vrijheid om voedsel in blik te hamsteren, om voorgebleekte spijkerbroeken te kopen met ritssluitingen bij de enkels, en onze billen af te vegen met fluweelzacht toiletpapier van een A-merk. Dat was toch zeker een zegen voor de mensheid. Daar kwam bij dat wij voorlopig niet meer bang hoefden te zijn dat we binnenkort nucleair vernietigd zouden worden, wat ook niet gek was. We hadden maar al te vaak te horen gekregen dat Omaha een voor de hand liggend nucleair doelwit was, vanwege het hoofdkwartier van de Luchtmacht vlak buiten de stad. Die basis was niets minder dan de geboorteplaats van de *Enola Gay*, en onze gegarandeerde vernietiging zou een fraaie karmische symmetrie hebben opgeleverd. Aangezien ik sowieso al het type kind was dat iedere avond voor het slapengaan zorgvuldig haar hele lichaam inspecteerde op kwaadaardige tumoren, was deze onverwachte verlossing van een morbide obsessie een aangename verrassing. Ik zou die avond heerlijk in slaap kunnen vallen, ongehinderd door visioenen van paddenstoelwolken, weggevreten huid, en de spookachtige slachtoffers van stralingsziekte, die met holle ogen rondslopen door de tot puin vervallen straten als verdwaasde horden figuranten uit een zombiefilm.

Maar eindes zijn vaak bitterzoet, en dit was geen uitzondering. Het tijdperk van de Koude Oorlog was een heel bijzonder tijdperk om kind in te zijn. Wij werden naar waarde geschat. Wereldleiders die vastberaden waren om de wereld te vernietigen mochten dan als waanzinnigen bezig zijn atoomwapens te verzamelen alsof ze de gelukkige winnaars waren van een drie-minuten-gratis-winkelenwedstrijd bij Toys "R" Us, maar zelfs het allersufste kind dat een handgeschreven oproep tot vrede opstuurde naar de juiste politieke figuur, of een aandoenlijke wasco-tekening van multicultikinderen die hand in hand ronddansten om een reusachtige vredesduif, kon in het avondjournaal terechtkomen. Dan kwam er een artikeltje over haar in een tijdschrift over kinderen, een feestelijke optocht door haar geboortedorp en een persconferentie met de burgemeester. Misschien werd ze zelfs wel voorgesteld aan de paus of aan Michael J. Fox, en als ze er een beetje schattig uitzag of een leuk 'kleurtje' had of in een rolstoel zat of het kleindochtertje was van een grote sponsor van de Republikeinse Partij, dan mocht ze misschien zelfs wel een keer zomaar rondwandelen (of rondgereden worden) in de Rozentuin van het Witte Huis en kreeg ze een grootvaderlijke knuffel van president Ronald Reagan zelf, die dan vervolgens haar lof zou zingen in een bescheiden geformuleerde doch bewonderende toespraak, doorspekt met uitdrukkingen als 'uit de mond van kinderen' en 'en zie! een klein kind zal hen hoeden'.

Maar Reagan was niet langer aan het bewind. President Bush was in zijn plaats gekomen, een grimmige, liploze man, met net zo'n bizarre, elektronische intonatie in zijn stem als het warrige monster dat je complimenteerde als je een sommetje goed had gemaakt op je PC Junior.

'Denk je dat George Bush wél van kinderen houdt?' vroeg ik aan mijn vader terwijl ik aan de verbleekte Dukakis-button op zijn prikbord pulkte.

'Nee,' antwoordde hij. 'Volgens mij houdt hij alleen van Saoedi's.'

En nu was de Sovjet-Unie ook al verdwenen. En daarmee de markt voor snoezige vredesbrieven aan kansloze hoogwaardigheidsbekleders. En geen treurige Sovjet-'tweelingen'[†] meer die een somber waas konden leggen over een bar mitswa met safarithema. De joden zouden voortaan vrij zijn. Vrij om te werken. Vrij om hun geloof uit te oefenen. En, het allerbelangrijkste, vrij om het land te verlaten.

'Heeft er iemand nog vragen?' vroeg mevrouw Nussbaum, het hoofd van onze school. Ze zette het geluid van de tv zacht, en keek ons bezorgd aan.

Noah Levine stak zijn hand op. 'Mogen we naar *Duck Tales* kijken?'

'Nee. Iemand anders nog? Ja, jij, Joshua?'

'En naar *Darkwing Duck* dan?'

Ze zuchtte. 'Oké.'

Zoals we wel wisten, ging mevrouw Nussbaum verder, waren

---

† Hé hallo heidenen! Luister: 'tweeling' verwijst in deze context naar een gebruik dat in de jaren tachtig van de vorige eeuw heel populair was, namelijk het symbolisch delen van je bar of bat mitswa met een onderdrukte joodse tiener in de Sovjet-Unie. De fortuinlijke kleine kameraad, die zelf geen feest kon vieren vanwege het geïnstitutionaliseerde antisemitisme van het communistisch regime, kon zich dan troosten met de gedachte dat zijn of haar naam was vastgelegd voor het nageslacht op een kleine plaquette in de Bernard & Ida Weinstein Herdenkingspromenade van de B'nai Shalom Synagoge in Grosse Pointe, Michigan.

de omstandigheden voor de joden in de voormalige Sovjet-Unie een tijdlang heel slecht geweest. Maar sinds het land uiteen was gevallen, trokken hele stromen joodse families, die vroeger nooit een uitreisvisum hadden gekregen en door de communistische regering spottend '*refuseniks*' werden genoemd, er weg. De meesten vestigden zich (al dan niet enthousiast) in Israël, maar er waren ook geluksvogels bij die de Verenigde Staten wisten binnen te komen. Met dramatisch gedempte stem voegde ze er stralend aan toe: 'En sommige van die gezinnen komen hier bij ons in Omaha wonen!'

Ze kwamen hierheen, vertelde ze, dankzij de enorme inspanningen die de Joodse Federatie had gedaan om onze gemeenschap met nieuwe gezinnen te versterken. Honderden steden hadden met elkaar in de clinch gelegen over de vraag wie ze mocht hebben, alsof het om de beste basketbalspelers ging, maar het goede oude Omaha had gewonnen. Was dat niet geweldig?

Danny Edelstein stak zijn hand op. Hij zat op de eerste rij en was een magere jongen. De huid rond zijn mond was constant rood en gebarsten doordat hij er voortdurend overheen zat te likken, waardoor hij eruitzag als een clown met een terminale ziekte.

'Ja, Danny?'

'ONZE POES HEEFT VIJF JONKIES!' riep Danny uit, en hij sprong overeind.

'Danny, je stoort,' zei mevrouw Nussbaum. 'Ga zitten alsjeblieft.'

Danny bleef staan.

'Danny, GA ZITTEN!'

Danny giechelde ongecontroleerd en likte zijn lippen.

'Danny, ik tel tot drie! Een... twee...'

Danny ging zitten.

Ze ging verder. 'Goed. En sommige van die gezinnen hebben kinderen. En wij boffen heel erg, want volgende week komen er twee nieuwe kinderen uit de vroegere Sovjet-Unie hier bij ons op school. Het is een groot voorrecht dat wij ze hier mogen ontvangen, en we zullen er met z'n allen voor zorgen dat ze zich hier thuis zullen gaan voelen. Ze hebben heel veel meegemaakt.'

Melissa Gitnik zwaaide wild met haar opgestoken vinger. 'Mogen we nu vragen stellen?'

Mevrouw Nussbaum zuchtte. 'Ja, nu mag je vragen stellen.'

Een woud van kleverige vingers rees omhoog.

'Zijn het jongens of meisjes?' riep Jacob Feinberg.

'Hoe heten ze?' vroeg Leah Rosen.

'Spreken ze Engels?' wilde Jeremy Paskowitz weten.

'EN DIE JONKIES VAN MIJN KAT KWAMEN UIT HAAR VAGINA!' riep Danny Edelstein. Likkend en giechelend werd hij zonder omhaal afgevoerd naar de gang.

Mevrouw Nussbaum zwaaide met haar armen en maande om stilte. 'Het zijn een jongen en een meisje. Ik weet nog niet hoe ze heten maar ik weet wel dat ze géén Engels spreken. We zullen dus allemaal heel lief en geduldig met ze moeten zijn, en ons van onze beste kant moeten laten zien.'

Er zaten al een paar Russische kinderen bij ons op school. Ze waren als kleuters naar Amerika gekomen, en afgezien van een paar kleine verschillen (het zware accent van hun ouders, hun tandeloze, kettingrokende oma's, en de glibberige bietenproducten die ze in Tupperware-doosjes meebrachten om tussen de middag te eten) waren ze absoluut niet van de anderen te onderscheiden. Omaha was een rustige landingsplek voor een Sovjet-immigrant: veilig, goedkoop, en met een hechte, behulpzame joodse gemeenschap. Zelfs als je weinig verdiende maar hard werkte, wat spaarde en de taal leerde, kon je je binnen een paar jaar een gammele auto, een huisje en een leven veroorloven.

'Weet u hoe oud die vluchtelingenkinderen zijn, mevrouw Nussbaum?' Nathan Finkel articuleerde nadrukkelijk met zijn lijzige, nasale stemgeluid en keek nuffig over de rand van zijn bifocale vliegerbril als een misprijzende oude vrijster. Nathan Finkel was zo'n soort nerd dat ondanks kruiperige pogingen om autoritaire volwassenen voor zich te winnen, nooit intelligent of vroegrijp genoeg bleek om hen lang te kunnen boeien.

Zijn neefje Bitterman, ook een Nathan, zat naast hem en zag er net zo uit als hij, afgezien van het brede elastiek waarmee zijn bifocale brilletje rond zijn hoofd was bevestigd. Nathan Bitterman had namelijk de gewoonte regelmatig keihard met zijn gezicht tegen dingen aan te lopen – muren, klimrekken, glazen ruiten – waarbij hij vaak zo hard zijn hoofd stootte dat hij meteen buiten westen lag. De neurologische herstart die gegenereerd werd tijdens zo'n schok had helaas nooit een duidelijk effect gehad op zijn afgrijselijke verzameling spraakgebreken, waarvan de laatste pas rond zijn zeventiende verdween. Nathan B. vroeg nu dus: 'Ja, mefwouw Nufbaum, feet u woe oud die fwuftewingenkindewen fijn?'

Na zijn arbeidsintensieve vraagstelling te hebben voltooid gluurde Nathan over zijn schouder en wierp hij mij een triomfantelijke glimlach toe. Het was algemeen bekend dat Nathan Bitterman sinds enige tijd hopeloos verliefd op mij was. Ik glimlachte niet terug. Over een paar maanden nog maar had ik de zesde klas achter de rug en zou ik deze school verlaten. Mijn ouders zouden geen andere optie hebben dan mij eindelijk uit deze joodse omgeving weg te halen en naar het beloofde land der openbare school te sturen, waar ik van plan was mij te vergooien aan de grootste en blondste protestante jongen die me maar hebben wilde.

De protestante jongen van mijn dromen was niet zomaar de eerste de beste protestante jongen, maar geheel en al vervaardigd naar mijn persoonlijke specificaties, een eisenlijst die nog dagelijks groeide. Niet alleen zou hij, zoals ik al zei, fors en welgebouwd zijn (voor een brugklasser dan), maar ook zou hij truien dragen uit de catalogus van J. Crew, naar Cool Water-aftershave ruiken, en een geheime liefde koesteren voor Broadway-musicals (dit laatste zou uiteindelijk tot problemen leiden). Ik besteedde uren aan het dromen over zijn voornaam, die kort en mannelijk zou moeten zijn, en natuurlijk typisch Nieuwe Testament. Luuk. Tom. Chris. *Chris!* Maar het kiezen van zijn achternaam, samen met de etnische achtergrond (of het ontbreken daarvan) die daaruit zou klinken, was nog leuker. Ik overwoog eenvoudige namen die met een beroep samenhingen of met een plaats van herkomst, namen die honderden jaren geleden ontstaan waren in het schilderachtige Engelse dorpje waar zijn blozende voorouders bier hadden gedronken, paarden hadden bereden, hun daken met stro hadden bedekt, en ketters hadden verbrand. Baker, Taylor, Waters, Woods. Toen die namen wel erg doorsnee bleken, experimenteerde ik met namen uit bekende soapseries – altijd een uitstekende bron om uit te putten als je op zoek bent naar de perfecte benaming voor de blanke burgerman/pornoster in jezelf. Een selectie van de beste daaruit bracht ik terug tot twee namen: Walsh, wat 'uit Wales' betekent (zie 'Walsh, Brandon, Brenda, Cindy en Jim', uit *Beverly Hills 90210*, FOX), en Abbott, wat 'abt' betekent (zie 'Abbott, Ashley, Billy, Jack, Jill, John, Traci', uit *The Young and the Restless*, CBS). Maar ik was vooral geïntrigeerd door de rijke keuze aan achternamen met het stoere voorvoegsel *Mc*. Plak een *Mc* (of *Mac*) voor je naam, en je verandert acuut in een Meg Ryan-type en wordt geiniger, pittiger én schattiger. En ja, ik besef dat dit nu behoorlijk stom klinkt, maar achteraf zie je alles nu eenmaal een stuk scherper. Vrienden, ik smeek u, doe u niet langer voor als onschuldig. Het lot van deze machtige natie vergt oprechtheid van ons, en moed. Er is een tijd geweest, Amerika, waarin velen onder ons ten prooi vielen aan de verderfelijke charmes van Meg Ryan. Een tijd waarin wij telkens weer hopeloos verliefd werden op haar, in film na film. Meg Ryan met haar eindeloze stoet van schattig eigenzinnige (in een eenzame bui om drie uur 's nachts de keuken binnen dwalen en pindakaas rechtstreeks uit de pot gaan zitten lepelen – *zonder die ook maar even op een beschuitje of zo te smeren, hoe bizar!*), hopeloos onzekere Katies en Kathleens en Maggies: Kate McKay, Kathleen McGuire, Maggie McGoy.

En dan mijn gefantaseerde vriendje, Chris McProtestant, met zijn gefantaseerde moeder die lid was van een liefdadigheidsvereniging en truien droeg met Schotse terriërs erop gebreid, en hun gefantaseerde familiediners met de McProtestante grootouders, die hun varkenslapjes en hun aardappelpuree en hun erwtjes kauwden met hun mond dicht, en nooit, echt helemaal nooit, informeerden naar de al dan niet regelmatige stoelgang van de McProtestante kleinkinderen. Chris en ik zouden naar boven gaan, naar zijn kamer, waar alles met Schotse ruiten was afgewerkt, en dan deden we de deur dicht, waar niemand zich iets van aantrok omdat alle volwassenen beneden zaten en langzaam een beetje aangeschoten werden van de rode wijn *die ze dronken omdat ze het lekker vonden en die niet uit de ijskast kwam!* – en dan gingen we urenlang tongzoenen, en als ik dan later thuiskwam rook ik helemaal naar Cool Water en protestantisme en hoefde ik nooit, nooit, *nooit* meer mee te doen aan wat bekendstond als een 'broge-quiz'[†].

Maar voorlopig zat ik helaas nog weg te kwijnen tussen de joden en joden-in-wording in Jodenland, alwaar onze Geliefde Leider op het punt stond de verbasterde vraag van mijn Elmer Fudd-achtige aanbidder te beantwoorden.

'Volgens mij zijn ze allebei negen,' verkondigde mevrouw Nussbaum. 'Maar Nathan, ik geloof niet dat het zo netjes is om

† Welkom terug, heidenen! Kom binnen en doe u te goed aan de hamsalade! *Broge* is een Hebreeuws woord voor 'zegenspreuk'. Zoals u zich misschien nog wel herinnert uit opvoeringen van *Anatevka* op de middelbare school bestaat er voor vrijwel alles wel een zegenspreuk. Welnu, een 'broge-quiz' is een soort wedstrijd zoals 'Tien voor Taal', waarbij je vragen krijgt als: 'Wat is de *broge* die oorspronkelijk gebruikt werd door de gelovige Joden in het getto van Warschau en die gezegd wordt voor het eten van een rauwe of rotte aardappel?' Dat is natuurlijk een strikvraag, want bij het eten van voedsel in een andere dan zijn gebruikelijke toestand (bijvoorbeeld rauw of rot) is een andere zegenspreuk vereist dan voor hetzelfde voedsel dat bereid en gegeten wordt in zijn gebruikelijke vorm. En dan vragen jullie je nog af waarom de Israëlische politiek zo'n onbegrijpelijke chaos is.

over die kinderen te spreken als vluchtelingen.'

Nathan Finkel, die de term *vluchtelingen* het eerst gebruikt had, grijnsde zelfgenoegzaam naar Nathan II. Waarop Nathan II reageerde zoals gebruikelijk en zichzelf krachtig voor het hoofd sloeg.

Mijn oma van moederskant is in 1922 hierheen gekomen, vanuit een klein dorpje in Litouwen. Haar moeder was een paar jaar daarvoor tijdens de oorlog gestorven aan tuberculose, en de tante aan wier zorgen zij en haar jongere broertje waren toevertrouwd, stierf niet lang daarna zelf ook. De kinderen bleven alleen achter met hun neefjes en nichtjes. Hun vader, mijn overgrootvader, liet ze naar Ohio komen. De kinderen herinnerden zich hun vader nauwelijks, maar het verhaal ging dat het een hele nare kerel was. Ze lieten hun neefjes en nichtjes zonder vader of moeder achter en gingen zonder enige begeleiding op reis. Alleen al de reis van hun dorp naar de plek waar het schip lag, duurde weken. Mijn grootmoeder was destijds een jaar of twaalf en haar broertje, mijn oudoom, was twee jaar jonger.

Mijn moeder vertelde vaak het verhaal van die avontuurlijke reis, waarbij ze telkens probeerde de nogal droevige grondstemming ervan te verluchtigen met grappige anekdotes over het leven aan boord. Die keer dat mijn naïeve *bubbe* geprobeerd had een banaan op te eten met schil en al! Of die keer dat ze dagenlang een vrouw met een kunstgebit had bespied omdat ze maar niet kon begrijpen hoe iemand het ene moment een volledig stel tanden kon hebben, en het volgende moment zo tandeloos kon zijn als een baby. Of die keer dat een zeeman haar met ruwe bewoordingen wilde verjagen van de stapel zeildoeken waarop ze sliep, en zij, vreselijk zeeziek als ze was, over zijn borst kotste.

'Is dat geen grappig verhaal?' tetterde ze dan vrolijk.

'Ik vind het eigenlijk nogal droevig,' zei ik dan.

'Nou ja, maar bedenk eens wat het alternatief geweest zou zijn!'

'Hoe bedoel je?'

'Nou, als ze niet naar Amerika was gekomen.'

Dan dacht ik even na. 'Dan woonden wij nu in Litouwen[†], in een huis met lemen vloeren?'

Mijn moeder gooide vrolijk lachend het hoofd achterover. 'Welnee! Dan was ze naar de gaskamers gestuurd, gekkie! Net als de rest van haar familie! Dan waren wij niet eens geboren!'

Zoiets vindt mijn moeder nu een leuke grap.

Wat mij het meest aansprak in die verhalen was de kwestie van hun leeftijden: een meisje van twaalf en een jongetje van tien die helemaal alleen naar een ver, vreemd land reizen om daar voor altijd bij een vreemde, boosaardige man te gaan wonen. Wat er in het verhaal van mijn oma gebeurde viel erg slecht te rijmen met het feit dat ik nog niet eens naar het winkelcentrum mocht zonder begeleiding van een volwassene.

'Alles was toen heel anders,' zei mijn moeder. 'Veiliger. Behalve dan, je weet wel, de pogroms.'

Er bestond een vlekkerige, sepiakleurige foto van mijn oma die genomen was vlak voordat ze uit Europa was vertrokken, en omdat ze is gestorven lang voordat ik werd geboren, had ik mij haar altijd voorgesteld zoals ze op die foto stond. Haar kleren – ongetwijfeld haar beste kleren – waren ouderwets en meisjesachtig: een katoenen jurk met een onduidelijk patroon bedrukt en met een hoge taille, schoenen met lage hakken en een keurige rij knoopjes, heel zedig tot boven de enkels, en een grote strik rechtop in het kortgeknipte haar. Dat haar op die foto heeft me altijd verbaasd – het Jazz Tijdperk had haar sjtetl toch zeker nog niet be-

---

[†] De etnografische overlevering binnen het jodendom wil dat wij Litouwers of Litvaks bepaalde ingewortelde eigenschappen bezitten. Wij zouden koud, berekenend en onvriendelijk zijn (vooral gezien in tegenstelling tot de warmhartiger en uitbundiger Galicische joden, onze gezworen vijanden). Ook eten wij onze *gefilte fish* graag hartig in plaats van licht gezoet (zoals de Galiciërs), een verschil dat zeker had kunnen leiden tot eeuwen van moorddadig onderling geweld zoals tussen katholieken en protestanten of sjiieten en soennieten, ware het niet dat alle andere volkeren er al op uit waren om ons te doden.

reikt? Was dat haar misschien speciaal voor de reis zo kort geknipt, om de luizen te bestrijden? Of was ze ziek geweest? Ik
herinner me vaag een zinnetje uit een verhalenboek uit de bibliotheek, over een groepje zwervende minstreels in de middeleeuwen: 'Let maar niet op Pearls haar; dat is uitgevallen door de
koorts.'

Mijn oma heette ook Pearl.

Op de foto staat ook haar jongere broertje, die later mijn ne-
gentigjarige oom zou worden, die thans na een lang, gelukkig leven waarin hij algemeen bemind werd door de mensen om hem
heen, zijn tijd besteedt aan het frunniken met zijn kunstgebit en
het produceren van een voortdurend ongecontroleerd gelach.

'Beter dan ongecontroleerd gehuil,' zegt mijn moeder.

Op de foto zit hij voor mijn grootmoeder op de grond en heeft
hij zijn armen hartstochtelijk om een houten paardje geslagen
dat hij terug zal moeten geven als de foto is gemaakt – een rekwi-
siet dat de fotograaf gebruikt om zelfs bij zo'n ongelukkig kind
als hij de illusie van welgesteldheid op te roepen. Ze zien er allebei
zo oud uit, zo versleten. Vermoeid, misschien bij het vooruitzicht
van de lange reis, van het *schleppen* met al die rommel, de koffers,
het eten, de geërfde familie-menora, in treinen, op schepen, de
hele oceaan over. Maar angstig zien ze er niet uit. Hun donkere
ogen zijn merkwaardig ondoorgrondelijk. Alsof ze de angst voorbij zijn, alsof na alles wat zij hebben meegemaakt – de onverwachte dood van hun moeder en van hun tante, allerlei pogroms
en plunderingen, de dagen verstopt in een hol onder het stro in de
hoop dat de dronken boeren ze niet komen verkrachten – niets
hen ooit weer angst zou kunnen aanjagen.

Dus ja, wat voor gruwelen zouden deze nieuwe stateloze ver-
schoppelingetjes uit Oost-Europa hebben meegemaakt voordat
ze zich hadden opgemaakt voor de lange reis naar de vrijheid?
Zouden hun gezichten er net zo gekweld en afgetobd uitzien, net
zo levenloos, zo onverschillig voor wat hun verder nog kon wor-

den aangedaan, als dat van mijn grootmoeder met die strik in haar haar? De Sovjet-Unie was het meest hardvochtige en antisemitische regime geweest sinds nazi-Duitsland, zo had de ene bedelbrief na de andere ons duidelijk gemaakt. Lieve god, Heather Schneiderman had *ruimschoots een derde deel van alles wat ze had gescoord* (ik bedoel: gekregen) *met haar bat mitswa* geschonken aan goede doelen die het lijden zouden kunnen verzachten van haar 'tweeling' Galina Yevgenova Rifkin, die geen recht had op een feestje rond haar eigen vrouw-worden vanwege het meedogenloze regime dat de Vijand was van Vreugde. *Een derde van haar bat mitswa-geld!* Het stond zwart-op-wit op de uitnodiging! *En dat terwijl Heather Schneidermans ouders, dr. Steven Schneiderman en zijn vrouw, heel duidelijk hadden laten weten dat Heather zelf DE HELFT VAN HAAR AUTO zou moeten betalen als ze zestien werd.* Zo ernstig was dit dus!

Ik was ervan overtuigd dat die arme kinderen die uit zo'n sinistere situatie afkomstig waren allerlei ontoelaatbare wreedheden hadden moeten ondergaan. Ik stelde me voor hoe ze angstig bijeengekropen in de vrieskou in een eindeloze rij stonden te wachten op de uitreiking van een stukje zeep of gedroogde vis, hun versleten bontmanteltjes over hun hoofd getrokken als een bescherming tegen de wrede scheldwoorden van hun leeftijdgenootjes en tegen de kloddres spuug die onderweg in de lucht bevroren en hun gezichtjes troffen als ijzige scherven in een hagel van jodenhaat. Ik stelde me voor hoe ze voortploeterden door de sneeuw terwijl de tranen op hun wangen vastvroren, met onder hun arm in krantenpapier gewikkelde pakjes vis en brood en rollen toiletpapier die tevens bruikbaar waren als industrieel schuurmiddel, sjokkend op weg naar hun dompige woning in een grijs flatgebouw, om daar te moeten ontdekken dat hun huis geplunderd was, de boeken verscheurd, de oude viool aan splinters geslagen, en dat hun oude grootvader te midden van de treurige resten bewusteloos op de grond lag en het bloed uit een wond aan zijn hoofd gutste. De KGB-officier die juist het pand verlaat houdt hen staande in de hal, slaat ze met zijn lederen handschoenen hard in het gezicht en neemt hun moeizaam verworven wc-papier in beslag. Ik stelde me voor hoe ze op school zaten, in hun verplichte, weinig flatteuze Jonge Pioniers-uniformen met halsdoek, waar ze het *Communistisch Manifest* uit hun hoofd moesten opzeggen, en waar ze zware gymnastische oefeningen moesten doen bij een grammofoonopname van de Prijswinnaar van het Lenin Komsomol Toernooi, terwijl grofgebouwde leraren met harde gezichten vol lelijke pukkels en moedervlekken (en in het geval van de vrouwen: ook gezichtsbeharing) hun stevige gevlochten zweep lieten klakken, en schreeuwden: '*Sneller, jodentuig! Sneller! Sneller!*'

'En denk eraan,' zei mevrouw Nussbaum ter afronding, 'ze zullen zich in het begin wel een beetje overweldigd voelen door alles. Ze zijn in een volkomen andere omgeving, en ze spreken geen woord Engels.'

Jamie Kirshner – die een bekeerling[†] als moeder had – boog zich naar mij toe en snoof: 'Nou, dan moeten ze wel behoorlijk stom zijn, als ze geeneens Engels kunnen spreken.'

[†] Een korte opmerking over de joodse houding ten opzichte van bekeerlingen: wij joden hebben lang bekendgestaan om onze weigering om ons uit te breiden door bekering, en zijn over het algemeen een nogal koele houding aangedaan ten opzichte van dat onderwerp. Iemand die wil toetreden tot het jodendom moet daartoe driemaal een verzoek doen en driemaal worden afgewezen door de dienstdoende rabbi voordat het hem of haar wordt toegestaan voorbereidende lessen te volgen, en zelfs nadat het hele proces is afgerond blijft zijn oorspronkelijke afkomst nog lang rond het hoofd van de bekeerling spoken, zoals je ook weleens over iemand hoort fluisteren: 'Wist je dat zijn vader in de gevangenis heeft gezeten?' of: 'Zij is vroeger een man geweest.' Ik vrees dat de verklaring van dit alles gewoon een vorm van jaloezie is. Degenen die zich bekeren tot het jodendom zijn in buitenproportionele mate christelijke of heidense vrouwen die een joodse man willen trouwen – iedereen weet dat zij de beste echtgenoten zijn – en het zou ook eigenlijk bovenmenselijk zijn als de vrouwen met brede heupen en borstelig haar die op hun vierendertigste nog bij hun ouders wonen zaterdagsmorgens in de synagoge *niet* zouden zitten turen naar de slanke vreemdelinge die daar zo ijverig zit te bidden, en *niet* zouden denken: *jaja – hij kon hij dus geen echt joods meisje vinden om mee te trouwen…*

Mevrouw Nussbaum richtte onmiddellijk haar dodelijke laserstralen op Jamie terwijl de aders in haar nek lichtjes begonnen op te zwellen boven de kraag van haar blauwgroene gebreide deux-pièces. '*Nu moeten jullie eens goed naar mij luisteren,*' siste ze. 'Wij gaan ons op ons *allerbest* gedragen. Ik wil *geen enkele* lelijke opmerking of negatief commentaar meer van jullie horen. *Is dat duidelijk?*'

Volkomen duidelijk. Ik gaf Jamie Kirshner een harde tik op haar knie. Ik wilde ook geen enkele lelijke opmerking of negatief commentaar meer horen. Ik zou die arme vluchtelingenkinderen beschermen tegen alle hoon en spot van verachtelijke mensen als Jamie Kirshner, en als zij wilde weten wat stom was, moest ze maar eens goed naar zichzelf luisteren als ze het woord *dochter* probeerde uit te spreken bij de leesles. Ik bedoel, daar kon je toch alleen maar om lachen. Die kinderen kwamen uit het land van Poesjkin en Tolstoi, Dostojevski en *Dokter Zhivago*. Ze mochten dan wel niet in dezelfde gunstige omstandigheden hebben verkeerd als wij, en altijd gediscrimineerd zijn geweest, en nooit de luxe hebben gekend van dingen als kauwgom en modern wegwerpmaandverband, maar binnen de kortste keren zouden ze kunnen lezen en spreken op een manier waar achterlijke half-lutherse kinderen als Jamie Kirshner nog een puntje aan zouden kunnen zuigen. En ik zou ze dat leren.

Ik, Rachel Shukert, zou de vluchtelingen Engels leren.

Dat was een opwindend idee. Het was opwindend om me voor te stellen hoe ze hun glanzende gezichtjes naar mij op zouden heffen wanneer ik de grootsheid en de geheimen van de Engelse taal voor hen ontsloot. Het was opwindend om me voor te stellen hoe ouders en leraren me even apart zouden nemen om mij van harte te complimenteren met wat ik voor deze arme kinderen aan het doen was. Het was opwindend om me voor te stellen hoe ze op een podium zouden staan voor heel de school, ja, voor heel de stad, om in vlekkeloos Engels te vertellen over dat éne meisje dat werkelijk iets voor hen gedaan had, dat éne meisje zonder wie ze het echt niet zouden hebben gered. Een donderend applaus zou luider en luider opklinken terwijl ik langzaam opstond van mijn plaats en met een lieftallige verlegen blos op het gelaat naar voren liep, in de richting van het podium, omgeven door een zee van mensen die mij allemaal geluk wensten. Het was heel opwindend – totdat ik in de plas verse urine stapte rondom Danny Edelstein, die daar vrolijk in zichzelf stond te grinniken terwijl hij zijn bloedende lippen likte.

De school waarop ik zat liep van de kleuterklas tot en met groep 8, maar het aantal leerlingen was eigenlijk heel klein. Dat viel te verwachten bij de enige joodse basisschool in Nebraska, een staat die niet uitblinkt in religieuze diversiteit ondanks de prestaties in heden en verleden van prominente lokale joden, zoals daar zijn Henry Monsky[†]... en... nou ja, meer kan ik er even niet bedenken.[†] O ja, wacht: mevrouw B.[N]!

Door de komst van de twee Russische scholieren zou ons leer-

[†] De stichter van Aleph Zadik Aleph (AZA) nr.1, de allereerste afdeling van de wereldberoemde jeugdorganisatie B'nai B'rith, waarvan ik in 1996 de titel 'Sweetheart' mocht ontvangen.

[†] Zoeken met Google op 'beroemde joden uit Nebraska' levert 0 resultaten op.

[N] Rose Blumkin, doorgaans liefhebbend aangeduid als mevrouw B., was een opvallend klein gebouwde joodse immigrante uit Rusland die in 1937 met vijfhonderd dollar het bedrijf 'Nebraska Meubel Markt' opzette, dat onder haar leiding uitgroeide tot de grootste en veelzijdigste winkel in meubels en tapijten van het hele Midwesten. Personeel en klanten herinneren zich hoe ze, ver over de tachtig maar nog altijd kras, in een gemotoriseerd golfkarretje rondzoefde door haar 150.000 vierkante meter grote toonzaal, op zoek naar bijzonder domme of luie verkopers die ze vervolgens bedolf onder een lawine van kritiek die doorspekt was met Jiddisch. Na een zakelijk geschil (dat in de pers breed werd uitgemeten) met haar kleinzoons die zij volgens de *Omaha World-Herald* 'die Hitlers' placht te noemen, liet zij op 95-jarige leeftijd het rijk dat zij had gesticht aan hen over en opende ze aan de overkant van de straat een concurrerende megamarkt: Mevrouw B.'s Warenhuis. Daar werkte ze nog dagelijks tot ze in 1998 op 104-jarige leeftijd overleed. Zij was verder een vrijgevige filantroop die een hele rits aan goede doelen steunde, met name het Rose Blumkin Tehuis voor Joodse Bejaarden, waar honderden van haar geloofsgenoten genoeglijk hun laatste dagen hebben doorge-

lingenaantal verhoogd worden met bijna 10 procent. Gelukkig hadden we nog een derde klaslokaal.

Ons gebouw was een voormalig plattelandsschooltje dat ooit bezocht werd door de kinderen van kleine boeren die in de jaren vijftig van de vorige eeuw vlak buiten de stadsgrenzen van Omaha hun bedrijf uitoefenden. In de jaren zeventig werd het gebouw met het stuk grond eromheen gekocht door de Beth Israël Congregatie (de orthodoxe synagoge van Omaha). De bouwkundige toestand was ronduit beroerd en werd gekenmerkt door een weelde aan kapotte kranen, ontbrekende deurstoppers en allerlei soorten kleine gevaarlijkheden. Het asbestniveau werd schadelijk geacht voor onze gezondheid, en als je na schooltijd als een van de laatste kinderen werd opgehaald, kreeg je de gelegenheid om mevrouw Nussbaum door een gat in het plafond omhoog te zien klimmen in haar aluminium ruimtepak. Dat pak tegen gevaarlijke stoffen hadden wij scholieren bij elkaar gespaard door langs de deuren te gaan met allerlei koopwaar. Die actie was een groot succes geweest. De deur dichtslaan in het gezicht van een basketbalteam of een groepje cheerleaders is voor een knorrige buurman makkelijk genoeg, maar het is veel lastiger om nee te zeggen tegen een meisje van zeven dat met een gekleurd foldertje zwaait en zegt: 'Alstublieft meneer, wilt u deze zoete popcorn kopen die is verpakt in een schattig blikje in de vorm van een kat, anders gaan wij allemaal dood aan longkanker!'

Onze groep leerlingen, hoe minuscuul ook, viel uiteen in drie facties: de kinderen van druk-druk-drukke yuppen die wanhopig op zoek waren naar een klasje waar ze niet zo moeilijk zouden

---

bracht terwijl ze staarden naar herhalingen van de *Cosby Show*, knuffeldieren aaiden en racistisch getinte scheldwoorden riepen naar donkergekleurde leden van het verplegend personeel. Rose Blumkin, wij noemen uw naam met ere. U bent werkelijk, zoals een website die wij tegenkwamen het noemde: de meest bekende jood uit de staat van de maïspellers. Dit was 'Belangrijke Momenten uit de Geschiedenis van Nebraska'. Goedenavond, en pel ze!

doen over de precieze datum waarop hun kind officieel leerplich-
tig werd, de onmiskenbare überjoden die te godsdienstig waren
voor het openbaar onderwijs – dat waren vooral jongetjes met de
beminnelijke neiging om al op de speelplaats het volle gewicht
van de Wet in te zetten om hun superioriteitsgevoel te versterken;
– 'Verboden voor meisjes! Dat staat in de Talmoed!' – en ten slotte,
kinderen die zo'n ontwikkelingsachterstand hadden, sociaal on-
handig waren, of zulke hopeloze, nerderige studiebolletjes waren, dat hun ouders vreesden dat ze uit de genadeloze jungle van
het openbare schoolsysteem thuis zouden komen met verre-
gaand ontvelde ledematen, of gedwongen zouden worden hun
eigen bevuilde onderbroek fijn te kauwen en door te slikken.

Op onze school zou je zulke dingen niet snel zien gebeuren.
Van de kleuters tot en met de kinderen in groep acht deden we
eigenlijk alles samen: de pauzes, de weekopening, muziekles en
gym. We lunchten samen aan lange tafels in de kleine kantine, stonden in de rij om onze goedgekeurde koosjere lunch in de
magnetron te stoppen, en om onze pakjes melk uit de gemeenschappelijke ijskast op te halen. Het voelde meer als een groot,
eigenaardig gezin dan als een school. Als ik erop terugkijk, was
het allemaal heel vriendelijk wat we daar meemaakten, zonder
pestkoppen en ruwe, wrede spelletjes, en zonder kliekjes en
kwaadaardig geroddel. Maar toch kon ik me maar niet losmaken
van de vrees dat al dat *joodse* gedoe een ernstige bedreiging vormde voor mijn levensideaal: een *goj* worden.

De avond na de aankondiging van mevrouw Nussbaum kwam
mijn oma bij ons langs. Ze haalde schoenendozen vol met oud-
bakken *mandelbrot*† voor ons uit de kofferbak van haar auto. Mijn

---

† Een hard, biscotti-achtig amandelkoekje, gewoonlijk bedekt met een laagje suiker of
kaneel, geschikt voor bij de koffie of voor de eenvoudige verwijdering van tanden of
kiezen.

moeder pakte het met haar gebruikelijke charme van haar aan: 'Mooi. Nu hebben we eindelijk eens een reden om het huis uit te bouwen.'

Toen mijn oma eindelijk alle aangeboden drank en voedsel had afgeslagen en een plekje had gevonden op de sofa, bracht ik haar op de hoogte van mijn geweldige plan om de Russen te redden.

'Is dat nou niet lief? Wat ben je toch een schatje!' riep oma uit, en ze sloeg haar knokige handen van vreugde in elkaar. 'Wat heb jij toch een lieve, geweldige dochter!' Ze keek mijn moeder in verrukking aan.

'Volgens mij moeten ze daar van de overheid iemand voor inhuren,' zei mijn moeder. 'Iemand die weet wat-ie doet.'

'Maak je daar maar geen zorgen over,' kakelde mijn oma, die volgens de onsterfelijke woorden van mijn moeder 'zelfs als jij je eigen stront in haar tapijt zou smeren, nog zou beweren dat Picasso er niks bij was'.

'Ik vind het fantastisch wat je doet voor die arme vluchtelingenkinderen. Ik neem je dit weekend mee uit winkelen, en ik wil geen gemopper horen. Mijn kleine schooljuf heeft een hele nieuwe garderobe nodig!'

Mijn moeder ging naar boven. En ze kwam een hele tijd niet meer naar beneden.

Op maandagochtend zat ik voor dag en dauw in het kantoortje van het hoofd van de school in een spiksplinternieuw gebloemd spijkerjasje, een minirokje met bijpassend gebloemd strookje, en met een bijpassende buitenmodel tas. Mevrouw Nussbaum speelde peinzend met een puntenslijper in de vorm van een appel, en vroeg zich ongetwijfeld af op welke wijze ze het best haar lof onder woorden kon brengen voor mijn altruïsme, mijn genereuze aard, en mijn duidelijke superioriteit als mens en als Toekomstig Leider van Amerika.

'Tja,' zei ze ten slotte. 'We zijn eigenlijk van plan om iemand in te huren om ze te helpen met hun Engels. Ik bedoel: een professioneel iemand op dit gebied.'

'En dat hoeft u nu dus niet meer te doen! Dat is toch geweldig?'

Ze zei niets.

Waarom? Waarom, o waarom toch was het kennelijk mijn lot om mijn hele leven te moeten doorbrengen in het gezelschap van provinciale klungels, van boerenkinkels die blind waren voor de grootsheid die zich voor hun nietsziende ogen ontplooide? 'Snapt u het dan niet?

IK SPAAR U GELD UIT!'

'Let jij eens een beetje op je woorden, jongedame,' beet ze me toe. 'Ik ben niet gewend dat er iemand hier zijn stem tegen mij verheft.'

'Ik probeer alleen maar te helpen,' fluisterde ik pruilend. 'U heeft toch gezegd dat we allemaal ons steentje moesten bijdragen?'

Haar toon werd wat milder. 'Ja,' zei ze. 'En ik stel je goede bedoelingen zeker op prijs. Maar het is in de staat Nebraska verplicht om in een geval als dit een bevoegde leraar voor Engels als Tweede Taal aan te stellen. Zo is de wet.'

'Maar ik zou ze van alles kunnen leren over onze *cultuur*. Het zou toch goed zijn als ze een heleboel dingen zouden kunnen leren van, zeg maar, een *leeftijdsgenoot*, weet u wel?' Ik zette mijn nieuwe tas even zo neer dat het woord E S P R I T, dat in grote letters dwars over het voorvak was geborduurd, beter te lezen zou zijn. 'Ik bedoel, ik ben natuurlijk toch waarschijnlijk wel een van de meest, zo niet *het* meest... *coole* kind van de school.'

Wat stelt het voor om de *coolste* te zijn van een stelletje hopeloze peuters, chassidim-in-opleiding, en autistische borderlinegevallen? Mevrouw Nussbaum waagde zich niet aan een antwoord, maar een paar dagen later werd ik in haar kantoortje geroepen. Ze deelde me mee dat ik voortaan tweemaal per week op de uren dat ik eigenlijk maatschappijleer had, in de bibliotheek verwacht werd om daar onze nieuwe leerlingen te helpen bij het verbeteren van hun Engelse idioom. Ze gaf me een grote stapel kartonnen kaarten met geschilderde prentjes erop van allerlei dieren uit de dierentuin. Onder ieder prentje stond de bijpassende naam in grote blokletters afgedrukt: LEEUW, OLIFANT, PINGUÏN.

'Is dit nu echt wat ze moeten leren?' vroeg ik. 'Ik bedoel, als ik een vluchteling was – ik bedoel, een *immigrant* – dan zou ik liever iets nuttigers leren, zoals over kleren, of...'

'Rachel,' zei mevrouw Nussbaum vermoeid, 'ga nou niet te ver, hè.'

Sta me toe u het toneel te schetsen:

Een kleine schoolbibliotheek. Een jong meisje (in de hiernavolgende dialoog aangeduid als IK*), gekleed in een knetterpaarse, oversized trui vol pomponnetjes die eruitzien als kwaadaardige gezwellen, zit aan een laag tafeltje en is zo te zien heel tevreden met zichzelf. Haar haar is bijeengebonden in een strakke paardenstaart die recht uit de zijkant van haar hoofd naar buiten steekt als het handvat van een gieter en die versierd is met een rozet van fel turquoise lint ter grootte van een flinke mannenvuist. Op het tafeltje voor haar liggen wat schriftjes, een paar potloden en twee stapels kartonnen kaarten, waarvan er een vervaardigd lijkt te zijn door een officiële educatieve instelling, terwijl de andere een rommeltje is van steekkaarten met uit tijdschriften geknipte foto's erop geplakt – een nogal kleverig geheel door de overvloed aan hobbylijm die er overal tussenuit druipt. Ze legt de stapeltjes recht, friemelt aan de potloden en als ze blij is met het resultaat, leunt ze tevreden achterover in haar stoel. Twee kinderen komen binnen: een jongen en een meisje van een jaar of acht, negen. Ze lopen op het gestoord geklede meisje af, en op hetzelfde moment verandert haar zelfgenoegzame lachje in een blik van ontzetting. Zijn dit nu de Russen? Mooie vluchtelingen zijn dat! Ze dragen niet eens de juiste kleren. Oké, ze hebben heel lelijke schoenen aan en T-shirts met onbekende stripfiguren erop – maar die zijn ner-*

gens opgelapt! En geen sjaals! Geen hoofddoeken! Waar zijn hun hoofddoeken? En waar zijn hun grote, donkere, van leed vervulde ogen en hun smalle samengeknepen gezichtjes die getuigen van lange jaren van honger en vernedering? Ze zien er afschuwelijk weldoorvoed uit, vooral het jongetje. Ze bekijkt afkeurend zijn ronde buikje en zijn dikke, slappe wangen. Instinctief grijpt ze de zak met bruine M&M's die ze op haar schoot verborgen houdt steviger vast. Ze gaan zitten en staren haar uitdrukkingsloos aan en er is geen spatje dankbaarheid of bewondering op hun gezichten te lezen, zelfs niet voor haar nieuwe trui die achtenzeventig dollar heeft gekost, hoewel haar moeder nog zei dat het onfatsoenlijk veel geld was om uit te geven aan een trui voor een kind van elf en dat zij zélf niet eens een trui had die zoveel gekost had, terwijl zij nota bene een doctorstitel had en niet meer in de groei was. 'Behalve dan in omvang!' had het meisje geantwoord. Ze was naar haar kamer gestuurd, waar ze de hele avond had moeten blijven, terwijl het een Dit Mag Je Niet missen-Op-tv-Donderdag was geweest, wat inhield dat ze nu 227, Amen, The Golden Girls, Empty Nest én L.A. Law niet gezien had. Nou ja, die kinderen zijn communisten. Die begrijpen niet hoe belangrijk merken zijn. Het meisje besluit ze een tweede kans te geven.

IK (wijst op haar borst): Ik heet Rachel. Rachel. Hoe heten jullie?

(De vluchtelingen geven geen antwoord.)

IK (luider en langzamer, nog altijd wijzend): Rachel. Ree-tjul.
JONGETJE (wijst op zichzelf): Ree-tjul.
IK (nog luider): Nee! Rachel. Ik. Ik ben Rachel.

(Geen antwoord.)

IK (schreeuwt): RACHEL! RACHEL!

JONGETJE (*schreeuwt ook*): REE-TJUL! REE-TJUL!
VROUWENSTEM: RACHEL!

(MEVROUW OLSEN, *de lerares van de tweede en derde klas, steekt haar hoofd om de hoek van de deur.*)

MEVROUW OLSEN: Kan het wat zachter? Alsjeblieft? Ik probeer les te geven in mijn klas.
IK: Sorry.
MEVROUW OLSEN: Sorry wat?
IK: Sorry, mevrouw Olsen. Ik zal zachter doen.
MEVROUW OLSEN: Dank je wel.

(*Ze gaat terug naar haar klas.* IK *richt zich weer op de verdacht mollige 'vluchtelingen.'*)

IK (*fluistert*): Ik heet Rachel.

(*Het meisje, misschien wat slimmer dan het jongetje, lijkt ten slotte toch te hebben uitgepuzzeld welke mededeling er gedaan werd.*)

MEISJE (*wijst op zichzelf en fluistert*): Yelena.
JONGETJE (*wijst ook op zichzelf en fluistert*): Ree-tjul.

(*Vol afkeer schudt het meisje,* YELENA, *haar hoofd en overlegt met hem in het Russisch.*)

MEISJE: *Breznjev stolichnaya. Blini dostojevski glasnost njet.*
JONGETJE: *Breznjev wodka smirnoff?*
MEISJE: *Da.*
JONGETJE: Ah! (*Wijst naar zichzelf*) EUGENE! EUGENE!
IK: Geweldig! Jij heet dus Eugene, en jij heet Yelena, en ik heet Rachel!

JONGETJE: *Da, da!* EUGENE!

(Ze zitten zwijgend tegenover elkaar.)
(IK, die zich nog altijd onbewust is van het feit dat haar trui vol uit-
zaaiingen zit, pakt de stapel kartonnen kaarten met dierenplaatjes.)

IK: Leeuw.
MEISJE EN JONGETJE: Leeuw.
IK: Tijger.
MEISJE EN JONGETJE: Tijger.
IK: Struisvogel.

(Er wordt gegiecheld. Misschien betekent struisvogel in het Rus-
sisch wel iets heel anders, zoals 'kots' of 'penis'. Nadat ze de hele sta-
pel dierenplaatjes hebben doorgewerkt, zitten ze weer vijf minuten
zwijgend tegenover elkaar. Maar IK, die niet van ophouden wil we-
ten, grijpt de stapel met hobbylijm verkleefde steekkaarten en houdt
er een omhoog.)

IK: Ik heb zelf ook nog wat kaarten gemaakt, voor het geval we
door die andere heen zouden raken... met gewoon een paar
dingen die jullie zouden moeten weten...

(Ze staren haar zwijgend aan. Het jongetje begint peinzend in zijn
neus te pulken.)

IK *(wijst op een kaart)*: Jason Priestley.
MEISJE EN JONGETJE: Jason Priestley.
IK: Fred Savage.
MEISJE EN JONGETJE: Fred Savage.
IK: Jordan Knight.
MEISJE EN JONGETJE: Jordan Knight.
IK: Eigenlijk heb ik een hekel aan de New Kids on the Block. Ik hou

zeg maar meer van musicals, weet je wel, zoals *Camelot*. Of *The Phantom of the Opera*. Daar luister ik dus meestal naar, op mijn Sony Boomboxen. Die heb ik van mijn ouders gekregen en die kostten iets van vijftig dollar. Die hebben jullie in Rusland waarschijnlijk niet. Maar goed, volgens mij is muziektheater dus gewoon veel uitgesprokener en, zeg maar, intelligenter dan popmuziek of zo. Behalve dan misschien Whitney Houston. Want haar liedjes zijn zeg maar echt ontroerend. Maar wat je ook van ze mag vinden, ik heb Jordan hiertussen gezet omdat New Kids on the Block zeg maar waarschijnlijk toch wel een van de invloedrijkste muziekgroepen is uit de hele geschiedenis. Ik bedoel, dat zegt iedereen, het staat zelfs in *Time*, en een heleboel mensen zijn echt grote fans van ze, dus dan moet je wel weten wie het zijn en welke volgens jou de leukste is, voor als iemand dat vraagt. Volgens mij is Jordan de leukste. Maar ik ken een meisje dat Danny de leukste vindt. Braak! Daar ga je toch van over je nek? Die lijkt op een aap! Maar dat is nog niet eens het goorste eigenlijk, want echt het goorste is dat ze voor Chanoeka New Kids on the Block-lakens heeft gekregen van haar ouders, voor op haar bed zeg maar, en dan loopt ze te roepen hoe geweldig dat is omdat er een grote foto van Danny op haar *kussensloop* staat en dat ze het lekker vindt om *op hem te kwijlen terwijl ze ligt te slapen*. Gadver! Zij is echt goor. Maar ik ga jullie niet vertellen hoe ze heet of zo, want het is serieus mijn beste vriendin.

(Ze zitten in stilte minutenlang tegenover elkaar.)

Mevrouw Olsen stak haar hoofd weer om de hoek van de deur. Ik verbaasde me erover hoe haar permanent op één plaats altijd zachtjes wiebelde als ze haar hoofd ook maar een heel klein beetje bewoog. Was er ergens in de natuur een beeld te vinden om dat verschijnsel mee te kunnen vergelijken – de kuif van een getrimde poedel, het pluis van een uitgebloeide paardenbloem tijdens een zachte bries? Nee. Het haar van mevrouw Olsen vond geen precedent in het rijk der dieren, noch in dat der planten. Het was magisch.

'Het is tijd voor de lunch,' zei ze.

Blij sprong ik op, en het vergeten zakje M&M's viel van mijn schoot op de grond.

'M&M's!' riep Eugene.

'Ja, dank je wel,' zei ik, en ik raapte het zakje gauw op. 'Kom mee. Het is tijd om te gaan lunchen.' Ik deed alsof ik een vork naar mijn mond bracht. Ze bootsten me precies na.

'Nee, niet hier. In de KANTINE.'

Waarom nemen wij toch altijd aan dat mensen die onze taal niet spreken een gehoorstoornis hebben? Heeft een van u wel-eens iemand uit een ander land ontmoet die echt een gehoorstoornis had? Gaan we daar dan weer heel anders tegen praten? Veranderen we dan weer helemaal van tactiek, en gaan we daar dan snel en onverstaanbaar tegen fluisteren?

'M&M's!' schreeuwde Eugene nu hardnekkiger. 'M&M's!' Hij wees met een mollige vinger naar de zak die ik in mijn hand geklemd hield.

Voelden wij ons genoopt om extra aardig te zijn tegen dit soort mensen, louter om de vage reden dat ze pech hadden met hun geboorteplaats? Pech in de geschiedenis? Als het nu eens de Verenigde Staten waren geweest die waren bezweken onder hun eigen desastreuze politieke beleid (zoals trouwens elke dag zou kunnen gebeuren) en VS-burgers zich verplicht zagen een nieuwe woonplaats te zoeken in voormalig vijandelijke of onverschillige landen, en een vloed van Amerikaanse vluchtelingen – pardon, emigranten – overstroomde plotseling Boekarest, of Lyon of Islamabad, zouden die mensen daar dan extra vriende-lijk tegen ons zijn? Zouden zij ook de moeite willen nemen ons waardevolle culturele informatie te verschaffen over hun televisieprogramma's, hun tieneridolen en modieus schoeisel? En om IN HET WEEKEND *vijfenveertig kostbare minuten van hun leven* te besteden aan het maken van kartonnen kaartjes om ons met behulp daarvan over die onderwerpen de onderrichten? En zouden zij zich genoopt voelen ons hun M&M's te geven?

'M&M's!' schreeuwde hij nu echt luidkeels. 'M&M's!'

'In hemelsnaam, Rachel,' riep mevrouw Olsen uit terwijl ze haar klas door de bibliotheek heen loodste. 'Geef dat arme Russische kind toch die M&M's!'

Een week later arriveerde de lerares Engels als Tweede Taal.

Toen ik een poosje later op een ochtend op school kwam zag ik daar een groepje kinderen rond mijn kluisje staan giechelen, en één verschrikkelijk moment lang dacht ik dat iemand had ontdekt dat er aan de binnenkant van de deur een foto hing van Fred Savage, wiens gekreukelde gezicht van krantenpapier helemaal kleverig was geworden van de Bonne Belle-lippenbalsem met watermeloensmaak. Een dergelijke ontdekking zou mij volstrekt te schande hebben gemaakt. Als mijn joodse basisschool in Omaha zou zijn getransformeerd in het oude Rome, en ik in plaats van een meisje uit groep acht met een ontsierende haarfrutsel een senator was geweest in een met kalk gebleekte toga, dan had ik geen andere keuze gehad dan mij op het Forum in mijn zwaard te storten om mijn naam en mijn familie te redden van de wreedste smaad.

Natuurlijk was de werkelijkheid nog veel en veel beschamender.

Op de deur van mijn kastje was een blaadje uit een kladblok vastgeplakt met behulp van stickers (met dassen-en-andere-kleine-diertjes-uit-het-bos-op-skateboarden-motief) die ik herkende als het eigendom van mevrouw Olsen. Van haar bureau gepikt? Als dit een plaats delict was, wilde ik er niets mee te maken hebben. Op het kladblaadje had iemand zijn pas verwor-

ven Engelse idioom zorgvuldig toegepast in de volgende boodschap:

RACHEL.

IK HOU VAN HAAR. DOOR EUGENE.

Daaronder stonden in kleurpotlood drie kleine tekeningetjes:
een roze hart, een paarse bloem, en een paar kleine gekleurde
rondjes die, zo realiseerde ik me geschokt, M&M's moesten voorstellen.

O hemel.

'Ooohoooo! Rachel en Eugene zijn VERLIEFD!'

De spot kleurde mijn oren. Tot zover de zachtmoedigheid van
de sociaal minderbedeelden. Ze roken bloed en zwermden als gieren rond het aas. Akelige, schriele gieren met ontstoken amandelen en spraakgebreken en een beperkte controle over de blaas,
maar gieren waren het zeker.

'Hé Weetsjuwl! Mag Eugene aan je weet fitten?'

'Rachel en Eugene zijn op elkaar. ZOENEN, ZOENEN... Hé,
wacht even, hoe zeg je *zoenen* in het Russisch?'

'*Celovanya,*' was het vlotte antwoord.

Et tu, Yelena? Zal ook jij mij verraden?

Vanuit de menigte kwam Eugene zelf nu glimlachend en met
blozende wangen tevoorschijn. Hij keek me stralend aan. Hij
schaamde zich er niet voor zijn gevoelens publiekelijk te uiten;
integendeel, hij oogde trots en straalde als een man die zojuist
zijn geliefde ten huwelijk heeft gevraagd in een televisieprogramma. Misschien had het leven in een snel destabiliserend
land, een leven vol rechteloosheid en ontberingen, hem geleerd
om elke dag te leven alsof het zijn laatste was. Zelfs als je negen
was, was het leven te kort en te waardevol om je gevoelens te
verbergen en weken te besteden aan het stiekem jatten van de
schoolboeken van je geliefde, aan het toetakelen van haar teken-

werkjes met lijm, aan het bellen naar haar huis en gauw weer ophangen tijdens slaapfeestjes, en roepen tegen je vriend dat ze lelijk is. De liefde diende vreugdevol gevierd te worden als iets
prachtigs en zeldzaams en diende van de daken geschreeuwd te
worden: IK BEN VERLIEFD EN DAT IS PRACHTIG, EN HET KAN
ME NIET SCHELEN WIE HET ALLEMAAL WEET!

Als dat zo was, moest Amerika zo diep leren bukken dat zijn
kop in zijn kont zou verdwijnen. Als zelfs de autisten je uit staan
te lachen, is het tijd om er een les uit te trekken.

Ik heb mijn lesje zeker geleerd. Een paar jaar later kwamen er
een paar jongens bij ons op de middelbare school die op de vlucht
waren voor de burgeroorlog in Soedan. Die nieuwe leerlingen,
waarschuwde mijn klassenleraar ons, hadden onvoorstelbaar
traumatische ervaringen achter de rug. Ze zouden zeker een ernstige cultuurschok ondergaan, en elke hulp die we zouden kunnen bieden – met huiswerk maken, met de taal, of alleen al door
ons niet als debielen te gedragen als ze erbij waren (het was een
openbare, gesubsidieerde school, de lat lag er niet erg hoog) – zou
hogelijk op prijs worden gesteld.

Als ik nog hetzelfde meisje was geweest als vijf jaar eerder, dan
had ik mij als eerste aangemeld. Ik zou vervoer hebben aangeboden, voedsel, kleding. Misschien zou ik zelfs wel met een van de
jongens zijn gaan samenwerken aan een hartverscheurende, ge-
romantiseerde versie van zijn ervaringen met een onbegrijpelijke titel en een hip abstract omslag, die mijn literaire reputatie
zou vestigen en mijn positie zou versterken als een Belangrijke
Humanist van Onze Tijd. Ik bedoel, voordat iemand anders het
deed.

Maar helaas, ik was niet meer hetzelfde meisje. Ik was nu iemand die een lok haar om haar vinger wond, haar wenkbrauwen
fronste en het pilletje xtc innam dat ze in haar portemonnee bewaard had voor een speciale gelegenheid.

Pleur op, dacht dat meisje. *Problemen hebben we allemaal.*

4

Een bijzondere, gojse Kerstmis

1

Lang, heel lang geleden, in een land hier ver vandaan, woonde eens een klein meisje dat Maria heette.

Maria was een heel lief meisje. Ze hielp haar moeder altijd met het huishouden. Ze was ook heel mooi, had lang haar en een blanke huid, en alle mensen in het dorp bewonderden haar.

'Wat een schoonheid!' riepen zij altijd als Maria voorbijkwam op weg naar de bron om water te halen. 'Gelukkig zij de man die haar ooit tot zijn vrouw zal maken.'

Op een dag riep haar vader haar bij zich. 'Dochter,' zei hij, 'ik heb goed nieuws voor je. Verheug je, want binnenkort ben jij de bruid!'

Maria zou met Joseph trouwen. Een beste man met vriendelijke ogen en een zachte, zwarte baard. Hij was timmerman, en iedere dag maakte hij dingen met zijn handen, zoals krukjes en tafels, en boekenplanken. Ja, Maria vond dat ze heel erg geboft had.

Maar wat zij niet kon weten, was dat haar leven binnenkort voorgoed zou veranderen.

Want op een dag toen Maria uien aan het hakken was voor het avondmaal, verscheen aan haar de engel Gabriël. Ze kon zien dat hij een engel was omdat er vleugels uit zijn schouders groeiden en zijn haar gesponnen leek uit het zuiverste goud, en ook omdat er een heleboel blote baby'tjes om hem heen fladderden die ook allemaal vleugeltjes hadden. Maria viel in aanbidding op haar knieën.

'Sta op, mijn kind,' zei Gabriël, nadat hij een lange noot had geblazen op zijn gouden trompet, die zuiverder en schoner klonk dan de lach van een kind, de tranen van een jonge bruid, en het lied van de doornvogel tezamen. 'Gezegend zijt gij, want gij zijt uitverkoren boven alle vrouwen. De Heilige Geest heeft Zijn heilig zaad geplant in uw schoot, want het kind dat gij zult baren is het kind van Onze Heer!'

Maria begreep meteen dat de engel de waarheid had gesproken. Ze boog haar hoofd en zei: 'Ik ben het, de dienstmaagd des Heren; mij geschiede naar Zijn wil.'

Maar de engel Gabriël en al zijn naakte vliegende kindertjes waren al weg.

En zie, zo ging de Verkondiging.

De volgende dag vertelde Maria alles over het heilige bezoek van de engel aan Joseph, haar verloofde.

'Waarlijk gezegend zijt gij, Maria!' riep hij uit. 'Want hedennacht heb ik precies hetzelfde gedroomd!'

En Maria en Joseph verheugden zich tezamen, op een zuivere, vrome, en volledig geklede wijze, en spoedig daarna werden zij man en vrouw in het heilig oog van God.

Maanden gingen voorbij, en Maria werd hoogzwanger.

Om de een of andere reden die niemand precies begrijpt, maar die iets met de belasting te maken had, gingen zij vervolgens op weg voor een lange en gevaarlijke reis. Toen zij eindelijk het dorpje Bethlehem hadden bereikt begonnen bij Maria de weeën. Wanhopig zochten zij naar een plekje waar ze op bed kon gaan liggen, maar er was geen plaats voor hen in de herberg, en ook niet in de volgende herberg, maar uiteindelijk kreeg de baas van de allerarmoedigste herberg medelijden met hen.

'Helaas, een kamer heb ik niet voor u,' zei de herbergier. 'Maar treed in mijn stal, en lig daar terneer om uw kindje te krijgen.'

En zie, Maria en Joseph traden de stal binnen, en daar op het stro werd onze Heer en Verlosser Jezus Christus geboren.

Ginds in het oosten hadden drie koningen van de Oriënt voorspeld dat de Koning der Koningen ter wereld zou komen, en het kindje Jezus was nog maar nauwelijks in doeken gewikkeld, of daar stonden zij al voor hem, en boden hem de rijke schatten van ieder zijn land – goud, wierook en de geurige mirre. En zij knielden neer voor Maria en haar kindje, en een hemels engelenkoor zong jubelend vanuit den hoge: 'Ere zij God in de hemelen, en vrede op aarde!'

Maar iemand anders had ook gehoord over de geboorte van het kindje Jezus, onze Allerheiligste Heer. De boze Herodes was dat, de koning der Joden, en hij jubelde helemaal niet, want hij wenste nog machtiger te zijn dan de Heer zelf. En dus wilde de boze Herodes, de koning der Joden, het kindje Jezus kwaad doen en hij beval dat in heel Bethlehem alle kinderen van het mannelijk geslacht moesten worden gedood, opdat hij de macht die hij zozeer begeerde maar mocht behouden. En dus gingen de soldaten van de boze Herodes, de koning der Joden, op zoek naar...

'Zo is het wel genoeg,' zei mijn moeder, die wit was weggetrokken. Hoe lang stond zij daar al? 'Wij gaan naar huis.'

En zo kwam het dat de kleine Rachel Shukert in de winter van 1984 in de verhalenhoek met een voordracht voor de leerlingen van haar kleuterklasje de minimale kans verspeelde om het Wonderdorp van de Kerstman te mogen bezoeken bij het Sbarro's Italiaans restaurant in het winkelcentrum.

'De Kerstman?' schamperde mijn moeder. 'Je boft dat we jou niet regelrecht naar een chassidische kostschool in Borough Park hebben gestuurd.'

2

Het is december. Het is ons allemaal gelukt, met uitzondering van de overledenen. We hebben het er weer een heel jaar levend van afgebracht.

Januari is niet echt lang geleden, maar toch al een vage herinnering. In februari probeerden we de laatste, tanende resten van onze goede voornemens voor het nieuwe jaar vast te houden, vroegen we ons af of ons vriendje wel aan Valentijnsdag zou denken en waarom het al bijna maart was en 'o ja, de Maand van de Geschiedenis van Zwart Amerika'. In maart en april begonnen we eindelijk het nieuwe jaartal op onze giro'tjes te zetten en zowaar ook wat te studeren, om daar in mei weer mee op te houden, want 'laat maar, het is toch al bijna zomer'. Juni vloog voorbij omdat we het druk hadden met het plannen van onze vakantie en het drinken van zomerse cocktails, in juli logeerden we bij onze ouders (nou, lekkere vakantie zeg), en in augustus liepen we zwetend en klagend en lamlendig rond en gingen uit verveling naar bed met zes van de zeven andere mensen die niet de stad uit waren, waar we nog veel verveelder van werden. In september brak er een nieuw jaar aan voor de studenten zowel als de joden, wat weer een vleugje hoop met zich meebracht. In oktober konden we eindelijk onze leuke nieuwe herfstkleren aan, in november waren we druk met het eten van pompoentaart en het ontlopen van de zes mensen met wie we in augustus naar bed waren geweest en die ons nu opeens zomaar begonnen te bellen, en toen stonden opeens de feestdagen weer voor de deur! Laten we dus maar weer eens breed glimlachen naar alle kassières en onze lijven bestrooien met lovertjes. Er is alweer een jaar voorbij, en volgend jaar, in het nieuwe jaar, wordt alles beter. Volgend jaar worden we misschien wel rijk! Volgend jaar worden we misschien wel beroemd!

Maar ieder naderend oudejaar brengt ons allemaal ook weer een jaar dichter bij... je weet wel. En daarom eten we, en drinken we, en steken we ons in de schulden, en trekken we die pas verloofde jongen van marketing eens lekker af op het damestoilet, omdat dat allemaal dingen zijn die het onvermijdelijke nog een poosje kunnen uitstellen, en omdat we gek, helemaal *gek* worden van die muziek.

De kerstmuziek.

Nu zijt wellekome, dennenboom o dennenboom, wat zijn uw takken... o, hoe heerlijk is de avond, wonderschoon... hoe leit dit kindeke... als de klokken zachtjes luiden, ding-dong-ding-dong-ding-dong-ding, hier in de kou... drie stralen dooréén... geboren, Herders... DING-DONG-DING-DONG KLOKKEN LUI-DEN KINDEKE JEZUS VREUGDE SNEEUW EN LICHT EN DING-DONG-DING-DONG TAKKEN WONDER DING-DONG SCHOON EN DING-DONG GOD EN DOOD EN DING-DONG SATAN KLOK-KEN DING!

Op de openbare scholen van het Midwesten, waar de grens tus-sen Kerk en Staat maar een beetje rommelig met krijt is getrok-ken, koersen joodse kinderen altijd nogal glibberend en glijdend op Kerstmis af.

Vooral zingen in een koor is in de betreffende tijd van het jaar een hele uitdaging voor mensen die er moeite mee hebben om woorden als *Christus* en *Verlosser* zomaar over de lippen te laten glijden. Sommige joodse kinderen – zoals mijn vader toen hij nog kind was – redigeren het geheel op selectieve wijze en presente-ren onze populaire kerstklassiekers als 'Stille Nacht, — Nacht' en 'Hij is geboren, het — kind!'. Anderen, vooral diegenen onder ons die heel graag eens een solo zouden willen zingen, kiezen voor een andere aanpak; wij zingen weliswaar de tekst volledig en bo-vendien zo helder en zuiver als een chazan op kol nidree†, maar

† Kol nidree wordt door de chazan gezongen voor zonsondergang op de vooravond van Jom Kipoer, de Grote Verzoendag. Het is een oud gebed waarin de gemeenteleden in het openbaar alle beloften en eden die ze in het jaar daarvoor hebben afgelegd herroepen, om het nieuwe jaar met een schone lei en een schoon geweten te kunnen beginnen. Dit is natuurlijk vaak door onze vijanden gebruikt als een bewijs van onze ingeboren onbe-trouwbaarheid; symboliek is kennelijk iets waar jodenhaters niet zoveel mee kunnen. Maar ondanks deze controverse blijft dit het heiligste ritueel en de heiligste nacht van het jaar, en bezit het zo'n kracht dat men beweert dat zelfs de doden in hun graven het kunnen horen. De levenden daarentegen moeten vechten om een plaatsje, hun namen op lange wachtlijsten zetten, of een aanzienlijke financiële bijdrage leveren aan de sy-nagoge om een plekje in de banken te bemachtigen.

denken ondertussen: *Denken ze nou echt dat een maagd een baby kan krijgen? Geen wonder dat die mensen hun eigen belastingformulier niet eens kunnen invullen.*

Persoonlijk hou ik erg van kerstmuziek. Van sommige kerstmuziek in elk geval. Het prachtige 'De kersttijd breekt nu aan' bijvoorbeeld, het lied dat alle Charlie Brown-figuren samen zingen in *Het kerstfeest van Charlie Brown*, en dat precies zo klinkt als het gevoel dat je krijgt als je twee natte sneeuwvlokken om het hardst naar beneden ziet glijden langs het raam. Of Judy Garland met 'Have Yourself A Merry Little Christmas' in *Meet me in St. Louis*, waar ik bijna iedere keer weer om moet huilen. Judy wist dat elke Kerstmis weleens je laatste zou kunnen zijn. Dat heb je met een amfetamineverslaving: die schenkt mensen zulke wijsheid.

Er is een tijd geweest dat ook ik een zangeres was, een ideaal dat werkelijkheid werd dankzij mijn lidmaatschap van de Omaha High School Minstrels, de hoogste kaste van het uitgebreide korenstelsel van mijn middelbare school. Hoewel er ontegenzeggelijk enkele zeer negatieve kanten aan zaten – het hoongelach van je medeleerlingen bijvoorbeeld, en het 'gewaad' dat erbij hoorde, een soort onvolgroeid wanschepsel van een jurk, gemaakt van glanzende paarse kunstzijde met een grote namaakparel op de borst – was het toch een investering die rond de kerst het nodige opleverde. Wiskundehuiswerk niet af? Geen probleem! Lastig scheikundeproefwerk? Maakt niet uit! Op de dag van het proefwerk sta jij hoogstwaarschijnlijk in een vrolijk versierde aula te midden van kunstkerstbomen en plastic planten 'O kom, o kom, Emmanuel' te zingen voor de gekken in het Provinciaal Psychiatrisch Centrum Douglas[N].

N Thans verscholen achter de vriendelijkere en verhullendere benaming Provinciaal Gezondheidscentrum Douglas. Gebouwd in 1886 als 'pesthuis', waar ongelukkige armoedzaaiers heen werden gestuurd om op veilige afstand van het gezonde deel der bevolking te sterven aan besmettelijke ziekten als pokken, tuberculose en de pest. De

Ik was echt dol, dol, *dol* op zingen voor de gekken. Ik was zó dol op zingen voor de gekken dat ik rustig een hele bladzijde zou kunnen vullen met alleen maar weer het woordje *dol* – ware het niet dat ik niet schizofreen ben, noch een vooraanstaande postmodernist.

De gekken waren alleraardigst en schilderachtig en lagen op brancards met verbanden om hun hoofd vanwege een onlangs verrichte lobotomie en hadden hun waanzinnige ogen opengesperd als een kind op kerstochtend. Sommigen van hen zongen zelfs mee. Ik stelde me voor dat de troostende melodie van 'What Child Is This?' hun gekwelde geest zou kalmeren, en dat de hoog reikende, imponerende verdedigingswal van 'Licht in de nacht' *(Prijs nu Zijn naam, samen met de eng'len!)* de demonen zou kunnen tegenhouden die hen ertoe probeerden aan te zetten hun oorlelletje in brand te steken of de baby in stukjes te kerven met een schaar. Wij zongen wat we konden, en de gekken wiegden heen en weer en huilden, en de paar die niet waren vastgebonden kropen kreunend over de vloer in een soort auto-erotische heen-en-weer-beweging. En als we klaar waren trakteerden de medewerkers ons op punch en taaie koekjes, terwijl we het bezeten gejuich van ons dankbare publiek in ontvangst namen.

'Dank u wel, en vrolijk Kerstmis,' zei onze dirigent terwijl ze een klein buiginkje maakte. 'Het was geweldig om voor jullie te mogen zingen.'

---

bakstenen gevel met torentjes keek dreigend uit over het brede gazon dat het gebouw scheidde van mijn favoriete kringloopwinkel. Op een middag, toen ik bij mijn auto terugkwam met plastic tasjes vol aankopen – kleren, grammofoonplaten en andere relikwieën van de gestorvenen – hoorde ik het geluid van donderslagen vermengd met het gekrijs van de gekken achter die muren, wat mij de stuipen op het lijf joeg totdat ik besefte dat het geluid uit mijn eigen auto kwam; ik had het sleuteltje in het contact laten zitten en de radio aan gelaten omdat ik bij het parkeren werd afgeleid door een pas verschenen, raadselachtige blauwe plek op mijn onderarm, die duidelijk leek te wijzen op een vergevorderd stadium van leukemie.

'IK HOOP DAT JE KUT ERUIT LAZERT, VUILE TERINGHOER!' antwoordden de gekken.

Al met al een verrukkelijke manier om een middag door te brengen.

De bejaarden waren een ander verhaal. Er waren in Omaha verschillende bejaardentehuizen van het betere soort (waaronder het Rose Blumkin Tehuis voor Joodse Bejaarden[N], maar de knoestige oude joden die daar huisden behoorden niet tot de doelgroep van ons gezellige kerstkoortje). In die tehuizen traden wij echter zelden op; wij vermaakten voornamelijk de oudjes die met Kerstmis nergens heen konden, die geen gezin hadden of geen kinderen om te tergen – mensen die in de koude winter van hun leven waren aangekomen om te ontdekken dat zij in dat seizoen al net zo weinig bemind of gewenst werden als in de lente.

De bejaarden leken nooit echt blij om ons te zien. De broze hoopjes botten die in hun rolstoelen in de 'huiskamer' stonden geparkeerd, keken ons met waterige ogen en met een mengsel van achterdocht en onverschilligheid aan. Ik vroeg me af hoe ik me zou voelen als ik een sukkelende, arme, eenzame tachtigjarige was en weggesleurd werd bij een van mijn laatste pleziertjes – een opvallend goede herhaling van M*A*S*H, een verkwikkend hazenslaapje, of een genoeglijk partijtje zelfbevrediging met behulp van een plastic vork die ik uit de kantine had meegesmokkeld – om te moeten gaan luisteren naar zo'n verdomd *zangclubje* dat meer dan een uur van mijn kostbare restje tijd op aarde 'De herdertjes lagen bij nachte' ging staan zingen. In de deprimerende wetenschap dat zelfs als ik Kerstmis dit jaar zou halen, ik dan alleen maar weer met die andere ouwe heksen hier in Gods Wachtkamer achter een knalgroen gelatinepuddinkje en een plak vrijwel drinkbare ham zou moeten zitten om met golven valse vrolijkheid overladen te worden door

N   Zie voetnoot op bladzijde 120.

dikke verpleegsters die een hekel aan me hadden.

Ik vrees dat ze aan mij een taaie zouden hebben.

Midden in Melinda Lembecks solo tijdens 'De herdertjes' begon een oude man opeens over te geven. Hij zat nog geen meter van me af op de eerste rij. Ik zag hoe de dunne, helderroze kots over zijn flanellen overhemd droop. Toen hij opnieuw braakte spetterde het rijkelijk over het chroom van zijn rolstoel en over de rubberen teen van mijn groene All Stars. Ik probeerde mijn lachen in te houden en zocht de zaal af naar een zuster. De dirigent wierp mij een blik toe. Het was tijd voor mijn solo.

Daar hoorden zij d'engelen zingen,
Hun liederen vloeiend en klaar.
De herders naar Bethlehem gingen,
't Liep tegen het nieuwe jaar.

De oude man richtte zijn blik op iets vaags in de verte, terwijl de roze kots aan zijn baard kleefde. Kennelijk was dit heel normaal. Op een van de middelste rijen schreeuwde een vrouw voortdurend zo hard als ze kon: *'Hoe lang duurt dit nog? Kan iemand mij vertellen hoe lang dit nog duurt?'* Niemand gaf haar antwoord. Ze begon te huilen.

Toen zij er te Bethlehem kwamen,
Daar schoten drie stralen dooreen:
Een straal van omhoog zij vernamen
Een straal uit het kribje beneên.

Het was nog vroeg, maar buiten begon de lucht al een beetje donker te worden. De dagen zijn erg kort in die tijd van het jaar.

Het Chanoekafeest, dat een vrolijk, luchtig winterfeest is waarmee eindelijk eens een moment uit onze geschiedenis wordt gevierd waarop we niet gruwelijk en meedogenloos werden vermoord of anderszins geslachtofferd, is eigenlijk niet zo'n heel belangrijk feest. Dat zal weinigen verbazen. Wij joden zijn tenslotte mensen die ervoor hebben gekozen ons belangrijkste feest te vieren door onszelf voedsel en drank te onthouden terwijl we urenlang in de synagoge staan te luisteren hoe de rabbi het afschuwelijke martyrologium van ons volk voordraagt – over degenen die in ovens werden verbrand of vergast, over degenen die werden doodgeslagen door de Romeinen en vernietigd door de Grieken, vermoord door boeren en gemarteld door priesters. Heel feestelijk allemaal, vooral in combinatie met het ritme dat ontstaat als we onszelf herhaaldelijk boetvaardig op de borst slaan, waardoor een knokkelvormige blauwe plek ontstaat vlak boven de beha.

'Sla jezelf toch niet zo hard, schatje,' zei mijn oma dan. 'Wat kan jij nou helemaal verkeerd hebben gedaan?'

'Laat haar zichzelf maar slaan,' kwam mijn moeder dan tussenbeide. 'Dan heeft ze een voorraadje voor volgend jaar.'

Een van de grote teleurstellingen uit het leven van mijn oma was dat ze door haar afstamming halachisch[†] ongerechtigd was

---

[†] Heidenen! Weest welkom! Wast Uw voeten, en leunt onder dezen boom, en mijn vrouwen zullen halen drie schepels meelbloem; zij zullen het kneden en daarvan broden bakken, en ik zal U een bete broods langen, dat Gij Uw hart sterkt! 'Halachisch' verwijst naar de halacha, de joodse wetten die alles bepalen, van welk voedsel mag worden gegeten tot welke activiteiten uitdrukkelijk verboden zijn op de sabbat, en de precieze regels der matrilineaire afstamming binnen het jodendom. Er is zelfs een speciale rechtbank die onder de naam *Beet Dien* naar de beginselen van de halacha is ingericht en die uitspraken doet over specifieke gevallen met betrekking tot de joodse wetten – die overigens te vergelijken zijn met de sharia, de islamitische wetten waar we tegenwoordig zoveel over horen, behalve dan dat de halacha doorgaans niet zoveel te maken heeft met eerwraak en lijfstraffen, maar vooral gaat over bij welke delicatessenzaak er een plakje kaas in de buurt van de vleeswaren heeft gelegen.

om deel te nemen aan de vrolijker feesten die de rest van de wereld vierde. Met name de kersttijd bracht haar altijd in grote tweestrijd. Hoewel ze zich doorgaans niet al te zeer voegde naar de letter van de wet – zo werden bij oma thuis schaamteloos cheeseburgers opgediend, pal onder het borduurwerkje met HIER IS DE KEUKEN KOOSJER – maar het openlijk vieren van Kerstmis zou zelfs haar te ver zijn gegaan. Het is zoals het spreekwoord zegt: 'Garnaal is misschien *treife*, maar varkensvlees is antisemitisch.'

Maar ze deed haar best. Een nieuwsgierig kleinkind dat in een van de kasten op de benedenverdieping aan het rondsnuffelen was – een gevaarlijke onderneming, want een kind kon er gemakkelijk worden bedolven onder een lawine van ongebruikte klossen garen – kon daar planken vinden die volgestouwd waren met rollen glad, glanzend pakpapier: knisperende vellen met roodgroene ruitjes, dartelende rendieren met glittertjes en zilveren kerstkransen met parelmoeren kerststerren erop, die daar klaarlagen om de geschenken mee in te pakken die ze met Kerstmis zou gaan uitdelen. Alle heidenen uit haar kennissenkring – winkeliers uit de buurt, zusters van het Tehuis, mijn tante – allemaal zouden ze haar zelfgemaakte geschenken ontvangen: vruchtencake en marmercake, borduurwerkjes met kerstmotieven, handgekleide en -geglazuurde miniatuurkerstboompjes, voorzien van echt knipperende lichtjes die niet groter waren dan een kinderpink. Ook deed ze qua feestelijke uitstraling niet onder voor de meest mondaine dames met de Kerstman op hun trui en het kindje Jezus op hun schoenveters: mijn oma was een droombeeld in blauw en goud en zilver, versierd met glanzende menora's en davidsterren. Glanzende dreidels bungelden aan haar oren en een keten van lachende latkes danste rond haar heupen. Met strepen glitterpoeder op haar borst en lamé op haar schouders was zij haar volk tot een baken, een bundel van licht en kracht, gelijk Debora of Judith. O, oma! Vele vrouwen hebben deugdelijk gehandeld; maar gij gaat die allen te boven.

Wij vierden Chanoeka altijd pas aan het eind van de feestperiode bij mijn oma, en wij keken daar altijd met groeiende opwinding naar uit. Na een paar avonden thuis Chanoeka te hebben gevierd – eindeloos wachten tot mijn vader thuiskwam, dan *weer* wachten totdat hij klaar was met douchen en zich verkleden (voor zover ik weet is mijn vader de enige inwoner van Omaha en wijde omgeving die ook half december nog op de fiets naar zijn werk gaat), en lang nadat de aanvankelijke opwinding over de geschenken die we zouden krijgen had plaatsgemaakt voor een stapel sokken en onderbroeken en het vijfde exemplaar van *Hershel en de Chanoeka Dwergen*† en nadat mijn vader en moeder de truien hadden bekeken die zij voor elkaar hadden gekocht en bonnetjes hadden uitgewisseld om ze weer te kunnen ruilen, was het eindelijk, eindelijk tijd voor...

'Het Feest van de Hebzucht!' roept mijn vader als we bij mijn grootouders de oprit oprijden. Boven ons hoofd wapperen de vlaggen van de Verenigde Staten en Israël broederlijk naast elkaar in de koude wind, aan weerszijden van een gebrandschilderd raam waarop een verzameling onaangenaam grijnzende clowns te zien is. Er hangen blauw-witte slingers om de regenpijp en op de garagedeur zijn felgekleurde papieren knipsels geplakt die

---

† De Hershel waar het hier om gaat is de uit de folklore bekende Hershel van Ostropol. Hij is een slimme bedrieger, een soort Anansi of Reintje de Vos uit de 'Tsjerta osedlosti', het Russische gebied waar zich joden mochten vestigen, en is gebaseerd op een historische figuur die ooit hofnar of zoiets was in de Oekraïne. Hoewel Hershel uiteindelijk een gewelddadige dood vond dankzij een rabbi die hij bijzonder kwaad had gemaakt, leeft hij nog altijd voort op de boekenplanken van teleurgestelde joodse kinderen, die vaak met Chanoeka of andere feestdagen geïllustreerde uitgaven van zijn min of meer vermakelijke avonturen cadeau krijgen, in plaats van de echte cadeautjes waar ze op hadden gehoopt, en meestal met de hartelijke woorden: 'Houd je van Adam Sandler? Nou, dan heb ik hier eens een echte joodse komiek voor je!' Volgens mijn persoonlijke mening staat Hershel van Ostropol minstens nummer drie op de lijst van redenen waarom joodse jongeren zich steeds vaker losmaken van hun traditionele achtergrond. En 'joodse les' en 'ouders' staan dan respectievelijk nummer één en twee.

dreidels, menora's en geldbuidels[†] voorstellen – allemaal trotse symbolen van ons volk.

'Het Feest van de Hebzucht,' herhaalt mijn vader zacht.

'Heeft ze nu echt een *gele* davidster op de garagedeur geplakt?' vraagt mijn moeder.

Er heerst enige spanning tussen die twee; de sfeer was enigszins grimmig geworden toen mijn vader te horen kreeg dat hij niet op de fiets naar het huis van zijn ouders kon gaan omdat we het busje nodig zouden hebben om alle 'rotzooi' te kunnen boedelbakken die we van 'haar' zouden krijgen. En aangezien mijn moeder 'in haar broek scheet' als ze 'die grote klerewagen' moest rijden, was mijn vaders assistentie noodzakelijk om '*jouw* kinderen naar *jouw* ouders te vervoeren'. Daar dit inhield dat mijn vader niet meer dan honderdtwintig minuten aan cardiovasculaire activiteit zou kunnen ontplooien op een dag waarop de traditie de consumptie van in olie gebakken zetmeelrijk voedsel voorschreef, had het flink wat moeite gekost hem met dit scenario te laten instemmen.

De geur van kokende olie komt ons nog sneller tegemoet dan oma. 'Vrolijk Chanoeka!' roept ze terwijl ze ons met haar armen overspoelt en ons om de beurt tegen haar boezem drukt, waarbij het patroon van haar zware gouden halskettingen in onze wangen gestempeld wordt omdat we onze gezichten zo proberen te draaien dat haar kussen in ons haar terechtkomen, waar het speeksel minder kwaad kan. Een manoeuvre die trouwens nog veel crucialer is bij het begroeten van mijn opa, wiens speekselklieren weleens de oplossing zouden kunnen betekenen voor de droogte in Afrika.

[†] Dit is vanzelfsprekend een verwijzing naar het 'Chanoeka-gelt', een paar munten die in de landen van herkomst met Chanoeka traditioneel aan kinderen werden gegeven in plaats van cadeautjes. Het slaat dus geenszins op het karakter, of op de financiële situatie van joden in het algemeen. Als u dat wel stiekem dacht, geachte heer/mevrouw, dan bent u een antisemiet.

'Vrolijk Chanoeka!' zegt mijn vader met een glimlach.

'Hallo,' zegt mijn moeder.

Zoals ze in de auto had opgemerkt, zouden we geen Chanoeka vieren bij haar ouders. Haar ouders waren dood.

Mijn grootvader is majestueus gezeteld op zijn Stoel in de televisiekamer en kijkt ingespannen hoe de laatste kegels sneuvelen in de studentencompetitie bowling. De sedimenten van alle feestelijke hapjes die hij al genoten heeft verhullen gedeeltelijk de tekst op zijn T-shirt, die nu luidt: IK SPEEL ALLEEN OLF OP DAGEN DIE NDIGEN MET EEN G. Veel speeksel is gemorst en weggevloeid. Wij worden eerst mooi genoemd, dan lelijk, dan 'elke keer weer mooier', en krijgen daarna toestemming om onze gang te gaan totdat we aan tafel worden geroepen.

De latkes die mijn oma bakt zijn klein en heel stevig. Ze bakt ze altijd een paar dagen van tevoren, stopt ze in de vriezer – voor het gemak – en warmt ze vlak voor het opdienen weer in de oven op, met een paar teentjes knoflook erbij. Op een grote, gedeeltelijk met aluminiumfolie bedekte, platte schaal, liggen grijzige plakjes runderborst, badend in de jus, voor de vleeseters. Aan het hoofd van de tafel gaat mijn opa er helemaal voor zitten.

'Laat ik jullie één ding vertellen,' zegt hij terwijl hij met zijn tong klakt en zijn tekst markeert met goedkeurende smakgeluiden, 'jullie grootmoeder weet wel hoe ze een lekker borststuk moet klaarmaken.'

Helaas kan mijn oma, die het ene na het andere gerecht uit de keuken aandraagt, zijn compliment niet horen. Er zijn grote schalen kasha met strikjespasta. Een noedeltaart zo groot als een opengevouwen krant. Twee gebraden kippen met Italiaanse saus. Stukjes watermeloen, opgediend in een grote kom die ze zelf op keramiekles heeft gebakken en geglazuurd in de vorm van een watermeloen. En er is een geheimzinnig stoofsel voor de vegetariërs onder ons. We kijken elkaar wat ongerust aan als mijn vader de dikke korst te lijf gaat en daaronder alweer een aantal knoflookteentjes ontdekt, die verwachtingsvol ronddobberen in een waterig maïsvulsel.

'Hoeveel water moest je gebruiken bij dit recept?' vraagt hij.

'O, bij die recepten uit de *Redbook* is alles altijd veel te droog,' antwoordt mijn oma opgewekt.

'En hoeveel knoflook?'

Haar blauwe ogen vernauwen zich heel even, maar openen zich dan valselijk heel wijd, als bij een slim kind dat een klap wil ontlopen. 'Hoe bedoel je?' roept ze uit. 'Knoflook is heel gezond voor een mens!'

'Voor een mens, ja,' mompelt mijn moeder. 'Voor een mens.' Alleen mijn zusje en ik kunnen haar verstaan. Verder is iedereen doof.

Als er genoeg van de maaltijd is gegeten om mijn oma tevreden te stellen, begint zij aan het eindeloze werk om alle restjes in te pakken in verschillende lagen aluminiumfolie, en ze vervolgens in een van haar drie vrieskisten op te bergen, waar ze ongetwijfeld zullen blijven rusten tot het moment van haar dood. De rest van ons kuiert op zijn gemak naar de woonkamer om daar de Chanoekakaarsen aan te steken. Mijn vader zegt de bijpassende zegenspreuk en mijn opa frummelt een fluwelen keppeltje over de kale plek op zijn achterhoofd terwijl hij zijn woorden wat traag en korzelig echoot. Mijn oom knippert bij dit ritueel met zijn ogen, zijn verbijsterde gezicht compleet blanco, als een zojuist geland ruimtewezen van Elders. Wat zijn dit voor kereltjes met malle petjes op? En wat is dat voor vreemde taal die zij spreken? Hoe ben ik hier terechtgekomen?

En dan ten slotte: de cadeautjes. De cadeautjes!

'Ben je er klaar voor?' fluistert mijn vader tegen mijn moeder.

'Ik denk niet dat ik hier ooit klaar voor ben,' mompelt ze terug.

In het souterrain van mijn grootouders ligt over de gehele lengte en breedte synthetisch, oranje, warharig tapijt dat eruitziet als de vacht van een gepensioneerde Muppet. De muren zijn versierd met ingelijste prenten van naargeestig ogende rabbijnen, en achter een stel lattendeuren verschuilt zich een barretje met een gootsteen en een paar half begroeide flessen met Mai Tai Mix. En dramatisch uitgelicht door de laaghangende lamp met casinomotief zien we, centraal opgesteld, het poolbiljart.

Waar heb je een kerstboom voor nodig als je een Chanoeka Poolbiljart hebt? Hij wordt nooit echt gebruikt om pool te spelen, maar dient de rest van het jaar als inpaktafel, als strijkplank, en als geïmproviseerde catwalk. En nu is hij bijna compleet verborgen onder stapels en stapels pakjes, glanzend blauw en goud, die weer bedolven zijn onder wervelende slingers van metaalachtig glanzende linten. Stapels chocolademunten in goudglanzende folie weerkaatsen een blikkerend licht over de opgewonden gezichtjes van de kleinkinderen. Voor elk van hen ligt er een toren van schitterend ingepakte cadeautjes klaar om te worden uitgepakt, een toren die tot ver boven hun hoofd reikt, bijna tot aan de sterrenhemel van glimmende schilfers mica in het gestuukte plafond.

'Wauw!' roep ik en ik kijk waar mijn stapel ligt. Die ligt op dezelfde plaats als altijd, naast het plankje met de porseleinen beeldjes van de *Meisjes uit de Dertien Oorspronkelijke Staten* van de Franklin Mint.

'Wauw, wauw, wauw!' roept mijn zusje. Ze klapt opgetogen in haar handen.

Oma straalt. Dit ogenblik van vreugde bij haar kleinkinderen heeft zij al die tijd voor ogen gehad, al die maanden dat ze bezig was met het voorbereiden, met lijstjes maken, met spulletjes kopen, met inpakken en uitknippen en vastbinden en opplakken.

'Ik wens jullie een héél, héél gelukkig Chanoeka, lieve schatten,' zegt ze.

'Wat een oma is die oma van jullie, hè!' snuift opa. 'Waar zijn mijn cadeautjes?'

De volwassenen proberen natuurlijk alles een beetje ordelijk te laten verlopen, maar vanaf het moment dat mijn jongste nichtje een babypop uitpakt zo groot als een Ierse setter gaan we helemaal los en storten we ons vertwijfeld op de pakjesberg. De kamer raakt langzaam vol met papier en strikken en lint dat we juichend naar elkaar toe gooien en waar we doorheen rollen als een boevenbende door de buit. Een koor van 'dankjewels' stijgt op.

'*Dank je wel, oma!*' krijst mijn zusje als ze het papier heeft losgerukt van een werkelijk prachtig Playmobil-circus.

'Dank je wel, oma,' zeg ik met een zucht, terwijl ik een eenhoorn uitpak van paars porselein, met zilveren sterretjes op zijn voorhoofd en flanken.

'Dank je wel, oma,' zegt mijn neefje. Hij knikt met zijn baardeloze kin in haar richting terwijl hij zijn Luxe Junior Scheerset, compleet met scheerkwast van dassenhaar en tasje met monogram, nader onderzoekt.

Sportbroek met bijpassende trui. Schattig rieten naaimandje, compleet met een plomp speldenkussen van Chinese zijde, geemailleerde vingerhoedjes, en klosjes prachtig gekleurd garen. Peignoirs in kinderformaat. Tafeltjes en stoeltjes in kinderformaat. Boeken. Poppen. Video's. Spelletjes. Mijn moeder bekijkt aandachtig een kakelbont bedrukte paraplu en zucht hoorbaar als zij een aardewerken koekjespot uitpakt in de vorm van een vrolijke rabbijn met baard en tekstrol van vermoedelijk de Thora.

'Die heb ik zelf gemaakt. Is hij niet schattig?' kraait oma. 'In het winkelcentrum hebben ze dessertbordjes die erbij passen. Zal ik die voor je kopen?'

'Nee,' zegt mijn moeder. 'Dank je wel.'

Mijn vader peutert voorzichtig een schaakspel dat de baseballspelers van de eredivisie voorstelt los uit zijn plastic verpakking.

'Ik kan helemaal niet schaken,' zegt hij. Hij zet een miniatuur Roger Marin op vakje a1 naast een piepkleine Yogi Berra.

'O nee?' Oma kijkt heel even bezorgd.

'Nee.'

'O. Nou. Maar dat kun je leren. En bovendien, het is een echt verzamelobject! Goed de doos bewaren, hoor!'

De doos bewaren. Een aloude volkswijsheid. Goed de doos bewaren. En het pakpapier. En het sierlint. En de plastic tasjes. Die komen nog eens van pas, dat zul je zien. Stel je voor dat je een keer een stukje touw nodig hebt in een kwestie van leven of dood, en dan heb je, g-dbetert[†], dat touw weggegooid! Je kunt niet zomaar naar de winkel gaan en een nieuw stukje touw kopen – je weet zelfs niet eens of die winkel dan nog wel bestaat, g-dbetert.

Nergens winkels, nergens buren, en het is een kwestie van leven of dood. Wat moet je dan? Ik hoop in g-dsnaam dat het niet gebeurt, maar zou je dan toch niet liever dat stukje touw bewaren en al die sores[†] vermijden?

Want zou het hebben van zoveel mogelijk bezittingen je eigenlijk niet moeten beschermen tegen alle kwaad dat je (G-d verhoede!) zou kunnen overkomen? Zou het voor de kleintjes, voor degene die zo *héél*, *héél veel* van je houdt niet de garantie moeten zijn dat altijd alles goed blijft gaan?

'Het Feest van de Hebzucht,' zegt mijn vader met een zucht ter-

---

† Voor de heidenen: binnen de joodse traditie is de naam van God zo heilig dat die niet kan worden uitgesproken. Als hij volledig is uitgeschreven, zoals in een Thora of in een gebedenboek, dan moet dat boek, als het niet langer gebruikt kan worden, begraven worden op een begraafplaats, zoals een mens die is gestorven, compleet met de bijpassende zegenspreuken en een grafrede (alleen hoef je er geen zwart bij te dragen). Nu is die voorwaarde eigenlijk alleen van toepassing op de naam van God, geschreven in het Hebreeuws, maar de schrijvers van joodse teksten in andere talen, bijvoorbeeld studieboeken, liedteksten, en de papieren Haggadahs – een boek dat gebruikt wordt bij de Pesach-viering en dat Maxwell House eind jaren zeventig heeft laten drukken als promotiestunt maar dat tot op de dag van vandaag gebruikt wordt door seidergangers – nemen liever geen risico. Vandaar het streepje.

† Dat is het Jiddische woord voor 'problemen'. Bijvoorbeeld van huis en haard worden verdreven op bevel van de tsaar is sores. Arabieren die een Israëlische soldaat ontvoeren bij de Libanese grens is sores (althans voor Amerikaanse joden; ik weet niet precies hoe dat zit bij Israëli's, die doorgaans wat anders, en minder paniekerig, naar de dingen kijken). En jazeker, wat uw schoonfamilie ook beweert, als je kind een Anglicaan trouwt, dan geeft dat sores.

wijl hij de achterbank van het busje opklapt om plaats te maken voor alle zakken en dozen die we in de laatste paar uur rijker zijn geworden.

'Het is weer voorbij tot volgend jaar,' zegt mijn moeder, en ze slaat een arm om zijn ranke middel.

Mijn zusje valt in de auto in slaap. Ik koester mijn eenhoorn van paars porselein in de palm van mijn hand en streel zijn zilveren sterren met mijn duim. Ik sta hem niet af. Het zou een kwestie kunnen zijn van leven of dood.

De witte lichtjes glinsteren tegen de donkere achtergrond van de boom en doen de zilveren ballen oplichten die aan de takken hangen. Er hangt een overweldigende dennengeur. Ik moet niezen.

Om mij heen maakt de gojse familie van mijn nieuwe vriendin van mijn nieuwe openbare school de pakjes open. Mijn vriendin pakt het cadeautje uit dat ze van haar oma heeft gekregen, een zelfgebreide trui met het lachende gezicht van Minnie Mouse die een paar maten te klein is. Aan de mouw is een biljet van vijf dollar vastgespeld.

'Wat heb je nog meer van haar gekregen?' mompel ik.

Ze fronst en kijkt me verbaasd aan. 'Niks. Dank je wel, oma!'

'Graag gedaan, lieverd,' zegt haar oma, die haar versleten heup wat steviger in de schommelstoel wrikt. 'Vrolijk Kerstmis.'

Onder de boom ligt alleen nog een klein pakje, gewikkeld in 100% oecumenisch cadeaupapier. Met sneeuwpoppen erop. Iedereen houdt van sneeuwpoppen. Zelfs moslims hebben niets tegen sneeuwpoppen. Mijn naam staat erop.

'Maak open,' spoort de moeder van mijn vriendin me aan. Ze glimlacht erbij. Haar tanden glimmen van de lippenstift en de advocaat.

'Maak open!' zegt mijn vriendin.

Ik maak het pakje langzaam open en strijk het papier zorgvuldig glad. Er zit een glazen versiersel in voor in de kerstboom, in de vorm van een sneeuwvlok.

'We wilden je iets geven dat niet al te kerstachtig was,' zegt de vader van mijn vriendin.

'Maar je kunt hem toch in je kerstboom hangen,' stemt de moeder van mijn vriendin met hem in. Ze glimlacht stralend naar haar echtgenoot terwijl de rode knipperlichtjes die in haar Rudolph-het-Rendier-trui verwerkt zijn vrolijk aan en uit gaan. In een bioscoop hier vlakbij zitten op ditzelfde moment mijn eigen vader en moeder zich vol te proppen met popcorn en cola light terwijl ze naar de nieuwste Woody Allen-film kijken. Zonder mij.

Ik houd het kerstboomversiersel omhoog tegen het licht.

'Dank u wel,' zeg ik. 'Precies wat ik nodig had.'

Het Kindje Jezus in zijn krib werpt mij een waarschuwende blik toe. Hij voelt altijd haarscherp aan wanneer je zit te liegen. Ik kijk op de klok. Als mijn vader me nu komt halen, ben ik misschien nog net op tijd voor de tweede voorstelling.

5

Typerend voorbeeld
van een bat mitswa-toespraak

Verenigde Staten, ca. 1992-1995

In joodse gemeenschappen van het eind van de twintigste eeuw (Clinto-niaanse Dynastie) werd het wijdverbreide gebruik van de bar en bat mitswa heel belangrijk geacht. Degenen die eraan werden onderworpen, moesten bewijzen leveren van hun kracht en uithoudingsvermogen, en ook andere fysieke proeven doorstaan die hun vruchtbaarheid aantoonden. Een en ander werd gevolgd door een complexe plechtigheid of viering, die uitdrukking moest geven aan de rijkdom en macht van de betreffende clan. Zo'n clan werd ook wel 'witz' of 'vitz'[1] genoemd. Archeologen hebben een veelheid aan tastbaar bewijs weten te vergaren omtrent de schriftelijke en mondelinge examens die gedurende de puberteit werden afgenomen bij vrijwel alle etnische en religieuze subgroepen in het betreffende tijdperk, maar bij de Joden, een volk waarvan bekend is dat het een buitengewone waarde hechtte aan intellectuele en academische prestaties, waren dergelijke demonstraties van intellectuele bekwaamheid van uitzonderlijk belang. De volgende tekst is de reconstructie van een dergelijke toespraak zoals die zou kunnen zijn uitgesproken door een meisje ten overstaan van de gasten van haar familie

---

1 Onder antropologen wordt over deze benaming verschillend gedacht; 'witz' is de meest frequent voorkomende aanduiding voor de familiegroepen of clans waaruit de joodse gemeenschap in die periode bestond, maar een dergelijke groep stond ook wel bekend als een 'stein' of 'feld'. Het gros der vooraanstaande historici is het erover eens dat alle drie de termen in wezen correct zijn.

ter afsluiting van een bat mitswa, het feest waarmee de overgang naar volwassenheid werd gevierd. De reconstructie is vervaardigd door een team van etnohistorici en paleontologen van de universiteit van Sjanghai, met gebruikmaking van bewaard gebleven literatuur, televisiefragmenten, en fragmenten van elektronische communicatie uit het betreffende tijdperk, alsmede van de baanbrekende archeologische vondst die bekendstaat als de 'Schat van Shukert', die aan het licht werd gebracht bij de opgraving van ruïnes in de omgeving van Oma-Ha in de voormalige Verenigde Staten van Amerika, en die bestaat uit een collectie brieffragmenten, dagboeken en andere documenten die waarschijnlijk bewaard zijn gebleven dankzij de grote hoeveelheid radioactieve neerslag in dit gebied. Deze tekst is eerder te zien geweest als onderdeel van een reizende tentoonstelling van het Sjanghais Historisch Genootschap, onder de titel 'Toen God er nog toe deed: religie en magie in het Amerikaanse rijk'. De tekst van de tentoonstelling werd uit het oorspronkelijke Mandarijn vertaald door de auteur.

Beste vrienden, familie, kinderen van joodse les die ik (en dat is niet persoonlijk bedoeld) niet echt als vrienden beschouw, verre neven en nichten die ik nog nooit eerder heb gezien, en alle bejaarden die bevriend zijn met mijn grootouders en die mijn ouders zelf eigenlijk niet hadden willen uitnodigen.

Bedankt dat jullie zijn gekomen om samen met mij te vieren dat ik een bat mitswa ben geworden!

G-dsamme! Hallo bejaarden, moet dat nou? Nu al in de weer met die zuigzuurtjes[2] en die gebitten? Weten jullie wel hoe walgelijk dat is voor mensen die nog wél kunnen horen? Slurp, slurp, slurp – het is alsof je kunt *voelen* hoe jullie gebit langs jullie tand-

---

2 *Zuigzuurtjes*: kleine knikkerachtige voorwerpen die vaak nog worden aangetroffen tussen de kaken van skeletten van mensen die vijfenzeventig of meer jaren oud zijn geworden. Het nut of de betekenis van die voorwerpen is onbekend, maar er zijn aanwijzingen dat zij wellicht te maken hebben met de verlichting van pijnen en ongemakken die destijds bij geriatrische patiënten slechts rudimentair behandeld konden worden.

vlees glibbert. Kom op zeg! Onder de preek van de rabbi, oké, dat is tot daaraan toe, die doet dat elke week, maar dit ben ik! Dit is mijn enige kans zeg maar ooit, om jullie wat te vertellen. En deze kleren die mijn moeder voor me heeft gekocht hebben bijna tweehonderd dollar[3] gekost, dus g-dsamme! Ik bedoel maar: g-dsamme!

Oké, prima. Let maar niet op mij. Sabbelen jullie maar gewoon door. Ga maar rustig tijdens mijn verhaal zitten smakken op de wijnballen[4] die al in jullie tasjes zitten sinds Carter president was. Ook al is dit het enige bat mitswa-praatje dat ik ooit zal houden. Ga maar lekker door. Het kan me niet schelen of jullie een hekel aan me hebben. Dacht je dat me dat wat kon schelen? Iedereen heeft toch al een hekel aan me, vooral mijn moeder. Maar nog niet half zo'n hekel als ik aan haar.

Misschien had ik dat niet moeten zeggen. Dat ik zo'n hekel heb aan mijn moeder. Niet hier vanaf de bema[5], recht voor dat grote ding van de Tien Geboden, waarvan er één luidt: 'Eer uw vader en uw moeder.' G-d is nu waarschijnlijk pissig op me. Waarschijnlijk kijkt Hij nu streng op me neer door dat venster daar midden in het plafond, waar ik vroeger toen ik klein was dacht dat Hij woonde, en is Hij aan het bedenken hoe Hij mij kan straffen, want wie denkt er nu zulke dingen over haar eigen moeder? Ter plekke neerbliksemen zou nog te goed zijn voor zo iemand. Waarschijnlijk gaat Hij me leukemie bezorgen, of jeugddiabetes, of gaat Hij zorgen dat ik echt achterlijk teringdik word, zomaar opeens, zeg maar. O, shit! Nou heb ik 'tering' gezegd. Sorry! En nou heb ik ook

---

3 Omgerekend zo'n twintig miljoen jiao.

4 Aanvullend bewijs dat deze 'zuigzuurtjes' een alcoholisch- of narcotisch-bedwelmende werking kunnen hebben gehad, juist ook bij de verzwakte constitutie van ouderen. Zie Johnston, Eric, *Verbreid Sociaal Wangedrag tijdens het Vroeg-Clintoniaanse Tijdperk*. (Bagdad: University of Baghdad Press, 2998), blz. 223-228.

5 Het sprekersplatform of podium in een bedehuis of tempel; zeer waarschijnlijk bedekt met bloed en ingewanden vanwege veelvuldige dierenoffers.

nog *shit* gezegd, hoewel iedereen, zelfs G-d, weet dat *shit* niet zo erg is als *tering*, want *tering* is een té erge ziekte, ook al heb ik gehoord dat je het in Engeland gewoon wél op televisie mag zeggen. Amerika is soms zó achterlijk. Maar goed, sorry, het spijt me. Ik wilde helemaal niet vloeken, zeker niet hier vlak voor die ark met al die thora's erin die ze gered hebben uit synagogen in Polen, waar alle joden door de nazi's zijn vermoord.[6]

Ik had moeten zorgen dat dit praatje iets te maken had met de nazi's – dat gaat er altijd wel in, en daar weet ik tenminste een hoop van af. Maar misschien hadden mensen mij dan net zo vreemd gevonden als zo'n enge militaristische halve gothic die zeg maar naar school komt in zo'n oud Wehrmacht-jasje en met te veel eyeliner op. En bovendien, de nazi's komen niet voor in de Thora, tenminste nog niet. Ooit misschien nog een keer. In de joodse les ging het in wezen ook gewoon over de nazi's, maar dan onder een andere naam, de Kanaänieten en de Amalekieten en de Filistijnen en de Jebusieten, al die volkeren in de Bijbel die ons wilden vernietigen. Dat waren er echt heel veel. Ik bedoel, nu ik hier zo voor u sta, is het eigenlijk best verbazingwekkend dat we er allemaal nog zijn, compleet met onze tradities en alles. Nou ja. Het zal wel een kwestie zijn van tijd.

Hoe dan ook, de Thoralezing van vandaag is Naso, en dat betekent – eh, ik dacht dat ik dat had opgeschreven... en nu zit de rabbi me vuil aan te kijken... nou ja, doet er niet toe. Sorry! Oké. De Thoralezing van vandaag is Naso, en dat staat in het boek Bamidbar, en dat betekent eigenlijk 'In de Woestijn' maar in het Engels noemen we dat 'Het Boek der Getallen' of Numeri. Dus als ik al had geweten wat Naso betekent, dan had het waarschijnlijk toch niet betekend wat het eigenlijk betekent.

---

6 Typerende, onjuiste verwijzing naar de 'Joodse Holocaust', waarvan de archeologen in onze tijd weten dat het om een complexe mystificatie ging die de heersende klassen gebruikten om het proletariaat duurzaam onder de duim te houden.

Weet u wat ik weleens zit te denken? Stel nou dat het allemaal één grote vertaalfout is? Ik bedoel, die hele Thora, zeg maar. Want mensen of volkeren die antisemitisch zijn zeggen toch altijd van die dingen als 'Joden hebben hoorns'? In bedoel, dat zeggen ze nu niet meer zo vaak. Tegenwoordig zeggen mensen die antisemitisch zijn van die dingen als: 'Zijn jullie joods? Volgens mijn kerk komen jullie in de hel'[7], of: 'Zionisme is racisme', of: 'Nee, je kunt niet het proefwerk overmaken dat ik precies op Grote Verzoendag had geroosterd; jullie soort wil altijd maar weer een voorkeurs-behandeling en dat komt me mijn neus uit.' Dat laatste is echt gebeurd; Lisa Schneidermans vader (van het advocatenkantoor van Schneiderman, Abrams en Katz, waarvan ik alle partners hier voor me in de banken zie zitten) heeft toen het hoofd van de school opgebeld om te zorgen dat die leraar ontslagen werd, maar het hoofd van de school zei dat het hem erg speet, maar dat die le-raar een vaste aanstelling had en dat hij hem alleen maar zou kun-nen ontslaan als er sprake was geweest van ongewenste intimitei-ten. Als hij een arm om haar had heen geslagen bijvoorbeeld. Maar die biologieleraar was niet zo lichamelijk ingesteld. Hij kon er echter wel toe verplicht worden om ons dat tentamen over te laten doen, en Lisa Schneiderman en ik moesten toen een keer na schooltijd naar zijn griezelige kantoortje komen, ergens in de kelder van de school. Hij was ook basketbalcoach of zoiets, en toen we kwamen had hij zijn basketbalkleren al aan, met zo'n ont-

---

7 Deze theorie, die sterk overheerste tijdens het eerste én het tweede millennium van het christendom, werd algemeen verlaten na de publicatie van Gary Oppenheims boek *Vuur en zwavel; een filosoof reist voorbij de poorten van de hel* (New York: Random House, 3012), waarmee de auteur de Nobelprijs won. Oppenheim bewees in dit boek onomsto-telijk het feitelijke bestaan van de hel, zij het niet gesitueerd in een diepe, vurige kuil ergens onder de opperste korst van de aarde, doch in een onopvallende opslagloods zo'n vijfenzeventig kilometer ten westen van de Lubbock in Texas, waar de bevolking zich weliswaar kon beroemen op een handvol joden in hun midden, maar verder be-stond uit bovenproportioneel veel voormalige bestuurders van oliemaatschappijen, rechtse radiocommentatoren en een hinderlijke overvloed aan herten.

zettend strak rood broekje van polyester of iets dergelijks met van die drukknopen aan de voorkant, en Lisa Schneiderman en ik zaten de hele tijd zeg maar naar zijn kruis te staren, ook al moesten we er bijna van kotsen, want Lisa's vader had gezegd dat als zijn pik[8] of zo, zeg maar, uit zijn broek zou piepen en wij dat zouden zien, of als dat ding (en dit zijn de woorden van meneer Schneiderman, niet die van mij) zich ook maar *verroerde*, wij dat direct tegen hem moesten zeggen, want dan zou hij er wel voor zorgen dat die 'vuile teringlijer' (die lelijke woorden zijn alweer van meneer Schneiderman, en niet van mij, g-dverdorie!) 'een schop onder zijn vuile nazireet zou krijgen'.

Maar er gebeurde niks, behalve dan dat Lisa Schneiderman en ik allebei een onvoldoende kregen voor ons tentamen omdat die vuile teringlijer de pest heeft aan joden en bovendien waarschijnlijk niet eens iets heeft om uit zijn broek te laten piepen. Hij is van voren waarschijnlijk net zo plat als Ken[9].

Weet je trouwens wie er van voren absoluut niet zo plat is als Ken? Eric Moffat. En weet je hoe ik dat weet? Doordat hij mij een knuffel gaf op de dag voor de kerstvakantie, en toen voelde ik het superduidelijk tegen mijn been. Maar maakt niet uit, we zijn gewoon vrienden.

O ja, nog even over waarom antisemitische mensen altijd zeggen van joden hebben hoorns. Dat zeggen ze omdat Michelangelo of een van die andere gasten die ze naar de Ninja Turtles[10] hebben genoemd, maar ik geloof dat het Michelangelo was, dat beeld

---

8 Betekenis onduidelijk; wellicht gaat het hier om een verwijzing in de volkstaal naar de koosnaam van Richard Milhous Nixon, een geliefde nationale consul uit het betreffende tijdperk.

9 Onbekende verwijzing, hoewel ongetwijfeld spottend – uit dit tijdperk zijn ons meerdere 'Kens' bekend. Wellicht een obscene toespeling op de mannelijke trekjes (of het gebrek daaraan) van de onafhankelijke adviseur van het Witte Huis Ken Starr, de in ongenade gevallen baas van het energiebedrijf Enron Ken Lay, of de gekuifde Ken Barlow uit de nog altijd lopende Engelse soapserie *Coronation Street*.

10 Een groep godheden van lagere rang.

heeft gemaakt van Mozes die van de berg Sinaï afdaalt met hoorntjes op zijn hoofd. Maar dat deed hij eigenlijk alleen maar omdat er in dat stukje van de Thora zou moeten staan: 'Mozes daalde af van de berg Sinaï en toen kwamen er stralen uit zijn hoofd,' zo van dat hij helemaal straalde omdat hij G-d had gezien. Maar in plaats daarvan was het verkeerd vertaald zodat er stond: 'hij daalde af van de berg Sinaï en toen kwamen er *hoorntjes* uit zijn hoofd,' zoals bij de duivel, en toen zeiden dus alle mensen van: de joden dat zijn duivels, die hebben hoorntjes op hun hoofd, terwijl iedereen weet dat dat niet waar is.[11]

Dus stel nou dat álles in de Thora gewoon verkeerd is vertaald. Dus dat er in plaats van 'Eet geen varkensvlees' in werkelijkheid 'Spek is lekker' staat? Of dat er in plaats van 'Eer de sabbat-dag en houd die heilig' eigenlijk staat: 'De sabbat is de minst heilige dag van de week, dus je mag best op vrijdagavond naar het verjaardagsfeestje van Alison Waterman in Skateland Playdaze Pretpark, ook al zegt je moeder van niet'? En dat er in plaats van 'Eer uw vader en uw moeder' eigenlijk staat: 'Je vader en moeder zijn suf en ouderwets en snappen helemaal niks van echt belangrijke dingen, dus luister niet naar wat ze zeggen want ze zijn waarschijnlijk toch alleen maar jaloers (en zeker je moeder)'?

Is dat geen waanzinnige gedachte? En stel nou dat ik opeens ongesteld zou worden, hier zo op het podium? *Dat* zou pas gênant zijn.

Maar goed, de Thoralezing van vandaag is Naso. Het eerste stuk gaat helemaal over uit hoeveel mensen de stam van Gerson bestaat, en over hoe je de hogepriester voedsel moet brengen als je door je vrouw seksueel bedrogen bent, om jezelf zeg maar te reinigen van het feit dat je bedrogen bent. Maar het gedeelte dat ik heb voorgelezen gaat over de nazireeërs.

---

11 Deze stelling is daadwerkelijk bewezen door een groep bekroonde geleerden van het MIT (de technische universiteit van Cambridge in Massachusetts).

Voor de joodse leek (dus niet voor een *Cohen*, of hogepriester door geboorte – en weet u, als u het ook gestoord vindt dat Josh Cohen, die zand zat te eten en elke dag in zijn bed plaste toen we op kamp waren, zogenaamd heilig is, nou, dan bent u niet de enige): een nazireeër (en dus niet een oncoloog!) is het heiligste en meest waardevolle wat je kunt zijn.

Om nazireeër te worden en een staat van zuiverheid en heiligheid te bereiken, moet je je aan bepaalde richtlijnen houden.

Ten eerste: gij zult niets eten of drinken dat met druiven te maken heeft, dus geen wijn, geen druivensap, azijn, verse druiven of rozijnen, en als die toen al hadden bestaan waarschijnlijk zelfs geen aanmaaklimonade of bubblegum met druivensmaak of zelfs, hoe ziek je ook bent, geen Dampo[12]. Toen ik dat tegen mijn moeder zei, zei ze: 'Geen rozijnen? Hoe moet dat dan als ze last hebben van verstopping?' Wat een humor. Ze denkt zeker dat ze leuk is. Echt niet. En als ik dan niet lach, lacht ze mij uit omdat ze denkt dat ik het een gênante gedachte vind of zo. Nou, ik vind het helemaal niet gênant. Het enige gênante hier is ze zelf.

Ten tweede: een nazireeër mag nooit een scheermes zijn hoofd laten beroeren, of op wat voor manier dan ook zijn haar af laten knippen. Bah. Ook zoiets dat mijn moeder de afgelopen twee weken alsmaar bleef zeggen, omdat ze wilde dat mijn vader voor dit feest naar de kapper ging: 'Ben je soms een nazireeër?' Hahaha, wat ben je toch lollig, mam. Nee, echt hoor, misschien kun je een eigen televisieshow krijgen. Kijk, daar zit ze te lachen op de eerste rij. Of nee... zit ze nou te huilen? *Mijn g-d! Waarom doet ze toch altijd zo gênant?*

---

12 Over deze term lopen de meningen onder historici uiteen: de school van Viswanathan stelt dat het hier gaat om een siroop of tablet met druivensmaak dat aan kinderen werd gegeven om lichte aandoeningen als hoest en een zere keel te bestrijden, terwijl de gedachteschool die wordt geleid door dr. Franz Liebenhoff de opvatting verkondigt dat hier wordt verwezen naar de wijze waarop gebruikers van recreatieve drugs een hoeveelheid poeder (afgekort tot 'po') plachten te laten verdampen ('damp') alvorens de heroïne met een buisje te inhaleren.

Oké.

En verder mag een nazireeër niet alleen zijn haar niet knippen, hij mag het ook niet kammen of borstelen of wassen, want dan zou er weleens een haartje kunnen breken of uit zijn hoofd worden getrokken.

Eh, ik heb mijn haar vanmorgen niet gewassen. Ik had het zeg maar te druk.

Om eerlijk te zijn was ik mijn haar niet elke dag. Dat wil ik wel, maar het is 's morgens voor school altijd zo waanzinnig druk. Soms was ik het niet eens om de andere dag. Is dat goor? Waarschijnlijk is het goor.

Kijk eens naar mijn vriendinnen die daar zitten. Die hebben hun haar wel allemaal gewassen vanmorgen. Die wassen hun haar waarschijnlijk elke dag. Ik hoop echt dat niemand van hen kan zien dat ik vanmorgen mijn haar niet gewassen heb. Ik denk niet dat ze dan nog vriendinnen met mij zouden willen zijn. Serieus. Dan zouden ze me vies vinden, net als dat meisje Lacey die achter de supermarkt woont.

Oké. Een nazireeër mag ook niet in contact komen met het lichaam van een dode, en wordt geacht situaties te schuwen waar zo'n contact onvermijdelijk is. Bezoekjes aan het kerkhof bijvoorbeeld of aan het Rose Blumkin Tehuis voor Joodse Bejaarden[13], zijn strikt verboden. Mocht echter buiten zijn schuld zo'n contact

---

13 Deze opmerking is bijzonder belangrijk, want dit is de oudst bekende verwijzing naar de plaats waar opgravingen werden gedaan door dr. Akeno Mpugwale en zijn medewerkers van de universiteit van Lagos en ondersteunt de hypothese van dr. Mpugwale dat de plek die hier 'Rose Blumkin Tehuis voor Joodse Bejaarden' genoemd wordt, in feite een soort gewijde bewaarplaats was voor de lichamen van mensen uit de hoogste maatschappelijke kasten, waar deze voorafgaande aan de begrafenis werden geprepareerd. De lichamen werden er op bedden of stoelen geplaatst waaraan wielen waren bevestigd als symbool voor de beweeglijkheid en vergankelijkheid die de menselijke levenscyclus kenmerken. Ook werden de lichamen er omgeven met pluchen figuren, voornamelijk in de gedaante van dieren, als vertegenwoordigers van de verschillende goddelijke wezens die de overledene tijdens zijn leven hadden beschermd. Bovendien werd volgens dr. Mpugwale het gebit verwijderd en werden fijngemalen voedingsmid-

toch plaatsvinden – bijvoorbeeld doordat er gewoon iemand dood neervalt in de rij voor hem of zoiets – dan moet hij zichzelf reinigen door zeven dagen te vasten, en op de zevende dag zijn hoofd kaal te scheren, waarna hij een lammetje en een grote mand met allerlei soorten brood naar de tempel moet brengen, die de hogepriester dan kan offeren. Daarna kan hij dan gewoon doorgaan met een nazireeër zijn, wat... nou ja, welke voordelen er nou eigenlijk aan zitten om een nazireeër te zijn is een beetje onduidelijk. Misschien was het vergelijkbaar met bekend zijn in onze tijd. Misschien stuurden mensen je gratis merkkleren en zo.

Zo, dat is dat. Dan nu het *money shot*.

O! Nee! Dat bedoel ik niet. Gadver! Nee! Eric Moffat vertelde me vorige week wat dat is, toen we bij literatuur in discussiegroepjes zaten. Hij zei zo van: 'Hé, Rachel.' Dus ik zeg van: 'Wat?' En hij weer van: 'Weet jij wat een *money shot* is?' Dus ik zeg van: 'Tuurlijk,' en hij van: 'Nou, wat dan?' Dus ik zeg van: 'Nou, zeg maar, het belangrijkste van iets of zo,' en hij zegt gelijk: 'Nou, zo kun je het wel noemen, ja,' en hij lachen, dus ik zeg van: 'Nou, wat is het volgens jou dan?' en hij zegt – ja, daar wil ik dus zelfs eigenlijk niet eens meer aan denken, aan wat hij zei, want dat is dus echt té smerig en dat kan echt absoluut niet in de synagoge, maar het had iets met porno te maken. Dus ik vertel Kelly wat Eric Moffat tegen mij had gezegd, maar zij zei dat ze er niks aan kan doen

delen op ceremoniële wijze op het tandvlees gesmeerd. Het onderlichaam werd gehuld in een met zacht materiaal opgevuld kledingstuk (dat overigens altijd uitzonderlijk goed bewaard bleef), in een ritueel dat deed denken aan het in luiers wikkelen van een pasgeboren kind, dit alles om de terugkeer te symboliseren van de overledene naar de kindertijd, in een cultuur die het concept van de Jeugd in hoge mate vereerde. Deze vondsten hebben een wat controversieel karakter, daar verschillende vooraanstaande archeologen dr. Mpugwales conclusies bestrijden, waaronder met name de bekende dr. Leonid Braslavsky van de universiteit van Krakau, die met sterke argumenten heeft geprobeerd aannemelijk te maken dat het bij het zogenaamde 'Rose Blumkin Tehuis voor Joodse Bejaarden' in werkelijkheid de overblijfselen betreft van een klassieke bazaar, berucht om de handel in slaven.

maar dat ze hem nog steeds even leuk vindt ook al is hij een vieze goorlap, want zo gaat het nu eenmaal als je verliefd bent. Maar wij zeiden tegen elkaar dat we nooit van ons hele leven een *money shot* zouden doen, en iemand pijpen waarschijnlijk ook niet, want dat is ook echt ontzettend goor, maar dat we misschien ooit weleens een keer iemand zouden aftrekken, en toen hebben we met een krultang en met het handvat van een haarborstel geoefend hoe je iemand moet aftrekken, en zij zei dat ze waarschijnlijk Eric Moffat wel een keer zou aftrekken als hij dat wilde en ik zei dat ik dat bij Justin Connolly ook wel zou doen, want ik ben serieus totaal verliefd op Justin Connolly, maar ik zou Eric Moffat misschien ook wel aftrekken als ik zeker wist dat Kelly er niet achter zou komen.[14]

Vandaag word ik een joodse vrouw.

Ik was al een vrouw, want ik ben al twee keer ongesteld geweest – ik dacht eigenlijk drie keer, want een paar weken geleden kwam er een keer heel raar bruin spul uit, maar mijn moeder zei dat het iets anders was – *alsof díé er verstand van heeft.*

Meneer Paulsen, onze leraar Groei en Ontwikkeling van de Mens, zei dat meisjes zich soms schamen als ze voor het eerst ongesteld worden omdat ze bang zijn dat iedereen het zomaar aan ze kan zien, maar ik geloof niet dat meneer Paulsen echt veel verstand heeft van vrouwen; hij heeft een plaatje van Jezus op zijn bureau staan en een groot glazen ding waarop staat dat hij lid is van de Nationale Bond van Christelijke Atleten. Hij deed heel raar toen hij over seks en zo begon te praten, zo van 'Seksuele gemeen-

<hr>

14 De ongebruikelijke linguïstische en grammaticale structuur van deze passage is uitputtend bestudeerd en gereconstrueerd door deskundigen op het gebied van het betreffende tijdperk, die tot de conclusie zijn gekomen dat het hier wellicht gaat om een ruwe of heel vroege vorm van epische poëzie, type rapsodische heldensage, zoals wel aangetroffen in wat ons rest van het oeuvre van de blinde volkszanger die wij tegenwoordig kennen als 'Fiddy' (of '50 Cent'), hoewel wij wellicht nooit met zekerheid zullen weten wie de werkelijke auteur ervan is geweest.

schap geeft een heel lekker gevoel, dat is zo, en daar zal ik ook geen doekjes om winden. En het is ook juist goed dat het heel lekker is. Dat maakt deel uit van G-ds bedoelingen met de mens! Maar er kan pas werkelijk van worden genoten als een man en een vrouw heel veel van elkaar houden.'

En van achter uit de klas vroeg David Carlson van: 'En hoe zit dat dan met homo's?'

En meneer Paulsen zei meteen van: 'Daar gaan we het vandaag niet over hebben.'

Arme David Carlson. Volgens mij is hij zelf homo. Ik heb van de zomer in het koor gezeten van *Hello Dolly!* bij het Gemeentelijk Jeugdtheater van Omaha, dus ik kan echt wel zien wie homo is en wie niet, en David Carlson is zeker weten homo, want hij let niet alleen, zeg maar, echt heel goed op zijn kleren, maar het hele vorige trimester moesten hij en ik bij scheikunde alle proefjes met z'n tweeën doen, en hij is al die tijd niet één keer verliefd op me geweest, dus dan moet hij wel homo zijn. Klinkt dat verwaand? Ik ben niet verwaand, nee echt niet! Ik bedoel alleen maar dat jongens gewoon meestal verliefd worden op meisjes met wie ze veel moeten praten, en dan vooral op meisjes die populairder zijn dan zijzelf. Ik bedoel, ik ben niet superpopulair, maar ik ben wel populairder dan David Carlson. Ik wou dat David Carlson een beetje populairder was, trouwens, want ik vind het echt leuk om met hem te praten. En als hij een beetje populairder was, zouden we echt vrienden kunnen zijn. Ik bedoel, ik wil niet overkomen als een gemeen wijf, maar ik kan er op dit moment beter niet aan beginnen om vriendschap te sluiten met mensen die minder populair zijn dan ik, tenminste niet als ik wil dat Justin Connolly verkering met me vraagt voor het eind van het jaar.

Maar goed, daarna begon meneer Paulsen (met frisse tegenzin, mag ik wel zeggen) over voorbehoedsmiddelen, en hij zei: 'Natuurlijk is onthouding de enige manier waarbij je honderd procent zeker weet dat je niet in verwachting zult raken,' waarop ik zei: 'En abortus dan?' En meneer Paulsen zei: 'Ook daar gaan we het vandaag, honderd procent zeker weten, niet over hebben.'

'Ik zou mijn kindje echt, nooit, *nooit* doodmaken,' zei dat meisje Lacey die achter de supermarkt woont. 'Want ik ben een christen.' En ze keek me recht in mijn gezicht toen ze dat zei.

'Ik heb echt medelijden met dat kindje,' zei ik.

'Hier gaan wij het nu *niet* over hebben!' zei meneer Paulsen.

Had ik al gezegd dat meneer Paulsen altijd zo'n speldje op zijn revers draagt met van die babyvoetjes? Dat betekent dat hij van de antiabortusbeweging is. Sorry dat ik het zo grof zeg hoor, maar is hij nou g-dverju helemaal besodemieterd? Volgens mij heeft geen enkele man het recht om een vrouw te vertellen dat ze een kind moet krijgen dat ze helemaal niet hebben wil. En dat meisje Lacey is alleen maar antiabortus omdat het zelf zo'n kansloos type is.

Maar ik vond het heel vervelend dat ze me zo aankeek toen ze zei: 'Ik ben een christen.' Ik vind het niet zo erg als mensen aan me kunnen zien dat ik ongesteld ben, maar ik maak me er wel zorgen over dat ze kunnen zien dat ik joods ben. Waarschijnlijk doordat ik hoorntjes heb. Nee, g-dver, dat is een grapje!

Zoals ooit de nazireeërs hun geloften van heiligheid aflegden, neem ik vandaag de verplichtingen op mij van een joodse vrouw. Daar hoort bij dat ik lief moet zijn voor mijn familie, en dat ik op moet komen voor rechtvaardigheid in deze maatschappij, en dat ik goede cijfers moet halen zodat ik een goede opleiding kan gaan volgen, in tegenstelling tot dat meisje Lacey dat achter de supermarkt woont. Volgens mijn moeder betekent het ook dat ik mijn hele leven alleen maar joodse jongens leuk mag vinden en met joodse jongens uit mag gaan, totdat ik er uiteindelijk met eentje trouw. Tegen haar zeg ik: 'Mam, draai je nou eens om en kijk naar de achterste bank, dan zie je daar die stralende blonde god van een Justin Connolly – en zeg dat dan nog eens. Kijk me recht in de ogen en zeg het nog eens.'

Trouwens, joodse jongens zijn ook echt niet allemaal zo braaf. Andy, de broer van Heather Posner, verkoopt na zwemles altijd wiet, en ik heb gehoord dat hij seks heeft gehad met een of ander zwart meisje.

Oké, de cantor kijkt op zijn horloge en de oudjes beginnen met hun snoeppapiertjes te ritselen, dus ik denk dat het tijd wordt voor de bedankjes.

Allereerst wil ik graag mijn ouders bedanken.

Mam, serieus, je moet nu echt ophouden met huilen. Dat is heel vernederend voor jezelf, en voor iedereen om je heen, en we zijn hier niet ergens midden in de stad[15] zeg maar, waar ik net kan doen alsof ik je niet ken. Echt waar, gedraag je normaal, anders sta je voor paal.

Goed. Bedankt, pap en mam, voor alle ritjes naar joodse les en naar de bijlessen bij de cantor, hoewel jullie degenen waren die wilden dat ik ernaartoe ging, niet ik, dus jullie hebben me er nu ook weer niet een enorme gunst mee bewezen of zo.

En verder bedankt dat jullie dit hele gebeuren vandaag betaald hebben. Het feestje vanavond wordt hartstikke leuk. Ik bedoel, ook weer niet helemaal waanzinnig te gek of zo, maar dat hoeft ook niet. Dan is het algauw ordinair. Zeker hier – ik bedoel, kom op, dit is Omaha, niet Beverly Hills, en jouw vader is geen Steven Spielberg[16], maar een orthodontist uit Kansas City. Jij hoeft niet binnen te komen op een wit paard en een glasblazer in te huren.

Dat klinkt behoorlijk middeleeuws, hè? Ik heb laatst ook echt iets gelezen over een bar mitswa met de middeleeuwen als thema, in zo'n artikel dat mijn moeder altijd uitknipt uit het Joods Dag-

15 'Midden in de stad' – *de stad* was voor Amerikanen in dit tijdperk Washington D.C., in het *midden* waarvan regering en parlement zetelden; op basis van deze en dergelijke passages nemen de meeste deskundigen aan dat de betreffende familie een belangrijke politieke rol heeft gespeeld.

16 Een despotische heerser of krijgsheer uit de laatste periode van het Middelste Amerikaanse Rijk, beroemd om zijn grote rijkdom.

blad *Forward*. We zijn het tegenwoordig niet vaak eens over dingen, maar we vonden allebei dat middeleeuws Europa niet echt een passend thema was voor een bar mitswa.

'Wat doen ze daar dan?' vroeg ik. 'Iedereen vastbinden op de brandstapel en ze dwingen om naar je diavoorstelling te kijken?'

'Alleen als ze weigeren om te worden gedoopt,' zei ze. 'En dan komt er daarna een stelletje monniken binnen dat iedereen in de fik steekt.'

Het is een glijdende schaal. Ik bedoel, wat is het volgende thema? De Jom Kipoer Oorlog? Of wat zou je zeggen van het getto van Warschau? Stel je voor. Gehuurde rottweilers die de hal onveilig maken. Van alles te eten, maar je moet onder prikkeldraad door kruipen om erbij te kunnen komen. De dj draait de hele tijd alleen maar 'C'mon 'n' Ride It (the Train)', en als het afgelopen is krijgt iedereen een T-shirt waarop staat VOL GAS OP ANDREA'S BAT MITSWA!

Wacht even, waar was ik gebleven? O ja. Bedankje aan mijn ouders dat ze me zo zorgvuldig van mijn joodse identiteit hebben weten te doordringen.

Ook mijn grootouders wil ik bedanken, inclusief de ouders van mijn moeder, die zijn overleden, dus ik weet eigenlijk niet goed waarom ik ze precies moet bedanken, maar mevrouw Rothman zei dat dat zo hoorde. Maar ik wil vooral mijn levende grootouders bedanken die ik ook echt ken, en die gisteren voor ons sabbatdiner hebben gezorgd. Met een speciale knuffel voor mijn oma die die waanzinnige tafelstukken met die lichaamloze handen heeft gepottenbakt die sommigen van jullie misschien ook mee naar huis hebben genomen.

En dank aan mevrouw Rothman die mij geholpen heeft met mijn toespraakje. En aan de rabbi en de cantor. Ook al mijn familie en mijn vrienden van buiten de stad wil ik bedanken dat ze speciaal gekomen zijn om deze bijzondere dag met mij te vieren. Ik verheug me erop jullie namen te leren kennen en jullie blije gezichten te zien als ik de kleurige envelopjes open mag maken met de cheques erin de jullie mij gaan geven.

En over cadeautjes gesproken, ik zou nu nog graag even mijn niet-joodse klasgenoten toespreken die daar in de achterste banken zitten.

Sommigen van jullie zijn goede vrienden van mij. Anderen zijn dat niet. Als jullie het onderling hebben gehad over het onmiskenbare feit dat ik meerdere personen heb uitgenodigd die populairder zijn dan ik in de hoop dat ik daardoor beter bevriend met ze zou raken, hebben jullie me daar tenminste niet openlijk om uitgelachen, en daar ben ik jullie oprecht dankbaar voor. Maar er is nog iets anders wat ik van jullie zou willen vragen, iets dat veel kostbaarder is dan de dagboeken en de oorbellen en de fotolijstjes die jullie moeders voor jullie hebben klaargelegd om aan mij te geven. Het is een heel ander soort geschenk, en er is er maar één van jullie die het mij geven kan.

Ik wil heel graag dat Justin Connolly vanavond op mijn feestje met mij gaat slowen.

Alleen, en uit zichzelf. Zonder dat iemand hem eerst gaat zitten porren, of dat nou om te pesten is of juist met goede bedoelingen. En zonder dat de dj heeft gezegd: 'Dames kiezen de heren.' Zonder dat ik hem heb hoeven te vragen dus, want dan kan hij natuurlijk geen nee zeggen omdat het mijn feestje is en mijn dag. Als het moet, doe ik het, maar ik wil het liever niet. Maar ik doe het wel, echt.

Justin Connolly! Ik smeek je! Kijk nou eens op van de Game Boy van Eric Moffat waar je stiekem op zit te spelen met het geluid uit, daar op de achterste rij, en luister naar mij! Vanaf vandaag ben ik een vrouw, Justin Connolly. Mijn toekomst als zodanig ligt in jouw handen. Laat mij niet het soort vrouw worden dat mannen vraagt om met ze te dansen. Het soort dat aanvankelijk grote indruk op hen maakt door hun ongepolijste openheid en hun openlijk seksuele gedrag, hun gewaagde humor, en hun ontwapenende intelligentie, het soort waar mannen een paar maanden mee naar bed gaan alvorens ze te dumpen voor een vrouw van het bleke, gereserveerde type (zo'n vrouw die een strak truitje kan dragen zonder beha en er dan toch niet meteen uitziet als een prostituee), met de tekst: 'Jij en ik, wij zijn *maatjes*, weet je, maar Catherine (of Caitlin, of Crucifix) is gewoon... heel *anders*. Maar maak je geen zorgen, ik zal je de komende jaren heus af en toe nog weleens bellen voor een vrijblijvend potje seks.' Ik leg mijn lot als joodse vrouw in jouw Game Boy-spelende, door masturbatie sterk geworden handen, Justin Connolly. Stel me niet teleur.

Ik zou willen afsluiten met het prachtige laatste deel van mijn *parsja*, wat tevens de zegenspreuk is die joodse vaders iedere vrijdagavond over hun dochters uitspreken.

Moge de Heer u zegenen en u beschermen,

moge de Heer het licht van zijn gelaat over u doen schijnen en u genadig zijn,

moge de Heer u zijn gelaat toewenden en u vrede geven.

Amen, en *sjabbat sjalom*.

WAARSCHUWING

De volgende hoofdstukken bevatten seksueel expliciet materiaal

Bent u 1) mijn ouder, of 2) een goede vriend of nabije bloedverwant van (een van) mijn ouders, denkt u dan goed na alvorens verder te lezen, en handel daarnaar.

Valt u in categorie 2, en vreest u na lezing van genoemd seksueel expliciet materiaal de aandrang niet te kunnen weerstaan een van mijn ouders, dan wel hen beiden, te benaderen per telefoon/in de synagoge/in de kleedkamer van het Joods Gemeenschapscentrum teneinde het juiste niveau van schaamte te bespreken dat zij zouden behoren te voelen, alsmede uw eigen ongetwijfeld gedegen en onpartijdige oordeel omtrent het schrijverschap van hun dochter en de publicatie van materiaal als dit, gelieve dan de volgende twee hoofdstukken in hun geheel over te slaan, en verder te lezen vanaf bladzijde 172, bij hoofdstuk 8: 'Het vraagstuk van mijn onbekendheid.'

DANK U WEL.

6

Voor het rondje 'vertrouwelijk'

'Onmogelijk,' zei ik zelfverzekerd tegen mijn moeder toen zij op een avond liet vallen dat ik misschien eens wat vaker zou moeten omgaan met andere Leden van onze Stam. Hoe kon ze zo blind zijn? Zag ze dan niet dat die kleingeestige bekrompenheid, die rancuneuze focus op de oppervlakkige verschillen tussen volkeren een groot gevaar vormde voor het rijke weefwerk van deze aardbol en dat het de teloorgang zou betekenen van het goddelijke experiment dat 'de mensheid' heet? Ik zat nu op de middelbare school, een *openbare* middelbare school, waar pubers van alle kleuren en gezindten tezamen kwamen in gemeenschappelijke bewondering en eerbied voor de illustere smeltkroes die wij Amerika noemen. 'Er zitten maar vijf joodse kinderen bij ons op school, en er is er niet een bij die naar dezelfde muziek luistert als ik!'

Mijn moeder was me zoals gewoonlijk weer een paar stappen voor en had al rekening gehouden met dat antwoord. Over een uur zou ik worden opgehaald door een meisje dat vreselijk uit de hoogte tegen me had gedaan tijdens het zomerkamp van het Joods Gemeenschapscentrum in 1987. Zij zou me met de auto naar een nog onbekende locatie brengen waar we een stel andere joodse tienermeisjes zouden treffen en we ons bezig zouden houden met nog onbekende activiteiten gedurende een nog onbepaalde periode. Bij een zekere geheimzinnige groepering die ik om juridische redenen niet nauwkeuriger zal aanduiden dan met de term Jeugd Organisatie (of JO), was dit een bestaand fenomeen dat 'ontgroening' werd genoemd.

'Ontgroening?' vroeg ik. 'Zoals bij een meisjessociëteit?'

'Ja,' zei mijn moeder.

'Daar ga ik niet heen.'

'Jawel, daar ga jij wel heen,' zei ze.

'Maar het is een doordeweekse avond!' protesteerde ik. 'Ik heb *huiswerk!*'

Ze snoof. 'Nou, dan is het maar goed dat je vandaag je boeken mee naar huis hebt genomen. Neem jij eigenlijk nog weleens een tas mee naar school, of houden we tegenwoordig zelfs de schijn van het studeren niet meer op?'

'Ik wil helemaal niet naar een stomme meidenclub met een stelletje suffe Joods-Amerikaanse Prinsesjes!' schreeuwde ik.

'Mooi! Dan ga *ík* wel!' schreeuwde ze terug. *'Dan kan jij intussen het eten klaarmaken, de afwas doen, de vuilnisbak buiten zetten, en kijken hoe je vader in slaap valt bij dat kloterige* Star Trek!'

'Hè? Wat?' Mijn vader onderbrak kort de verbale aanval op zijn computer waar hij juist in verwikkeld was, en riep naar beneden. 'Is er iets?'

'Nee, niks!' brulden mijn moeder en ik in koor terug.

Gerustgesteld zette hij zijn door Microsoft geïnduceerde woedeaanval voort. Een reeks van flauwe, met vloeken afgewisselde kreten klonk boven aan de trap, alsof een van de kleerkasten daar was ingericht als martelkamer voor Dwergschnauzers.

Ik wierp een woedende blik op mijn moeder. 'Pleur op,' snauwde ik. 'Je kunt me niet dwingen iets te doen waar ik geen zin in heb.'

Drie kwartier later reed een crèmekleurige BMW onze oprit op. Een gemanicuurde hand kwam traag uit het geopende raampje naar buiten om quasivermoeid de as van een Marlboro Light af te tikken, terwijl de andere hand op de claxon rustte. Ik tuurde naar buiten en onderscheidde op de achterbank twee donkere gestalten die dicht naast elkaar zaten.

'Veel plezier!' riep mijn moeder.

'Wil je niet dat ze even uitstappen of...'

Het uitnodigende getoeter van de BMW weergalmde door het hele huis als het geschal van de sjofars op het Einde der Dagen. Zelfs de kristallen panda's op de aanbouwkast trilden van ontzag.

Jezus christus! gilde mijn vader van boven aan de trap. 'BEN JE NOU GODVERJU HAAST WEG?'

'Bedankt Jeeves, doe geen moeite!' riep ik terug. 'Ik kom er zelf wel uit.'

Voorzichtig voegde ik me bij de twee duistere gestalten op de lederen achterbank. Een van de twee bleek een oude vriendin te zijn, Missy Paskowitz, een meisje dat altijd overdreven vriendelijk deed en dat ik nog kende van toen wij twee lichtelijk gezette ballerina's waren bij de dansschool van het JGC. Niveau 2. De andere duistere gestalte herkende ik niet.

'Hoi!' gilde Missy. Ze verpletterde me tegen haar overvloedige boezem. 'Vind jij het ook zo spannend? Ik vind het zo spannend! Kun je geloven dat we eindelijk op het voortgezet onderwijs zitten? Ik kan het zelf haast niet geloven! Jij wel? KUN JIJ WEL GELOVEN DAT WE EINDELIJK OP HET VOORTGEZET ONDERWIJS ZITTEN?'

Elke keer als we mentoruur hebben, dacht ik, *en er wordt weer een stukje van mijn ziel weg geschept als het schuim van een pan kippensoep, word ik niet alleen gedwongen om dat te geloven, het wordt me voortdurend pijnlijk en genadeloos onmogelijk gemaakt dat uit het oog te verliezen.*

Maar in plaats daarvan zei ik: 'Ieieieieie!'

Missy wees naar de duistere gestalte naast haar. Die draaide zich een stukje naar ons toe zodat we een rond, bleek gezicht met een lange neus te zien kregen.

'Dit is Amanda Gellman,' zei Missy. 'Ze is pas hierheen verhuisd. Ze komt uit Montana.'

'Virginia,' fluisterde Amanda Gellman.

'Virginia, dat zeg ik,' zei Missy.

'O, jullie kennen elkaar,' zei de coupe soleil achter het stuur lijzig. 'Dat is mooi. Hebben jullie er bezwaar tegen als ik rook?'

'Heb jij er bezwaar tegen als ik er een van je biets?' vroeg ik.

De coupe soleil draaide zich om en keek me met halfgesloten, kunstig opgemaakte ogen aan. Het was de jongste dochter uit een vooraanstaande familie. Als die familie tijdens de Hoge Feestdagen in een van de diensten verscheen onderbrak mijn oma haar verwoede pogingen om een drie jaar oud zuurtje uit zijn kleverige cellofaantje te wurmen, en mompelde ze: 'Die mensen zijn *heel* erg rijk, weet je.' De familie was de laatste tijd regelmatig in negatieve zin over de tong gegaan (wegens een scheiding die er wellicht ook de oorzaak van was dat het contract van een van de meest geliefde tennisleraren van de joodse tennisclub niet werd verlengd, en wegens het huwelijk van de oudste zoon met een in Christus wedergeboren mondhygiëniste uit Alabama), maar alle roddels en schandalen hadden uiteindelijk alleen een welkom vleugje pathos toegevoegd aan de reputatie van een clan waarvan de kinderen spiksplinternieuwe BMW's voor hun zestiende verjaardag kregen, waardoor het zonder meer een van de meest besproken en afgunstig bewonderde families bleef in ons kleine sjtetl op de prairie.

'Is Marlboro Light goed?' vroeg ze ten slotte.

Missy Paskowitz keek me aan met wijd open ogen. De geheimzinnige Gellman draaide zich om en staarde met lege ogen uit het raampje.

'Ik heb liever gewone Marlboro,' antwoordde ik. 'Maar oké. Als je niks anders hebt.'

Ze gooide het pakje naar me toe. 'Ga je gang. Ik koop ze per slof.'

En zo verdwenen wij in de nacht.

De joodse jeugdbeweging waarvan ik algauw daarna lid zou worden was grofweg georganiseerd volgens het systeem dat je op scholen en universiteiten in heel Amerika vindt. De jongens en de meisjes zijn gescheiden in twee aparte organisaties, die dan weer opgedeeld zijn in kleinere clubjes of afdelingen met hun eigen ontgroeningsrituelen en hun eigen illustere geschiedenis en karakter. Bijvoorbeeld: de Meisjesafdeling *Perahim Ha-Shalom*[†] nr. 262, opgericht in 1943, tijdens het hoogtepunt van de Tweede Wereldoorlog, door wijlen mevrouw Doris Showalter Stein, noemt in zijn doelstellingen een hernieuwde betrokkenheid bij vrede en vrijheid in de wereld, benadrukt de eigen religieuze en culturele identiteit in een tijdperk dat gekenmerkt wordt door ongeëvenaard joods leed, en is duidelijk de beste club voor nerveuze dikke meisjes met huidproblemen in Cincinnati en omgeving. En zo is de Meisjesafdeling Golda Meir nr. 1099, gesticht in 1973, bij het begin van de Grote Verzoendag-oorlog, door mevrouw Susan Cohen Peretz en Barbara Levine (God hebbe haar ziel, ze is omgekomen bij dat gruwelijke auto-ongeluk in Tel Aviv met die hippie die zei dat hij een Sefardische jood was, maar iedereen, ook haar eigen tante mevrouw Levine – ken je die nog? Zij werkte vroeger in het winkeltje van de synagoge – was ervan overtuigd dat hij eigenlijk een Arabier was) om haar solidariteit te benadrukken met het volk van Israël. Van die club staan de leden tegenwoordig bekend als de onbetwiste Aftrekkoninginnen van Groot-Baltimore.

De afdeling waar ik samen met Missy Paskowitz en Stille Gellman lid van werd, was niet de club waar we die avond in de BMW heen waren gescheurd en waar we caloriearme hapjes hadden gegeten met meisjes die hun nagels perfect hadden laten bijwerken en die allemaal prachtig gebruind waren, maar de andere meisjesafdeling in Omaha, waarvan de leden wat pizzavriendelijker

[†] Hebreeuws voor 'Bloemen der Vrede'.

waren en wat nonchalanter in kleding en coiffure. Ik bevond me in de fase van mijn puberale ontwikkeling waarin ik juist bij wijze van experiment mijn eigen haar had geknipt met de keukenschaar en gedeelten ervan had geverfd in een kleur die nog het meest correct kon worden aangeduid als menstruatierood, dus een wat meer ontspannen houding jegens persoonlijke verzorging paste me een stuk beter. Toen ik ook nog hoorde dat het roken van sigaretten bij alle officiële clubactiviteiten was toegestaan, hakte ik de knoop door. Bij hen zou ik mij aanmelden.

Toen ik mijn moeder van deze ontwikkeling op de hoogte stelde, gaf ze een verrukt gilletje, waarbij ze een stemregister aansprak dat ze niet meer gebruikt had sinds haar vader was gestorven in 1956 en zij op slag een onnatuurlijk ouwelijke eersteklasser was geworden. 'O, maar dat is geweldig!' kwinkeleerde ze. 'Wat vind ik dat leuk voor je! Wat zul jij daar een plezier hebben, en wat zul je er veel levenslange vriendschappen opdoen!'

Levenslang. Wat een gruwelijk woord. Het is bedoeld om eeuwigheid mee uit te drukken, iets degelijks dat nooit vergaat, maar tegelijkertijd herinnert het er ons genadeloos aan dat het leven een bepaalde lengte heeft. Op een dag is het voorbij, en dan ga je dood. En waar zul je aan sterven? Zijn hele leven moet de mens wachten om daarachter te komen; zou het kanker zijn – wat God moge verhoeden – of een hartaanval, of val je gewoon op een dag om en komt er dan nooit meer iemand achter wat het nou precies geweest is, omdat de joden geacht worden geen lijkschouwing[†] te verrichten?

---

† Filosemieten en andere fans van de Asjkenazische misantropie van Larry David herinneren zich wellicht de hilarische aflevering van *Curb Your Enthousiasm* waarin de ontdekking van een kleine tatoeage op het lichaam van Larry's kort daarvoor overleden moeder het noodzakelijk maakte haar te begraven op een 'speciaal' gedeelte van het kerkhof, bij de zelfmoordenaars en misdadigers. Het verbod op lijkschouwing is net zoiets; één kleine beschadiging van het lichaam en men wordt ongeschikt verklaard

'Reken daar maar niet op,' zei ik. 'Ik ben niet zo'n grote fan van het joodse volk.'

Haar gezicht betrok een beetje, maar het liefdeslicht bleef helder uit haar ogen stralen. 'Liefje, jij weet het zelf nog niet, maar jij bent een van meest joodse mensen die ik ooit heb gekend.'

Elke donderdag na schooltijd kwamen we bij elkaar in een afgeschermd gedeelte van het JGC. Na wat geklets en geknuffel met leden van het andere geslacht (zoals pubers dat doen om te proberen hun razende hormonen eventjes tot bedaren te brengen), gingen we uit elkaar naar gescheiden zaaltjes – dezelfde ruimtes waar we vroeger lange, oneindig saaie uren hadden moeten doorbrengen voor joodse les. De bijeenkomsten van de meisjes werden gekenmerkt door veel geroddel en een continue crisisachtige sfeer, maar waren desondanks strak geordend langs parlementaire lijnen. We hadden een bestuur gekozen – een voorzitter, een penningmeester, een Verdediger des Geloofs – ieder met zijn eigen lijst van taken en plichten: de secretaris hield zogenaamd de notulen bij en borg die op in een met stickers versierde klapper waar nooit meer iemand in keek. De penningmeester telde de bedragen bij elkaar op van rekeningen die ze uit een versleten enveloppe tevoorschijn haalde, en noemde het eindbedrag. De voorzitter regelde de vergadering. De vicevoorzitter zat op een plastic stoel en zei geen woord. Er was een voorzittershamertje waarmee de voorzitter enthousiast op tafel sloeg, en als haar termijn was afgelopen bond ze een kleurig ribzijden lint aan de steel van de hamer met haar naam en de data van haar voorzittersperiode in viltstift erop geschreven, opdat toekomstige generaties het verleden zouden kennen.

Onze moderator, een volwassene die door de organisatie was

om de eeuwige rust te genieten te midden van zijn *fatsoenlijke*, ongetatoeëerde geloofsgenoten. Wanneer de betreffende tatoeage echter verworven werd in, laten we zeggen, Polen, zo tussen 1941 en 1945, dan krijgt men natuurlijk wel ontheffing. Denk ik.

ingehuurd voor de nodige deskundigheid en om ervoor te zorgen dat niemand bier mee naar binnen smokkelde, verzekerde ons dat dit hele gebeuren fantastisch zou staan op ons cv. Het zou ook goed zijn voor onze leiderschapskwaliteiten, vooral ook met het oog op de vergaderingen van het studiefonds van de Joodse Federatie, de conferenties van de Nationale Raad van Joodse Vrouwen en de bijeenkomsten van de Commissie voor de Organisatie van Liefdadigheidsveilingen 'Een Avond in Marrakech' van de Damescongregatie Beth Shalom die wij geacht werden bij te wonen wanneer wij eenmaal al het kinderlijke hadden achtergelaten zoals de oosterse kettingen en zelfgevlochten armbanden en de reusachtige glazen waterpijpen, en getrouwd waren met de keurige chiropodist die we hadden leren kennen tijdens onze studie aan de universiteit van Wisconsin en met wie we een huis hadden gekocht in Overland Park met vijf slaapkamers, zo'n smal zwembad om baantjes in te trekken en een griezelig lege woonkamer die zo was ingericht dat hij helemaal paste bij onze Shih-Tzu-hondjes Kletzmer en Chanoeka.

Wat de jongens deden op hun bijeenkomsten weet ik niet, maar ik heb altijd aangenomen dat het te maken had met masturbatie, in letterlijke of in overdrachtelijke zin.

Onze andere activiteiten wisselden. Soms waagden we ons een eindje in de wereld van de minder bedeelden en deelden we zeep en shampoo uit, of brachten we driehonderd slordig met pindakaas besmeerde boterhammen naar een tehuis voor daklozen. Ook waren er 'sociale' activiteiten, meestal samen met een andere afdeling. Dan gingen we bowlen of pizza eten, of iets anders doen dat sterk deed denken aan een verjaardagsfeestje op de lagere school, afgezien van het verwoed roken van sigaretten uiteraard. Maar verreweg het meest werd uitgekeken naar het uitgebreide diner dansant dat de verschillende afdelingen om de beurt organiseerden. De oudere meisjes vertelden ons erover met ingehouden adem en met gezichten die net zo hard glommen als hun liefdevol verzorgde haar.

'De mooiste avond van het hele jaar,' zei er een.

'Zo ontzettend leuk,' zei een ander. 'En heel, héél belangrijk voor de vereniging.'

Middels de verkoop van kaartjes en van advertentieruimte in de omvangrijke souvenirboekjes kon een afdeling dankzij deze kleine Semitische gala's het grootste gedeelte van zijn geld voor het hele jaar binnenhalen. Die gala's waren trouwens heel formeel en kostbaar; ze vereisten niet alleen maandenlange zorgvuldige voorbereiding door allerlei commissies, maar ook corsages, limousines en dure feestjurken, waar de jubelende ouders uit onze hechte joodse gemeenschap een paar keer per jaar met het grootste genoegen het benodigde geld voor ophoestten.

'Karen! Jouw Rebecca! Zo schattig met mijn Jonathan!' roept zo'n betraande moeder dan uit voordat ze een camera boven op het grimassende smoelwerk van haar zoon duwt, wiens beugel glimt terwijl hij probeert een met witte bloempjes bestoken elastiekje om de mollige pols van het strak kijkende meisje te wurmen. Een hele stoet van familieleden, buren, en zelfs de gojim van de overkant die nieuwsgierig zijn geworden door de aankomst van de extra lange limousine, is aan komen slenteren om het gelukkige stel te bewonderen dat zorgvuldig probeert lichaamscontact te vermijden tijdens het poseren voor de flitsende camera's onder de denkbeeldige huwelijksbaldakijn.

'Ik zeg je één ding, Ruthie: het is een knappe jongen. En van goede familie,' zegt de andere. 'Zullen we de catering vast bestellen? Dit wordt een paar!'

Grapjes natuurlijk, satirische verwijzingen naar de gearrangeerde huwelijken uit de Oude Wereld van hun overgrootouders, de Jiddisch-sprekende *bubbes* en *zaydes* die nu omringd door van die met stof bedekte fruitmanden met enkel gedroogd fruit zoals vijgen en dadels vastgebonden zaten in hun rolstoelen in het Tehuis en hun bezoekers met tranen in de ogen smeekten om vijf dollar waarmee ze de Kozakken konden afkopen. Ze maakten natuurlijk grapjes, die tennisspelende huismoeders van de baby-boomgeneratie met een hbo-diploma of zelfs een universitaire titel, die zo ver verwijderd waren van de Oude Wereld dat ze nog maar één servies[†] hadden, maar wel vier verschillende pessariums. Ze maakten grapjes, maar dat betekent niet dat ze ook grappig waren.

Het was september en ik zat in de derde toen ik na zo'n dansavond door een paar oudere leerlingen gevraagd werd om mee te gaan naar een *afterparty* die de rest van de nacht zou duren. Daar zou ongetwijfeld alcohol gedronken worden, en alleen de aller-*coolste* leerlingen uit de lagere klassen waren uitgenodigd. Ik kon niet goed bedenken waarom ze mij ook hadden gevraagd, behalve dan dat ik in de stad op school zat en dus geacht werd gemakkelijk aan marihuana te kunnen komen. Natuurlijk vond ik het sowieso geweldig om gevraagd te worden. Maar helaas was er geen schijn van kans dat mijn ouders me zouden laten gaan.

'Nog in geen miljoen jaar,' zei ik met een wrang lachje.

'Bel ze gewoon even om het ze te vragen,' zei mijn populaire vriendin Liz die twee jaar ouder was dan ik en die mij tot haar protegee had gebombardeerd, wat heel lief was, maar ook totaal onverklaarbaar. 'Of wil je liever niet mee?'

'Echt wel!' riep ik.

'Nou, bel ze dan op,' zei zij.

'Ja, maar dan moet ik liegen. Dan moet ik ze een smoesje vertel-

[†] Voor de heidenen, voor zover u het nog niet wist: de zoveelste masochistische kronkel die is bedacht om het dagelijkse huishouden maar zo ingewikkeld mogelijk te maken, schrijft voor dat een koosjer huishouden dient te beschikken over twee stellen borden, twee stellen potten en pannen, pollepels en ander kookgerief - een stel voor zuivelproducten, en een stel voor vlees. In sommige religieuze huishoudens (en in de keukens van synagogen) gaat men zelfs zo ver dat er ook aparte fornuizen en ovens en dergelijke zijn. Die scheiding wordt voorgeschreven door de voedingswetten in de Thora, en verklaart in ieder geval deels waarom een bekering tot het christendom zo verleidelijk was voor de Heilige Paulus en aanverwanten - er schuilt een grote aantrekkingskracht in een geloofsleer waar je alleen maar een rotsvast geloof nodig hebt om verlost te worden, en niet ook nog eens een rijtje aparte vriezers en koelkasten.

len, dat ik bij jou blijf slapen of zo... maar dan bellen ze straks jouw moeder, en dan komen ze erachter dat ik heb gelogen, en dan krijg ik voor de rest van mijn leven huisarrest.'

'Je moet ook niet liegen,' zei Liz streng, en ze gaf me haar auto-telefoon. Ik hield het ding heel voorzichtig vast, alsof het op mijn hand kon piesen als ik het aan het schrikken maakte. 'Zeg gewoon tegen ze dat iedereen nog naar een feestje gaat ergens, en dat je morgenochtend wel thuiskomt.'

Sinds ik buiten de etnisch zorgvuldig bewaakte grenzen van mijn joodse basisschool was getreden, stond mijn moeder bij mijn vrienden en kennissen bekend als ernstig geschift. Als ik bijvoorbeeld per ongeluk liet vallen dat ik van plan was om na schooltijd even iets met iemand te gaan eten of drinken, kopje koffie of zo, dan ging meteen haar interne Goj-alarm af.

'Maar wie is dat dan?'

'Gewoon, een vriendin.'

'Nou, ik heb anders nog nooit van haar gehoord.'

'Gewoon een vriendin. Ze zit bij mij in de klas.'

'Maar je hebt het nog nooit over haar gehad. Echt waar, jij komt elke dag weer met een nieuw iemand op de proppen, en God mag weten waar je ze vandaan haalt...'

'Van school! Ik zit op een nieuwe school! Ik maak *nieuwe vrienden!*'

'Nou, ik vind het maar niks. Rookt die vriendin sigaretten?'

'Dat weet ik niet!'

'Zoek dat dan eerst maar eens uit. En ik moet haar telefoon-nummer hebben, het nummer van haar ouders, het nummer van haar ouders als ze op hun werk zijn, haar sofinummer, bloed-groep, compleet medisch dossier, haar – godbetert dat ik het zelfs maar moet noemen – *strafblad...*'

'Mam!'

'Wat? Heeft ze iets te verbergen misschien? Als ze niets te verbergen heeft, waarom hebben haar ouders en zij dan bezwaar tegen een paar alleszins redelijke vragen? Ik bedoel: jij gaat god-mag-weten waarheen, om god-mag-weten wat te doen, en dan mag ik mij geen zorgen maken? Wat heeft dat meisje voor moeder, dat die zich geen zorgen maakt – zeg me dat maar eens! Iemand die helemaal niet geschikt is om moeder te zijn, zo iemand is dat. Dag en nacht met alle mogelijke kerels aan de zwier waarschijnlijk, en haar kinderen gewoon thuis laten zonder dat er iemand op past – zal ik jou eens wat vertellen? Jij gaat helemaal niet. Hoor je wat ik zeg? *Jij gaat niet!*'

De telefoon ging over. 'Gewoon de waarheid vertellen,' drukte Liz me op het hart.

'Mam?'

'Hallo, schatje! Heb je het naar je zin?'

'Ja. Zeg mam, ik ben uitgenodigd voor nog een feestje.'

'Klinkt leuk!'

'Bij iemand thuis – ik weet niet meer hoe hij heet.'

'Oké!'

Ik hoor een klik, wat betekent dat mijn vader het andere toestel opneemt.

'Hallo, liefje! Is het leuk daar? Alles in orde?'

'Alles in orde,' zegt mijn moeder. 'Ze gaat alleen nog naar een ander feestje.'

'Oké! Veel plezier!'

En weer een klik als mijn vader ophangt.

'Ik denk niet dat iemand me thuis kan brengen voordat het ochtend is,' zeg ik tegen haar. *'Ik blijf de hele nacht weg.'*

'Nou, dan zien we je morgenochtend wel weer!'

'Oké...'

'O, wacht even, lieverd,' valt ze me in de rede.

Ik zuchtte. Nu zou je het hebben. *Ben jij nou helemaal stapelmesjogge? Is iedereen daar wel op aids getest? 'Ja?'* vraag ik.

'Gewoon de creditcard gebruiken als je iets nodig hebt, hè? En veel plezier!'

Liz ving de autotelefoon deskundig op voordat hij op de straat te pletter kon vallen, en zette hem af. 'Nou, wat zei ik?' glimlachte ze. 'Kom op, we gaan.'

Dit was het feest waarop ik mijn eerste biertje dronk. En mijn tweede, derde en vierde. Dit was ook het feest waarop Jacob Plotkin, (een jongen met pruillippen die nog twee jaar verwijderd was van een ziekelijke zwaarlijvigheid, Jacob Plotkin, die altijd dode vliegen van de vliegenvanger peuterde en ze door zijn M&M's mengde, Jacob Plotkin, die de rabbi een keer voor 'vieze piemelzuiger' had uitgescholden) de eerste werd die ooit mijn borsten heeft aangeraakt. Ik had weleens een jongen gezoend, tijdens de aftiteling van *In the Army Now* met Pauly Shore in de hoofdrol, en ik had sinds mijn vierde regelmatig het betoverende mysterie van mijn eigen vagina verkend, maar het was Jacob Plotkin die op die avond zijn vingers in mijn ondergoed wriemelde en zei: 'Gadver! Hij is nat!'

Dit was ook de avond dat onze kleine Katie Sussman binnenkwam als een sterfelijk mens, een sterfelijk mens dat iets te korte rokjes droeg en iets te dikke eyeliner, doch niettemin een sterveling zoals wij, maar het vertrek verliet als een onsterfelijke legende.[N]

Toen ik mij had weten los te wrikken uit de dronken omhelzing van Plotkin en me weer bij de rest van het gezelschap wilde voegen, trok Liz me met enig fysiek geweld naar het washok. Ik had iets slechts gedaan, iets bijzonder slechts. Ik had de regels van het

---

N En dan nu: een Groot Moment uit de Historie van Nebraska – hoewel u het niet snel terug zult vinden in iemands geschiedenisschrift: de *affaire*-Sussman. Er bestaat enige onenigheid over de vraag of de betreffende jongedame de beide jongeheren om de beurt oraal bevredigde waarbij er telkens eentje toekeek, of dat zij op enigerlei wijze beide aanhangsels een plek wist te geven in haar mond en ze zodoende tegelijkertijd wist te bevredigen. Een definitief antwoord op deze vraag is nooit geformuleerd; om persoonlijke redenen, maar voornamelijk uit diep respect voor de buitengewone vaardigheid en volharding waarvan mejuffrouw Sussman blijk heeft gegeven, geef ik de voorkeur aan mogelijkheid twee.

protocol gebroken en haar te schande gemaakt. Louter vanwege het feit dat ik met haar omging had ik háár reputatie op het spel gezet.

'Ik *geloofde* in jou,' zei ze boos. 'Wat voor indruk denk jij nou dat dit maakt?'

'En Katie Sussman dan?' vroeg ik.

'Katie Sussman is een hoer,' zei Liz. 'En Katie Sussman komt uit Council Bluffs.'

Ik boog mijn hoofd in schaamte. Erkenning, populariteit, en onbeperkte toegang tot goedkoop bier – ze hadden in de palm van mijn hand gerust als een drietal mooie, gladde, door de zon verwarmde kiezelsteentjes, kiezelsteentjes die later, wie weet, misschien wel edelstenen zouden blijken te zijn. En wat had ik gedaan? Ik had ze onberaden tegen de eerste de beste voorbij-komende auto gesmeten die zijn tong in mijn mond had durven steken. Behalve dan dat auto's geen tongen hebben; die hebben uitlaatpijpen. Was een uitlaatpijp voor een auto wat een tong was voor een mens? En was de carburateur dan het hart? Het werd af-grijselijk moeilijk om nog na te denken. En om overeind te blijven staan. Was dit, zeg maar, dronkenschap? Was ik dronken?

'Ik voel me niet zo lekker,' mompelde ik. 'Ik heb misschien wel een hersentumor, volgens mij.'

'Waag het niet,' fluisterde Liz woedend. 'Waag het niet om te gaan kotsen. Dat was je toch niet van plan, hè? Of wou je een slet zijn en ook nog eens niet tegen drank kunnen?'

Dat wilde ik geen van tweeën. Ik wilde naar huis, naar mijn ma-ma die niet boos op me was en die me zou instoppen en over mijn hoofd zou aaien.

'Beheers je dan een beetje, godverdegodver! Ga op de bank zit-ten. En wat je ook doet, *je zegt geen woord meer tegen Jacob Plotkin. Begrepen?*'

Er zat een lange scheur in de betonnen vloer die lang geleden tijdens een handenarbeidongelukje dik bedekt was geraakt met glimmend roze spul. Als ik me heel hard concentreerde, kon ik daar min of meer recht overheen lopen, heel langzaam, maar in elk geval zonder te vallen. Ik stelde me voor dat de glimmertjes onder mijn voeten een leger vormden van minuscule maar moederlijke travestieten die mij met schuine opmerkingen probeerden aan te moedigen. 'Ziet er goed uit, schatje!' kraaiden ze. 'Doe je eigen ding, wijfie, met je soppende kut. Jij heb geen goedkeuring nodig, van niemand niet!' Ten slotte plofte ik neer in een knus hoekje van de L-vormige bank, met mijn maaginhoud nog redelijk op zijn plaats.

Liz ving mijn blik en knikte in stilzwijgende goedkeuring. Jacob Plotkin had opzichtig een sigaret achter zijn oor gestoken en waggelde met een hele stoet grijnzende onderbouwers achter hem aan door de tuindeur naar buiten.

Ik heb de rest van mijn middelbare schooltijd niet meer met hem gesproken.

De seksuele omgangsvormen binnen het wereldje van zo'n jeugdvereniging wemelde van de onuitgesproken regels en ordeningen die even labyrintisch en onverbiddelijk waren als de verhoudingen in de romans van Edith Wharton, of als die aan het hof van Lodewijk xiv in Versailles. Er was een aantal basisgedragsregels die zoals gewoonlijk voornamelijk golden voor vrouwen: men werd geacht wel te drinken, maar niet zichtbaar dronken te worden. Men werd geacht geen sigaretten te roken tenzij er anderen in de buurt waren die het konden zien. Als men erom bekend stond iemand te zijn die nogal... eh... *onbezonnen* met haar gunsten omsprong, diende men dat te compenseren door zich in het openbaar te kleden in ruimvallende flanellen pyjamabroeken en buitenmodel T-shirts van notoir aseksuele opleidingsinstituten als de Colgate University of de universiteit van Colorado. Maar het allerbelangrijkste principe, de regel die absoluut niet gebroken mocht worden, was deze: tijdens afterparty's legde je het nooit ofte nimmer aan met de lokale joden. Dat was te dicht bij huis, te gemakkelijk na te gaan en onfatsoenlijk indiscreet. Niet alleen dat een nieuwsgierige of oversekste moeder na een avondje uit weleens de zuigzoenen in je nek zou kunnen opmerken en denken dat je een slet was, of erger nog, de helft van een stelletje, maar ook omdat je in zo'n kleine en verknoopte joodse gemeenschap als die van Omaha nooit honderd procent zeker kon weten wie er nu wel of niet een verre neef van je was.

Gelukkig was er nog een andere plek waar men aan zijn trekken kon komen en waar men geen last had van ouderlijk toezicht, noch van de latente misprijzing van preutse, kerkse klasgenoten van de openbare-maar-eigenlijk-heel-christelijke school, die vriendschaps- en maagdelijkheidsringen droegen, naar relipop-concerten gingen en een lege glimlach voor Jezus op hun gezicht geplakt hadden waardoor ze er tegelijkertijd uitzinnig gelukkig en uitzinnig geconstipeerd uitzagen. Een plek waar je in veiligheid en anonimiteit jezelf opnieuw kon uitvinden, en waar je kon ontdekken dat je je niet-joodse vriendje niet officieel bedroog als je hem bedroog met een joodse jongen. Een dusdanig geheiligde plek dat we erover spraken op de gedempte, bijna mystieke toon die normaal gesproken gereserveerd blijft voor de films van Ethan Hawke en voor de staat Israël. Ik heb het uiteraard over dat mythisch Walhalla der Jiddischkeit[†], de 'Conventie'.

Conventie. Elke tandarts die ooit een dronken mondhygiëniste de *hot tub* van een Holiday Inn in heeft weten te lokken en elke makelaar die weleens met barstende koppijn bij het ontwaken ontdekt heeft dat hij naakt was en met zijn eigen bretels was vastge-

---

[†] Een term die letterlijk 'jodendom' betekent, maar eigenlijk meer iets betekent als 'de trots die men vindt in het jodendom'. Deze kan worden gemeten aan de hoeveelheid joodse bric-à-brac die men in huis heeft (decoratieve *dreidels* bijvoorbeeld, en beeldjes van orthodoxe rabbi's, of beren met een keppeltje op), de frequentie waarmee men wijst op de joodse afkomst van diverse beroemdheden, en de mate van wantrouwen die men toont tegenover andere culturen.

bonden aan de ijsmachine, weet wat ik bedoel als ik zeg dat er bij het woord alleen al rillingen van verrukking en nostalgie langs mijn rug lopen. De *Conventie* – dat onstuimige weekend elke herfst en elke lente dat alle leden van ons trotse genootschap (de joodse tieners van St. Louis, de Poort naar het Westen, van Kansas City, de Fonteinenstad en Barbecuehoofdstad van de Wereld, en van Omaha, de stad die geen bijnaam heeft, maar welke bijnaam anders ongetwijfeld te maken zou hebben gehad met vlees[N] drie dagen bij elkaar kwamen in een Marriott-hotel in een of andere voorstad om 'onze joodse identiteit te verkennen'.

En wat vielen er veel identiteiten te verkennen! Overal waar je keek zag je ze door het souvenirwinkeltje in de lobby dwalen, in vergaderzalen bijeen drommen, in ligstoelen luieren en bij de maaltijd aanschuiven: een eindeloos gevarieerde staalkaart van de meest smakelijke tieners van het mannelijk geslacht.

1 DE MOOIE JONGENS: Hun brede borst en schouders zijn gehuld in verschoten T-shirts van de Grateful Dead met een indrukwekkende ouderdom en herkomst. Ze schoppen hun zorgvuldig versleten Birkenstockslippers uit en slaan hun benen lui over de armleuning van de dikke fauteuils in de lobby, ze wrijven met een grote, welgevormde hand over hun vlakke buik, masseren verlegen hun gespierde schouder, halen hun handen door hun dikke, glanzende haar, en ruiken heerlijk naar pure shag en biologische shampoo en goeie wiet, die ze veel hebben gerookt zonder daar te veel over te praten. Deze mooie, rustige jongens waren erg lichamelijk ingesteld; ze wreven over hun armen en hun buik of omhelsden elkaar met mannelijke tederheid. Dat ze jou ooit eens met hetzelfde soort warmte zouden aanraken, daar kon je alleen

---

N   Later heeft Omaha er zowaar een gekregen. Een firma die gespecialiseerd is in het creëren van merknamen bedacht voor een enorm bedrag de bijnaam 'O! Wat een stad!'. En voor zakelijke doeleinden: 'Koop de Grote O!' De O staat daarbij voor Omaha, begrijpt u wel. Ook trouwens voor *olifant*, *octagonaal*, en *onbewust*.

op hopen als je zelf net zo mooi was – zo'n mooi, dromerig meisje dat iedere stilte diepzinnig deed schijnen en dat zo'n leuk folkloristisch bloesje kon dragen zonder er meteen uit te zien als een serveerster in een Grieks restaurant, wat overigens waarschijnlijk betekende dat ten minste één van je ouders een bekeerling[†] was. Als je niet zo'n teder bloempje was, maar de dikke ledematen en de tonronde borstkas uit het oude vaderland bezat, kon je hoogstens hopen dat een van deze prachtige lange jongens (ze waren altijd lang, ongewoon lang voor joden, soms zelfs langer dan een meter tachtig), een van deze joodse Brad Pitts, op een keer een sigaret van je zou bietsen en dan als beloning een praatje met je zou maken over zijn betoverende niet-joodse vriendin thuis en hoe hun liefde – om maar te zwijgen van hun liefdesspel – hem spiritueel op een hoger vlak bracht, en hoe jouw energie hem aan haar deed denken, een beetje, maar dan, zeg maar, nerveuzer. Waarop je dan naar het toilet zou gaan om drie onnoemelijk treurige tranen te plengen en je bij het idee neer te leggen dat je dan maar je beha uit zou doen voor:

2 DE KLEIN UITGEVALLEN HIPPIES: Dezelfde kleding, smaak en manier van doen als de Mooie Jongens, maar zonder dat speciale iets, die lome gratie en die vage intellectuele glans – ondanks het feit ze vele malen slimmer waren – die maakten dat de Mooie Jongens de Mooie Jongens waren en de Klein Uitgevallen Hippies, nou ja... Klein Uitgevallen Hippies. Ze kwamen altijd net iets tekort, qua lengte en qua ambitie: hun T-shirts van Phish waren nog te nieuw, hun haar was te kort geleden geknipt. Met hun moeders gingen ze om als moeders, niet als vriendinnen; ze konden uren staan wachten op de parkeerplaats van een copyshop in een buitenwijk om een paar gram wiet te scoren en dat na afloop ook nog eens aan iedereen gaan lopen vertellen. Een Mooie Jongen zag je weleens relaxt gitaar zitten spelen terwijl hij vol gevoel

† Zie de voetnoot op bladzijde 76.

in de ogen staarde van een onverstoorbare half-Zweedse Rhianne, maar het was altijd de Klein Uitgevallen Hippie die de gitaar in de bus had meegeschleppt. De Klein Uitgevallen Hippies waren algemeen geliefd en de meesten van hen waren ook aardige, slimme, interessante jongens die goede cijfers haalden en uiteindelijk goed terecht zouden komen, dus je kunt je voorstellen hoe aantrekkelijk ze waren voor een vijftienjarige met pretenties.

3 DE PUNKERS, DE SKATERS, DE SKA-LIEFHEBBERS EN DEGENEN DIE DAT ZOUDEN WILLEN ZIJN: Het is onverantwoord om je weekend door te brengen op de conventie van een jeugdvereniging als er ook ergens leuke bands optreden, als er halfpipes zijn om te bedwingen, racisten om te treiteren, en Lexussen (Lexii?) om te bekrassen, dus van deze categorie waren er nooit zoveel leden aanwezig. Degenen die wel kwamen opdagen waren meestal nogal verlegen, hadden mogelijk huidproblemen, en klitten meestal samen, alsof dat kon voorkomen dat ze besmet raakten met de nauwelijks meer weg te krijgen geur van patchoeliolie. Omdat zij nog het meest leken op de mensen met wie ik op school zat, had ik de neiging vriendschap en medelijden in de eerste plaats bij hen te zoeken, maar als zij een keer een meisje zochten zagen ze mij doorgaans niet staan; ze zochten hun heil bij van die moederlijke kakmeisjes met grote borsten die rookten 'voor de gezelligheid' en dingen zeiden als 'Cool hoor, dat jij zo'n, zeg maar, eclectische smaak hebt'.

4 TOEKOMSTIGE AMERIKAANSE CORPSBALLEN CATEGORIE A: Jongens met witte basketbalpetjes op die naar muziek luisteren van de Dave Matthews Band, Bob Marley (want er is geen plek in de Verenigde Staten die zich zó vereenzelvigt met de strijd van de zwarten als Leawood, Kansas) en de Beastie Boys. Bevinden zich vaak in een leiderspositie, en gedragen zich relatief netjes tegenover vrouwen, althans in het openbaar. Gebruiken aftershave van Ralph Lauren. Drinken behoorlijk veel en vaak, maar

kunnen je precies vertellen hoeveel keer ze wiet hebben gerookt; wiet die ze voor veel geld hebben gekocht van hun gelegenheids-vriend de Klein Uitgevallen Hippie. In situaties van intieme aard vragen zij vaak beleefd: 'Zou je me alsjeblieft willen pijpen?'

5 TOEKOMSTIGE AMERIKAANSE CORPSBALLEN CATEGORIE B: Jongens met witte basketbalpetjes op die naar muziek luiste-ren van Dr. Dre, Tupac, Snoop Dogg, en de Beastie Boys. Bevinden zich soms in een leiderspositie en zeggen smerige dingen tegen vrouwen. Gebruiken aftershave van Tommy Hilfiger. Drinken soms en roken heel vaak wiet, waar ze aan zijn gekomen via de neef van de zwarte jongen naast wie ze zitten bij wiskunde. In si-tuaties van intieme aard duwen ze het hoofd van hun partner met kracht naar beneden alvorens te bevelen: 'Pijpen jij.'

6 JONGENS DIE HUN MOEDERS ZORGEN BAREN: Ongewoon dik of ongewoon mager en altijd stil, behalve tijdens het eten, want dan gaan ze aan een afgelegen hoekje van de tafel bij elkaar zitten praten over wapens, scherpschieten en handgevechten, en over hoe je die drie het best kunt combineren met het oog op de uiteindelijke wereldoverheersing. Worden af en toe opeens geob-sedeerd door een betreurenswaardig meisje, gewoonlijk omdat zij een of andere vorm van beleefdheid tegenover hen heeft ge-toond, bijvoorbeeld naar ze heeft geknikt of antwoord heeft ge-geven op een eenvoudige vraag als: 'Waar is hier het toilet?' *Kun-nen het best geheel worden vermeden.*

Tegen de tijd dat het kennismakingsdiner was afgelopen had ie-der ondernemend meisje haar top tien samengesteld uit de eerste vijf categorieën (zie de waarschuwing achter punt 6) en haar keu-ze gemaakt op basis van beschikbaarheid, toegankelijkheid en persoonlijke voorkeur, om vervolgens de lijst te vergelijken met die van haar vriendinnen en handlangers zodat ze konden gaan onderhandelen (want een kleine overlapping viel te verwachten en genereerde gezonde competitie, maar een teveel daaraan was onpraktisch en ongewenst). Na het opdienen van het toetje was zij klaar voor actie.

Overdag waren er workshops en gespreksgroepen over allerlei onderwerpen die de volwassenen van de leiding belangrijk of interessant voor ons vonden, en dan begon het geroddel. Ik woonde een lezing bij over de onschendbaarheid en de strijd van Israël, dat vanaf zijn ontstaan door alle mogelijke ontberingen wordt belaagd maar desondanks een grote inspiratie is voor ons allen, en vernam onderwijl dat Todd Hirsch en Jennifer Golden door een ongelukkig kamermeisje waren betrapt bij een onvervalst potje recht-op-en-neer (wat algemeen toch als wat minder beschouwd werd, behalve voor bejaarden). En midden in een ernstige discussie over de gevaren van gemengde huwelijken (of de voordelen! waagde Adrienne Christensen-Yeager met hese stem op te merken terwijl mijn mooie Brian Shiffman haar steile Scandinavische haar streelde – O! *Brian Shiffman!* Is het acceptabel om nog tot achter in de twintig te masturberen bij de herinnering aan een tienerjongen? Brian Shiffman, als je dit leest, weet dan dat ik nog altijd van je hou), vertelde Missy Paskowitz me ademloos dat Stefanie Rakoff en Joshua Neiman al drie keer wederzijdse orale seks hadden gehad sinds ze elkaar de avond daarvoor hadden ontmoet bij het hamburgerrestaurant, een mededeling die tersluiks en vol walging werd onderschreven door Stille Gellman. Terwijl ik ijverig mijn best deed om enigszins overtuigende tranen te produceren tijdens een workshop met de titel 'Auschwitz – als het weer gebeurt', vond ik een ingewikkeld dichtgevouwen briefje in het binnenvakje van mijn multoklapper. Het was afkomstig van mijn vriendin Liz en bracht mij er quasiverontwaardigd van op de hoogte dat er die middag een rukfeestje had plaatsgevonden in kamer 516, waarschijnlijk onder leiding van mijn eigen Jacob Plotkin.

'Je moet geen beha aandoen met een sluiting aan de voorkant, want die krijgt-ie nooit los,' adviseerden wij elkaar tijdens het vrije uurtje aan het eind van de middag waarin wij onze benen schoren en ons lichaam parfumeerden ter voorbereiding op onze afspraakjes in aanpalende hotelkamers, als callgirls bij een zakencongres. 'En geen vlees eten bij het diner; daar gaat je kutje vies van smaken.'

Nu, jaren later, vraag ik me vaak af hoe het zat met de kinderen die homo of lesbisch waren. Daar hoorden we niet veel over, maar de kiem was stellig gelegd: meisjes die met verdachte tederheid elkaars rug masseerden, jongens die alle liedjes kenden uit *Les Misérables* en die hun opluchting nauwelijks konden verbergen als je niet verder wilde gaan nadat zij manhaftig, zij het weifelend, hun tong in je mond hadden gestopt. Ik hoop dat ze elkaar gevonden hebben, maar als dat al zo was, dan is het een geheim gebleven. En dan niet zo'n geheim als dat van Stacy Mendelsons genitale wratten, maar een *echt* geheim, van het soort dat je aan niemand vertelt.

En er is nog iets wat ik mij afvraag. Waarom deden we het? Waren wij behalve tieners die bij elkaar gestopt waren in een hotel met erg weinig toezicht (en het beetje toezicht dat er was, werd gehouden door bijna uitsluitend studenten), ook echt opstandige seksgoden en post-feministische vrijdenkers die onbevreesd hun liefde deelden met wie ze wilden? Of vierden wij dat we met joden onder elkaar waren en niet langer buitenstaanders zoals op onze vrijwel volledig christelijke middelbare scholen? Je moet niet vergeten dat dit het Midwesten was, de plek waar de christenen heel serieus neuken – de jeugdkampen en andere conclaven van onze niet-joodse tegenhangers, met hun verbijsterende opvatting van zonde, moeten ons hebben doen lijken op iets uit *Caligula*. Of was mijn oorspronkelijke aanname toen ik werd geconfronteerd met mijn moeders bijna irrationele aansporingen om wat leuke joodse vrienden te krijgen toch juist? Handelden wij, verzwakt door eeuwen van pogroms, verbanningen en assimilatie, uit een onbewuste, primordiale drift tot (bij gebrek aan een minder beladen terminologie) vermenigvuldiging – en zelfs tot zuivering – van ons ras? Maar als dat waar was, waarom zouden we dan zo vaak jongens alleen maar hebben afgetrokken?

Een paar weken na de Conventie kreeg ik een brief van de zoon van een chazan in Missouri. Hij had zijn schoolfoto erbij ingesloten. Het was een mooie foto; zijn ogen staken prachtig blauw af tegen de grijze achtergrond, en zijn olijfkleurige T-shirt en zijn diep olijfkleurige huid deden hem er een heel klein beetje uitzien als een soldaat van het Israëlische leger.

Ik was verbaasd en verheugd (want we hadden natuurlijk wel onze adressen en telefoonnummers uitgewisseld met de belofte dat we contact zouden houden, maar wie neemt er nou eigenlijk helemaal de moeite om echt contact te houden?), en trots liet ik de brief en de foto aan mijn moeder zien. Daarbij vergat ik even dat ik een 'teringhekel' aan haar had en dat ik 'wat mij betreft godverdomme niet langer haar klotedochter' was. Het ging de laatste tijd niet zo goed tussen ons.

'Laat me hem eens even bekijken.' Ze nam het fotootje tussen duim en wijsvinger, hield het omhoog naar het licht... en snakte naar adem. Ik had haar datzelfde geluid weleens eerder horen maken bij een combinatie van schrik en pijn, als haar spijsvertering opspeelde en het maagzuur halverwege haar slokdarm stond.

'Gaat het?'

'Of het wel gaat? Maar schat, wat een lekker ding!'

'Vind je?'

'Hij lijkt precies op Paul Newman toen hij jonger was. In *Exodus*.'

Paul Newman in *Exodus*. Dat was nogal een uitspraak!

Mijn vader kwam de kamer binnengesloft. Hij sabbelde op een van zijn speciale caloriearme Fudgesicle-ijsjes die altijd in de vriezer lagen. 'Wie is dat?' vroeg hij terwijl hij naar het fotootje tuurde.

'Een jongen die een oogje heeft op onze Rachel!' zei mijn moeder glimmend van plezier.

'Mam!' riep ik.

'Leuke jongen,' zei mijn vader.

'Ja, vind je hem niet schattig?' hield mijn moeder aan. 'Ik vind hem heel schattig. En hij *moet* wel een oogje op je hebben, anders zou hij je zijn foto niet sturen! O lieverd, wat geweldig!'

'Leuke jongen,' herhaalde mijn vader, en hij verdween met zijn bevroren lekkernij naar boven voor een urenlange worsteling met zijn computer. Mijn moeder straalde alleen maar.

Ik vond het niet nodig haar te vertellen dat ik Ari Ben Canaan oraal bevredigd had onder een eettafel in de Grote Danszaal, waarbij een stroompje waterig sperma langs mijn T-shirt van Nine Inch Nails op de grond was gedropen. Niet dat het haar humeur bedorven zou hebben. Ze was dolgelukkig, gelukkiger dan ik haar in maanden had gezien, en ondanks mezelf was ik weer gelukkig dat zij gelukkig was, en trots op het feit dat ik mijn moeder zo blij had kunnen maken. Trots en gelukkig. Ik was niet langer een 'klein ondankbaar kreng dat denkt dat de zon op- en ondergaat in haar eigen reet', maar een keurige, brave joodse dochter, die haar ooit een keurige, brave joodse schoonzoon zou bezorgen. Dan zou ze ook een keurige joodse schoonfamilie hebben met wie ze recepten kon uitwisselen, en ruzie mee kon maken over het Midden-Oostenbeleid van de Amerikaanse regering. Met de feestdagen zou ze bij ons op bezoek komen, met tassen vol noedelpudding en boeken met titels als *Matsebal en Mevrouw Moskowitz* of *De piepkleinste Afikoman* voor haar keurige joodse kleinkinderen; wat maakte het uit dat het genetisch materiaal met een zekere relatie tot haar kleinkinderen op dit moment door een Mexicaanse schoonmaker grondig werd weggestofzuigerd uit een vlekkerig tapijt in het Marriott Hotel in St. Louis? Van dat spul was er nog wel meer. Ik had tenslotte nog drie jaar middelbare school te gaan.

'Waarom gaan we vanavond niet eens lekker uit eten?' vroeg ze, en streelde mijn haar. 'In een leuk restaurant. Jij en ik saampjes.'

Aha. Dus daarom deden we het. We deden het voor onze ouders.

7

Zoveel mensen zijn nog maagd

Rachel Shukert
Postbus...
Omaha, NE 681...

Aan: Newt Gingrich, Kamerlid
Voorzitter van het Huis van Afgevaardigden
Het Capitool
Capitol Hill
Washington, DC 20001

28 februari 1998

Geachte voorzitter,

Hallo. Mijn naam is Rachel Shukert. Ik zit in de bovenbouw van de middelbare school in Omaha, Nebraska (een oerconservatieve staat, zoals u weet). Ik hoop dat u mijn brief in goede gezondheid mag ontvangen.

Aangezien u en uw collega's in Washington druk bezig zijn met het onderzoek naar eventueel onoorbaar gedrag van president Clinton, zult u de laatste tijd ongetwijfeld wel worden overspoeld met brieven. Het wegwerken van die enorme stapel post is vast erg veel werk, en ik wil u absoluut niet afhouden van uw belangrijke taak elke Amerikaan het recht te garanderen op de volledige bekendmaking van alle relevante onderscheidende kenmerken van de presidentiële genitalia. Desondanks zou ik graag een kleinigheid onder uw aandacht brengen.

Als u het goedvindt, begin ik even met een verhaal.

Afgelopen zondagmiddag ben ik, zoals gewoonlijk, op bezoek geweest bij mijn grootouders. Rond theetijd gaf mijn grootmoeder mij wat te eten: cashewnoten, Zwitserse kaas en een paar zuurtjes die ze tevoorschijn haalde uit het binnenste van een holle houten clown. Terwijl ik dit wonderlijk samengeraapte maal verorberde, stelde ze me voor samen wat oude familiefoto's te bekijken. Ik had uiteraard geen andere keus dan op haar voorstel in te gaan.

We gingen zitten op de gele bank in de woonkamer, recht tegenover de twee porseleinen kaketoes van elk bijna een meter hoog die op de schoorsteenmantel staan boven de nooit gebruikte open haard, en schoven de ragfijne sluiers der herinnering opzij.

'Dat is je nichtje Ida,' zei mijn grootmoeder, en ze wees op een nog vrij jonge vrouw, die achterover lag in een ligstoel in de tuin. Haar mollige, wat gedrongen lichaam was gehuld in een geruit zwempak. 'Tjongejonge, die vond zichzelf heel wat. Maar nooit getrouwd, hoor.'

De hordeur naar de garage beneden sloeg dicht, en mijn grootvader kwam de trap op. Zijn golfkleren waren helemaal vochtig en hij rook naar zweet en Aramis reukwater.

'Niet te geloven, dit gelul!' Hij zwaaide met een exemplaar van *Newsweek*, met het even gretig als onnozel grijnzende gezicht van Monica Lewinsky op de omslag. 'Stelletje sukkels – hebben ze daar eindelijk eens iemand zitten die godverdomme weet wat hij doet, en dan gaan ze hem lopen afmaken.'

Mijn grootouders zijn Democraten, meneer Gingrich. Ze zijn met betrekking tot welk onderwerp dan ook reflexmatig fanatiek progressief, zij het op een charmant ouderwetse manier; mijn grootmoeder moet regelmatig huilen als ze denkt aan 'die arme zwarte kindertjes die doodgaan van de honger' en aan mensen die gediscrimineerd worden vanwege hun 'afwijkende levensstijl'.

'Wat kan mij dat nou schelen?' zegt ze dan met de grootste edelmoedigheid. 'Ze doen toch niemand kwaad? Ik moet er zelf niet aan denken hoor, maar ík hoef ook niet met ze naar bed. Ik moet elke avond met je grootvader naar bed. Dat gaat toch ook niemand wat aan?'

Mijn oma zuchtte. 'Wat een *shande*[†]. En bedenk eens hoe die arme Hillary zich moet voelen.'

Ik heb geloof ik nog vergeten te vertellen dat mijn grootmoeder met mevrouw Clinton het soort relatie heeft waarbij ze elkaar bij de voornaam noemen. Bij een herverkiezingsbijeenkomst in 1996 hebben ze elkaar ooit de hand geschud, en sindsdien stuurt mijn grootmoeder bij belangrijke feestdagen kaarten naar het Witte Huis met aanbiedingen om iets te breien.

'Een *shande*, een *shande*,' sputterde mijn grootvader. 'En waarom helemaal? Een keertje pijpen?' Hij keerde zich naar mij om. 'Mag ik jou eens wat vragen, liever? Weet jij wat pijpen is?'

Wat pijpen is, meneer de voorzitter, weet ik al sinds ik voor de eerste keer mee ben geweest op kamp, in de zomer voordat we naar de vierde gingen. Amy Kleinman heeft het me uitgelegd tijdens een van de vele geforceerde marsen die we hielden door de binnenlanden van Nebraska. Ik was uiteraard gechoqueerd. En nieuwsgierig.

'Heeft jouw moeder je dat verteld?' vroeg ik.

[†] *Shande* is Jiddisch voor 'grove schande'. In dit geval is die *shande* de 'algehele rechtse samenzwering', en niet de betreffende seksuele daad, hoewel de etnische achtergrond van mejuffrouw Lewinsky zowel een *shande* is als een element om trots op te zijn.

Amy porde met het uiteinde van een modderige stok tegen een steen. 'Nee.'

'Hoe weet jij dat dan?'

'Ik heb weleens een film gezien waarin Shelley Long dat deed bij haar vriendje.'

Ik weet niet zeker welke film dat was, maar ik denk *Outrageous Fortune*, waar Bette Midler ook in zat. Nou ja. Volgens mij is Amy Kleinman later heel religieus geworden. Maar ik dwaal af.

Mijn grootvader is een weinig subtiel waarnemer, en dacht dat ik hem niet goed had verstaan. 'Rachel, lieverd, ik vroeg je wat. Weet jij wat pijpen is?'

'Ja,' antwoordde ik. 'Ik geloof van wel.'

'Oké – vind jij het dan zo verschrikkelijk dat Bill zich even met zo'n stagiairetje terugtrok op z'n kantoor? Dat doen ze toch allemaal, of niet soms? Joh, ik zou je hele verhalen kunnen vertellen over Kennedy. Over Roosevelt zelfs.'

'Roosevelt was een heilig man,' beet mijn grootmoeder hem toe. 'Hij kon er niets aan doen dat zijn vrouw een... eh, hoe noem je het, een les... een eh, een leptosoom was. Je weet wel, met andere vrouwen.'

'Misschien is *lesbienne* het woord dat u zoekt,' suggereerde ik.

'Ja, precies,' zei mijn grootmoeder. 'Ik heb gehoord dat ze een secretaresse had met wie ze erg intiem was.'

Mijn grootvader stak gniffelend een handvol cashewnoten in zijn mond. 'Dat zal best. Ouwe Franklin had zelf ook een secretaresse met wie hij erg intiem was.'

'Ja schat, een man heeft nu eenmaal zijn behoeften, ook al is hij invalide.'

Ik schraapte mijn keel. 'Papa zegt dat het er niet zozeer om gaat of Clinton het nu wel of niet heeft gedaan, maar dat het gaat over de belemmering van...'

'Het kan me niet schelen wat jouw papa zegt.' Kleine stukjes cashewnoot vlogen van zijn lippen en landden sierlijk op mijn schoot. 'Laat mij jou één ding vertellen: alles wat jouw vader van pijpen weet, is dat er tabak in moet.'

Meneer de voorzitter, ik heb er geen idee van wat mijn grootvader met die opmerking wilde beweren, noch voel ik de behoefte er de implicaties van te onderzoeken. Wat ik wel weet is dat ik op een en dezelfde middag was ondervraagd over mijn kennis van seksuele praktijken, mijn vaders mannelijkheid in twijfel had horen trekken door een man in een gele bermuda, en gedwongen was geweest om foto's te bewonderen van het afscheidsfeestje van mijn neef Irving in 1942.

Meneer de voorzitter, voor deze monsterlijke aanslag op mijn zintuigen, mijn psyche en mijn jeugd, geef ik geenszins de schuld aan Bill Clinton.

Ik geef de schuld aan u.

Steeds opnieuw heb ik uw collega's in het Huis van Afgevaardigden en in de Senaat horen klagen over het effect dat een seksschandaal rond de president moet hebben op de Amerikaanse jeugd. 'Wat moeten wij onze kinderen vertellen? Wat moeten wij onze kinderen vertellen?'

Meneer de voorzitter, u hoeft de kinderen helemaal niets te vertellen; die weten het al. En die snappen het best. Die begrijpen precies wat Monica bij Clinton heeft gedaan, en Clinton bij Monica. Die begrijpen precies wat daar lekker aan was, en waarom die twee het nodig vonden om, dwars tegen alle verstand in, dat toch steeds weer te doen.

'Het gaat niet om de seks,' roepen de moralisten. 'De man is getrouwd! De gewijde status van het gezin, daar gaat dit om! Denk eens aan zijn arme vrouw!'

Newt (vind je het erg als ik je Newt noem?), volgens mij weet jij beter dan wie ook dat Hillary Clinton helemaal geen medelijden nodig heeft.

'Het gaat niet om de seks of het gezin!' roepen de naïevelingen. 'Het gaat hier om meineed! Om obstructie van de rechtsgang!

Onze president, de Leider van de Vrije Wereld, die een symbool moet zijn, een lichtend baken van alles wat Goed en Edel en Zuiver is – God, Superman en Tom Hanks in één – heeft tegen ons gelogen! Hij heeft gezegd: "Ik heb geen seksuele betrekkingen gehad met die vrouw (mejuffrouw Lewinsky)." Maar dat had hij wel! Hij heeft wél seksuele betrekkingen gehad met die vrouw (mejuffrouw Lewinsky). *Hij is een leugenaar!*'

En dan zijn er nog de pragmatici die zeggen: 'Oké, nou én? Hij heeft zich laten pijpen door een stagiaire. Dus? Mijn stagiaire heeft mij gepijpt in de taxi terug toen ik het scheidingsverzoek was wezen indienen tegen mijn vrouw, die met kanker in het ziekenhuis lag (*hm-hm*). Maar wat zou de rest van de wereld ervan zeggen – van wie er verder natuurlijk niemand ooit van zijn leven gepijpt is door iemand met wie hij niet getrouwd was – als wij tekort zouden schieten in ons vaderlandslievende streven om hier een gigantisch, vernederend en rampzalig kostbaar circus van te maken nu we de kans hebben?'

Nou, Newt, ik heb goed nieuws voor je. Ik kan jou helpen deze constitutionele crisis op te lossen, die onze levensstijl zozeer bedreigt, ja, die het gehele weefsel van onze natie lijkt te willen verscheuren, een weefsel dat meer dan tweehonderd jaar net zo schoon en onbevlekt is gebleven als op de dag dat Betsy Ross naald en draad opnam om onze vlag te creëren. Dat wil zeggen, totdat een dikke, verwende jodin haar dikke, joodse lippen vol DNA eraan ging zitten afvegen.

Dit is mijn voorstel.

In de eerste plaats: hou op met dat gejammer over wat je de kinderen moet vertellen, en dan vooral de tieners die toch al zo gevoelig zijn voor allerlei indrukken, en die nu vast allemaal zwanger gaan worden en met hiv besmet raken omdat de president, *hun rolmodel bij uitstek*, ze nu heeft laten zien hoe je moet liegen over een potje pijpen.

Daar valt namelijk niet echt iets nieuws aan te beleven, Newt.

Sterker nog, als je het mij vraagt werden tienerjongens die tegen hun vrienden liegen over hun pijpervaringen al afgebeeld op de weergaloze hiëroglyfen uit de Naqada iiia-periode van drieëndertighonderd jaar voor Christus die bij Abydos werden ontdekt. Het is waar dat ze misschien enigszins geschokt zouden kunnen zijn bij het idee dat je ook zou kunnen liegen over een pijpbeurt die je *ook werkelijk hebt gekregen*, tenzij die jou – bij wijze van experiment – was toegediend door iemand uit je worstelteam. Maar mocht de ontkenning van het feit dat dergelijke handelingen werkelijk met enige regelmaat plaatsvinden een gewoonte worden die zij willen navolgen, dan zou dat zeer ten gunste zijn van de reputatie van jonge vrouwen in het algemeen. In dat geval meen ik te mogen zeggen dat Bill Clinton naast de normalisering van de overheidsuitgaven, de heropening van de vredesonderhandelingen in het Midden-Oosten en het voorzien van het Witte Huis van het broodnodige scheutje decadente glamour, ook op dit punt de wereld toch weer heeft kunnen verbeteren.

En dat brengt mij bij mijn tweede punt.

We zijn hier met juristen onder elkaar. Behalve jij dan, volgens mij. Jij was hoogleraar geschiedenis voordat je tot je hoge functie kwam – en zal ik je eens wat vertellen? Dat vind ik nou juist zo leuk aan jou. Zo verfrissend. Vlug, noem eens gauw de gebeurtenissen op die hebben geleid tot het pauselijk schisma van 1378! Ha! Geen paniek, ik hou je maar een beetje voor de gek. Dat soort geintjes krijg jij natuurlijk de hele tijd te horen in de kamer. De rest van de delegatie van Georgia ziet er ook uit als enorme geschiedenisliefhebbers.

Maar ik dwaal af.

Jij bent geen jurist, en – dat zal je misschien verrassen – ik ook niet. Ik ben daarentegen wel een tiener. En wie kan er nou beter de eenvoudige en scherp begrensde definitie oplepelen die immers iedere tiener kent: *Seksuele betrekkingen* (dus: precies wat de president *niet* heeft onderhouden met die vrouw [mejuffrouw Lewinsky]) = geslachtsgemeenschap waarbij volledige vaginale penetratie minstens dertig seconden wordt volgehouden ofwel tot aan de ejaculatie, afhankelijk van welk moment het eerst bereikt wordt.

Jij bent ongetwijfeld, zoals veel van je collega's in het Congres die voorvechters zijn van een seksuele opvoeding die volledige onthouding propageert, bekend met het begrip 'alles behalve'. Het begrip 'alles behalve', zoals mij dat in de loop der jaren is verklaard door een lange reeks van gymnastiekleraren die zich voordeden als specialisten in seksuele voorlichting, ondersteunt de fundamentele waarheid van de volgende stelling.

'Het is heel natuurlijk om op jouw leeftijd seksuele gevoelens te hebben, maar geslachtsverkeer (dat wil zeggen, betrekkingen van het bovengenoemde type waarbij volledige vaginale penetratie minstens dertig seconden wordt volgehouden ofwel tot aan de ejaculatie, afhankelijk van welk moment het eerst bereikt wordt) kan ernstige en onaangename morele en fysieke gevolgen hebben. Gelukkig zijn er allerlei andere plezierige bezigheden die je zou kunnen beoefenen om je toch dieper verbonden te voelen met je partner, zoals handjes vasthouden, kussen, tongzoenen, het maken van lange wandelingen, hevig knuffelen, *wederzijdse masturbatie*, onverhulde seksuele praatjes, en het zoeken naar een activiteit waar je allebei plezier in hebt zoals volleybal of bowlen, of *genitale stimulatie met de handen, de mond, of de tong.*' (Cursivering van mij.) Ik meen dat we het inbrengen van een rokend voorwerp in de vaginale holte rustig aan deze prikkelende en uitermate godgezinde lijst kunnen toevoegen.

Deze creatieve kijk op de menselijke seksualiteit heeft tot resultaat gehad dat de enige van mijn leeftijdgenoten die orale seks beschouwt als echte seks, mijn vriend Richard is, die deze vorm van seks regelmatig beoefent met de vijftigjarige mannen die hij ontmoet op de bowlingbaan, een plek die als voordeel heeft dat er ook een andere activiteit kan worden beoefend waar beide partners plezier in hebben.

Ik vrees alleen dat jouw kiezers geen fans zouden zijn van Richard, een astigmatische, maar overigens goed aangepaste jonge homoseksueel. Richard heeft de volledige tekst van *De Profundis* (de versie van Oscar Wilde dan) op de muren van zijn slaapkamer geschreven met een viltstift, en kan dus moeilijk worden vertrouwd door de moraalridders. Sta me daarom toe u nog een andere case voor te leggen op het gebied van seksualiteit bij tieners. Het gaat om mijzelf.

Ik ben geen christen, net zomin als de onfortuinlijke mejuffrouw Lewinsky, en er kan daarom nauwelijks van mij verwacht worden dat ik mij zou gedragen conform welke fatsoensnormen dan ook. Anders dan zij ben ik echter niet opgevoed in het smerige en zondige Beverly Hills, maar in de binnenlanden van het godvrezende Nebraska, en het verblijf op dat platte land van *college football*, maïssubsidies en voortdurende afkeuring heeft geen geringe invloed op mij gehad. Ik heb onnoemelijk veel jongens gepijpt in de tweeënhalf jaar van mijn loopbaan, meneer Gingrich, maar desondanks ben ik naar deskundig oordeel nog altijd maagd.

U gelooft mij niet? Tot heil van het vaderland zal ik u dan de volgende getuigenis voorleggen.

Ah! Wijs mij een meisje dat zich haar eerste pijpbeurt niet herinnert, dan toon ik u een vrouw die een ziel bezit zonder enige romantiek. De vage geur van verschaald bier, de omhooggetrokken beha die de bloedsomloop in de schouders belemmert, de druk tegen de achterkant van het hoofd – stevig maar toch teder. Eerst weigert ze, zoals ze al zo vaak heeft gedaan, totdat ze uiteindelijk denkt: *Pleur op, hoe erg kan het nou helemaal zijn?* En dus gaat de rits naar beneden en zegt hij: 'Wacht effe' en sjort de hele assemblage waaruit zijn broek bestaat omlaag over zijn heupen, met riem en sleutelketting en al, zodat hij *rechtstreeks* met zijn blote reet *op de bank van de auto* komt te zitten, en het knusse warme zaakje waar ze tot nog toe alleen aan gefrommeld heeft door de handige opening in zijn boxershorts zit opeens in haar mond en als ze geluk heeft proeft ze behalve het zilte, hartige zweet op die verrassend zachte huid, ook de zoete en onmiskenbare smaak van macht.

En stel je dan eens voor dat het knusse warme zaakje in kwestie vastzit aan de Leider van de Vrije Wereld.

Dat gevoel duurt trouwens niet lang. Al na enkele ogenblikken begint het ding heftig te schokken zodat ze er bijna in stikt, en wordt haar mond gevuld met een dikke doch niet onaangename vloeistof die haar vaag doet denken aan haar oma's kippensoep.

Ze kijkt in het rood aangelopen gezicht van haar galant, haar wangen bol als van een hamster die zijn wintervoorraad aan het verzamelen is, en spuugt door het raampje naar buiten op de parkeerplaats, waarbij ze tegen de banden spettert van de lege auto waar ze naast staan.

'Deed ik het goed?'

'Ja hoor,' zegt hij.

Aangemoedigd door haar succes staart ze tijdens de terugrit naar haar opgezwollen lippen in het achteruitkijkspiegeltje en besluit ze haar maagdelijkheid (of wat daarvoor flarden van over mogen zijn, na jaren van fietsen, paardrijden en masturberen) te offeren aan deze jongeling, hoe groen en puisterig en slonzig gekleed hij ook mag zijn.

Wat moet ze anders? Cary Grant is dood. En het ligt niet erg in de lijn der verwachting dat ze in aanmerking zal komen voor wat voor koninklijke benoeming dan ook (Prinses van Wales, een huwelijk met een Saoedische olieprins) waarvoor een of andere maagdelijkheidsverklaring benodigd zou zijn. Ze is per slot van rekening *vijftien*, de leeftijd waarop Madonna haar maagdelijkheid verloor, en bovendien is het zomervakantie, en ze zou het heerlijk vinden om straks door de vertrouwde gangen van haar middelbare school te lopen als een nieuw iemand, een *sexy* iemand, iemand die haar rokerige blik maar hoeft te richten op welke man, vrouw of kind ook, om die zonder een enkel woord naar zich toe te kunnen lokken.

Maar ze wil vooral ook gewoon weten hoe het is.

Snap je?

Newt Gingrich, kun jij je nog herinneren dat je moeder (of misschien was het wel je vader, ik weet niet hoe dat bij jongens gaat) je naar haar slaapkamer riep en zei dat je moest gaan zitten en dat ze zo'n boek tevoorschijn haalde met van die wollig geschilderde plaatjes erin van naakte mensen met veel schaamhaar, en je uit ging leggen waar de kindertjes vandaan kwamen?

Het kan zijn dat het bij jou niet gebeurd is – je bent een stuk ouder dan ik. Mijn grootmoeder zegt dat niemand het haar ooit heeft verteld, dat toen ze een bepaalde leeftijd had bereikt haar moeder alleen tegen haar heeft gezegd dat ze beter geen jongens kon zoenen. Maar waar het om gaat is dit: hoe je ook mag hebben ontdekt dat als een man en vrouw veel van elkaar houden, en ze het allebei willen, dat dan de man zijn penis in de vagina van vrouw stopt (al is het niet helemaal helder hoe dat precies in zijn werk gaat) – áls je dat ontdekt hebt, hoor je van het ene moment op het andere bij de club, ben je een ingewijde. Al die grappen op televisie, al die dingen die je de vrienden van je ouders tegen elkaar hoort zeggen als ze een paar glazen wijn op hebben en denken dat jij niet op ze let omdat je een kasteel aan het bouwen bent met je vissticks – opeens krijgen die betekenis. *O*, denk je. *Dat is dus wat* schwing *betekent.*

Een hele wereld gaat voor je open.

Als je hoort hoe ze er op school over praten en als je die spotjes ziet waarin Arsenio Hall zegt dat je een condoom moet gebruiken (of Dennis Rodman, mijn persoonlijke favoriet, die eerst zegt van: 'Het is prima om een feestje te bouwen, maar het is ook prima om het veilig te doen,' en dan een basketbal zeg maar recht in je gezicht gooit), dan klinkt het net of het iets heel makkelijks is om te doen, seks hebben. Helemaal niet als iets emotioneels of zo, maar dat je gewoon met een paar mensen aan het zwemmen bent bijvoorbeeld en hopla! Alsof een vrouw voortdurend al haar han-

166

digheid moet inzetten om ervoor te zorgen dat ze niet, als door een wolk van pijlen die van achter iedere borstwering wordt afgeschoten, getroffen wordt door een bombardement van penissen die haar intieme delen binnendringen met hetzelfde gemak als waarmee een klein muggetje je open mond binnenvliegt.

En dus staken we een paar kaarsen aan op die zwoele avond in augustus, de zomer voordat ik naar de vierde ging, en keken we naar de eerste zeven uur of zo van *Braveheart*, en dronken we blikjes bier die we uit de ijskast hadden gepikt, voordat we naar boven gingen, ons uitkleedden, en begonnen.

Een paar uur, acht condooms, en een hele pot vaseline later lopen we weer naar beneden, glimmend van augustuszweet. Ik zal dagenlang niet meer probleemloos kunnen plassen. Mijn schaamdelen zijn rood, gezwollen en pijnlijk door de afrossing die ze hebben ondergaan.

Mijn maagdenvlies is echter nog afgrijselijk intact.

Hij ploft in zijn ondergoed op de uitgezakte, gebloemde bank, neemt een lange terug van het inmiddels warm geworden bier, en zet de tv aan. Mel Gibson heeft zijn wijd open ogen hemelwaarts gericht en wordt gecastreerd, tot vermaak van een stel bulderlachende Engelsen.

'Sorry,' zeg ik.

'Sorry,' had ik gezegd toen hij voor de eerste keer pijnlijk op mijn onbuigzame schaambeen botste, en zo mijn stuitje tegen een verdwaalde springveer wreef. 'Sorry,' had ik gezegd toen hij een pijnlijke kreet slaakte omdat een vierde condoom hard terugknalde tegen zijn velletje. 'Sorry,' had ik gezegd toen ik op handen en knieën zat met mijn hele kruis onder een laag vaseline, speeksel en haargel – ieder glijmiddel dat we bij de hand hadden.

'Hou godverdomme toch eens op met de hele tijd sorry te zeggen!' had hij gezegd toen hij zijn ondergoed weer had aangetrokken en in de badkamer was verdwenen.

'Vrij-*heid*!' kreunde Mel Gibson zwakjes terwijl de Britten zijn buik opensneden en de dampende ingewanden uit zijn lijf trokken.

'Trek het je niet aan,' zegt hij nu. Het klinkt niet onvriendelijk. 'Zoveel mensen zijn nog maagd.'

Ik weet niet of je het beseft, Newt, maar het zet een behoorlijke domper op je seksleven, maagd zijn. Vooral als je best graag zou willen dat je seksleven ook seks met andere mensen zou omvatten. Het blijkt namelijk zo te zijn dat de meeste jongens er helemaal niet op zitten te wachten om als een spin ieder ongerept maagdje dat in hun web verdwaald raakt eens even fijn te gaan overweldigen.

'Maak je het uit met mij omdat ik nog nooit seks heb gehad?' vroeg ik aan Dan.

'Nou, nee, niet alleen daarom,' zei Mike.

'Maar het speelt wel een grote rol,' zei Chris.

'Maar ik wil juist graag seks hebben! Alsjeblieft!' riep ik.

'Ik wil zo'n verantwoordelijkheid gewoon niet op me nemen,' zei Andrew terwijl hij zijn hoodie dichtritste.

'Ik bedoel, meisjes doen altijd heel raar over de jongen die het voor het eerst met ze gedaan heeft,' zei Mark terwijl hij zijn riem weer vastmaakte.

'Ze worden zeg maar *verliefd* op hem,' zei Jason. Hij pakte zijn skateboard en stak een joint achter zijn oor, voor onderweg.

'Ik zal echt niet verliefd op je worden! Ik beloof het!' riep ik hem achterna. 'Ik wil het alleen maar eindelijk eens doen! Naai me nou toch gewoon, alsjeblieft.'

'Maar je wilt toch zeker wel dat het iets bijzonders is? Jij bent echt raar,' zei Ryan.

Ik ging hem niet achterna. Het was koud buiten en ik kon mijn beha zo gauw nergens vinden.

Eindelijk, na jaren zoeken (waarbij mijn gevoel voor eigenwaarde verrassend genoeg redelijk intact was gebleven), vond ik iemand bereid om de weerzinwekkende taak op zich te nemen een ietwat wanhopige doch zeer aantrekkelijke zeventienjarige brunette met grote borsten te ontmaagden.

'Een lastig klusje, maar iemand moet het doen, vrees ik,' sprak de betreffende heer.

'Dus dat is dan afgesproken?' vroeg ik, een en al zakelijkheid. Had ik niet een of ander contract bij de hand moeten hebben? Kon ik een borgsom vragen?

'Ja, afgesproken.'

Een datum werd vastgelegd, voorbehoedmiddelen werden aangeschaft, en ouders zorgvuldig belogen, en een paar dagen later arriveerde ik bij zijn huis, compleet met weekendtas, gekleed in een roodfluwelen cocktailjurkje en speciaal aangeschafte lingerie. Hij was een paar jaar ouder dan ik en woonde op zichzelf, dus we hadden geen haast: ik hoefde niet op een bepaalde tijd thuis te zijn, er was niemand die onverwacht thuis kon komen, en er waren geen moeders die opeens de trap opkwamen en zeiden: 'Ik kom alleen even wat was opbergen… O, LIEVE HEMEL!' We hadden de hele nacht, en desnoods ook nog de volgende ochtend om onze – nou ja, niet liefde, maar duurzame *genegenheid* voor elkander te bezegelen.

De volgende ochtend reed ik nog even ongerept als altijd in mijn roodfluwelen cocktailjurkje naar huis. Droevig zong ik mee met Morrissey. *Last night I dreamt… soombody luvved me.* Nou ja, iemand had het tenminste geprobeerd.

O, Morrissey. Waar ben je? Waarom zijn wij niet samen? Jij bent dan misschien wel celibatair of meerzijdig georiënteerd, en mijn vagina is dan misschien wel dichtgelast, maar wij passen perfect bij elkaar: twee gelijkgestemden, twee tere bloempjes, eenzaam en gefrustreerd en veel te slim voor al die mensen met hun gezeik. Waarom moeten wij zo lijden? Waarom? Waarom?

'Waarom?' kreun ik als hij mij een paar dagen later opbelt om te vertellen dat hij terug is bij zijn vorige vriendin.

Waarom?

Waarom is de paus katholiek? Antwoord: omdat de paus het hoofd is van de katholieke kerk. Waarom is de hemel blauw? Omdat blauw de kleur is van de hemel. WAAROM BEN IK NOG MAAGD? OMDAT IK EEN GEMUTEERD WEZEN BEN. SERIEUS. ALS IK EEN VAN DE X-MEN WAS DAN ZOU DAAR MIJN GEHEIME KRACHT LIGGEN. MIJN MUTANTENNAAM ZOU VIRGO ZIJN EN IK ZOU EEN VAGINA HEBBEN DIE ONDOORDRINGBAAR WAS VOOR WELKE SUBSTANTIE DAN OOK (MENSELIJK, DIERLIJK OF MINERAAL). 'GOEDE EIGENSCHAP VOOR EEN MUTANT,' ZOU PROFESSOR XAVIER ZEGGEN ALS IK BIJ HET XAVIER INSTI-TUUT VOOR HOGERE STUDIE ARRIVEERDE. 'HET ZOU HEEL HANDIG DIENST KUNNEN DOEN ALS BERGPLAATS VOOR KOST-BARE VOORWERPEN OF DRAGERS VAN GECODEERDE INFOR-MATIE – ALS WE ER IETS IN KONDEN KRIJGEN!!!!!'

Tot mijn eigen verbazing begon ik te huilen.

'Ik snap niet waarom je daar nu zo verdrietig om bent,' ging hij verder. 'Ik bedoel, we hebben nog niet eens seks met elkaar ge-had.'

Ik wierp een vluchtige blik door de kamer, waar mijn zusje vol-ledig op leek te gaan in een herhaling van *Full House*. 'Maar ik heb je wel… *gepijpt*. Heel vaak.'

Hij lachte een beetje ongemakkelijk. 'Jaaa… maar dat telt niet.'

'Ik weet het,' zei ik treurig. 'Dat telt niet.'

Snap je, Newt? *Dat telt niet.*

Het telt niet. De keizer heeft geen kleren aan.

En zo zijn we dan weer bij ons uitgangspunt terug, het eigen-lijke onderwerp van deze enigszins verwarde en wijdlopige brief, waarin ik mijn diepste en meest duistere geheimen heb prijsge-ven, en zo mijzelf heb opgeofferd aan het bestuur van de Republi-keinse Partij. Ik heb Trent Lott ook een kopie gestuurd, zodat jul-lie mijn brief hardop aan elkaar kunnen voorlezen tijdens jullie slaapfeestjes op K Street. Nu alleen niet voor de grap gaan opbellen naar mijn huis, oké? Mijn vader gaat altijd erg lullig doen als het tien uur geweest is. Maar nu snap je in elk geval dat president Clinton echt geen seksuele betrekkingen heeft gehad met die vrouw (mejuffrouw Lewinsky). Hij heeft niet gelogen, technisch gezien niet in ieder geval, en hij is een politicus! Meer kun je echt niet verlangen. Laat het er dus verder bij zitten. Wat jij doet is een vernedering voor het hele land. Overal lachen ze ons uit, in alle landen waar ze een gezondere houding hebben ten opzichte van de menselijke seksualiteit. In landen als *Iran* bijvoorbeeld.

Als jij blijft doorgaan met deze achterlijke schertsvertoning, doe je dat helemaal op eigen risico. Je speelt een heel gevaarlijk spelletje, Newt, als je de slaapkameractiviteiten van politici voortaan tot mikpunt wilt maken. Dat is net zoiets als DNA gaan testen binnen koninklijke families. Jij zou er zelf trouwens ook niks voor voelen als de rollen omgedraaid waren. En die worden heus nog weleens omgedraaid. Reken daar maar op.

Voel je intussen vrij om deze brief op wat voor manier dan ook als bewijs te gebruiken. Laat hem voor mijn part in *The Washington* Tering *Post* afdrukken. Een wanhopige natie waarvan de burgers zich gedwongen zien om tegen hun wil het onderwerp orale seks te bespreken met hun grootouders, smeekt het je.

Alstublieft, meneer de voorzitter. Denk aan de kinderen.

Hoogachtend,
Rachel Shukert

8

Het vraagstuk van mijn onbekendheid

Integriteit. Vernieuwing. Schoonheid. Kracht. Kwetsbaarheid. Meesterlijk. Virtuoos. Keizerin. God. Dit zijn maar enkele van de woorden die onze lezers gebruikten toen hun gevraagd werd degene te beschrijven die straks in dit interview aan het woord komt. Ik zou daar nog een paar aan willen toevoegen.

Eerlijkheid. Moed. Waardigheid. Inspiratie.

Het afgelopen decennium is de meest fantasievolle, dankbare, en ambitieuze periode geweest die de theaters van deze stad ooit hebben mogen meemaken; een Gouden Tijdperk, zo u wilt, voor het theaterleven in Omaha. Een tijdperk dat overigens vrijwel geheel samenvalt met de spectaculaire carrière van de kunstenares met wie ik zo dadelijk in gesprek zal gaan.

Toeval? Ik denk het niet.

Alle hoofden draaien in haar richting als zij binnenkomt, alle ogen richten zich op dit magische schepsel, zoals ijzervijlsel zich voegt naar de fraaie vormen van een magnetisch veld. Vorstelijk verschijnt zij op het toneel, als een ware koningin, als een machtige godin die de wereld van de geest voor ons vertolkt, maar als privépersoon toont zij ons blozende wangen, een schalkse glimlach, en een weelde aan donkere krullen, nonchalant bijeengebonden in de nek. Hoewel haar lichaam glanzend, welgevormd en golvend is als de kastanjebruine dijen van een Arabische hengst, heeft zij iets verrassend breekbaars, als een kind bijna – afgezien van die bijzondere ogen. Grotere en machtigere mannen dan ik hebben over die ogen geschreven, zijn door die ogen geveld, zijn door die ogen tot waanzin gedreven, ogen als twee Perzische amandelen, kunstig gevormd uit de zuiverste jade, ogen die de wijsheid lijken te bevatten van duizend levens, en die het wezen van de toeschouwer weerkaatsen als een smaragden pijl die hem het hart doorboort. De ogen van Rachel Shukert zijn de ogen van het belangwekkendste soort kunstenaar: het soort kunstenaar dat...

'*Shit!*' Ik kom een beetje omhoog van mijn stoel en graaf met twee vingers in mijn bilspleet om het zweterige stukje tule eruit te peuteren dat helemaal naar binnen gekropen was. Voor de zoveelste keer.

Mijn vriendje grijnst. Het was zijn idee dat ik zonder ondergoed naar de plechtigheid zou gaan. Dat leek hem geil. Gedreven door de dwaze wulpsheid van iemand die zojuist voor de eerste keer seks heeft gehad, heb ik gedaan wat hij zei, en nu moet ik leven met het gruwelijke vooruitzicht de mensen in mijn moeders stomerij straks onder ogen te moeten komen met heftige remsporen in mijn oude galajurk. 'Is jouw categorie al aan de beurt?' vraagt hij.

'Ik haat je,' zeg ik.

Op het toneel staat een stevig gebouwde, blozende vrouw van middelbare leeftijd in een glanzend blauwgroen broekpak op het punt de winnaar bekend te maken in de categorie Beste Muzikale Leiding bij een Musical. Ze lacht hysterisch om een nogal pijnlijk, flirterig grapje van haar medepresentator. 'Hou op!' kakelt ze. 'Straks loop ik voor jou nog bij mijn man weg. O, wacht even,' zegt ze dan droog. Ze trekt een overdreven gezicht naar het publiek. 'Jij *bent* mijn man!'

Ik moet er altijd erg om lachen als vrouwen die hun hele leven in het Eerste Luthers Liturgisch Koor hebben gezongen ineens heel Jiddisch en sarcastisch gaan doen. Alsof ze vanwege een klein rolletje in een theaterrestaurantproductie van *Mame* plotseling Bea Arthur zijn geworden. Dacht het niet. Echt niet dat een joodse vrouw van boven de dertig dronken in het openbaar zou verschijnen. Veel te hard praten met lippenstift op je tanden en hard geworden roomkaas op je sieraden, oké, maar dronken? Nooit.

'Roept u maar, heren,' zegt haar echtgenoot. Hij kijkt onderzoekend de zaal in. 'Wie wil haar van me overnemen?'

Elk huwelijk heeft zo zijn eigenaardigheden, denk ik dan maar. Dat geldt zeker voor een overduidelijk kinderloos huwelijk met een man die Gucci-instappers draagt (gekocht via een postorderbedrijf, want die dingen zijn *hier* niet te koop) en een met diamanten bezet aidslintje op zijn revers; het soort aidslintje dat een *investering* vormt. Mijn eigen aidslintje, dat gewoon van de grote hoop komt, is een keer losjes door de zwarte glimmende kraaltjes van mijn moeders nette tasje gehaald. O, wat keek ze boos toen ze dat zag, op het moment dat we de deur uitgingen.

'Wat?' beet ik haar toe. 'Is aids nu ook al niet goed meer?'

'Hou op!' De vrouw in het glanzend blauwgroen krijst als een speenvarken dat naar de slachtbank wordt geleid en haar buik schudt als een gelatinetaart met Kerstmis, terwijl haar homoseksuele echtgenoot haar voor een publiek van tweehonderd man staat te kietelen.

'Ik kan mijn handen gewoon niet van je af houden!' liegt hij wanhopig. *Stommeling*, denk ik bij mezelf. *Weet je dan niet dat het Kindje Jezus moet huilen als je jokt?* Tenminste, dat werd mij verteld in mijn methodistische peuterklasje.

Onder de vijf genomineerden voor Beste Muzikale Leiding bij een Musical zijn twee mannen die binnen deze categorie twee keer zijn genomineerd voor hun werk, alsmede de muzikale leiders van twee concurrerende producties van *Annie*. Mijn vriend haalt het zilveren heupflesje tevoorschijn dat hij in zijn sok gestopt had en slaat de inhoud achterover.

Aan de andere kant van mij zit mijn goede vriend en medegenomineerde Max Sparber in een smetteloos jasje van rood brokaat met een muts-met-kwast op zijn knieën. 'Als wij vanavond niet winnen, is dit een complete schijnvertoning,' moppert hij. 'Eén grote, zinloze schijnvertoning.' Max' geniale stuk *Neger Show*, een onverschrokken en vernieuwend onderzoek naar de gruwelijke lynchpartij die in 1919 in Omaha plaatsvond met als slachtoffer William Brown, een invalide en overduidelijk onschuldige zwarte man die beschuldigd werd van het aanranden van een blanke vrouw, was enthousiast ontvangen door de kritiek en was zes weken uitverkocht geweest. Er was zelfs een oproep tot een boycot gedaan door een uit Omaha afkomstige tegenhanger van burgerrechtenactivist Al Sharpton, die het stuk niet gezien of gelezen had, maar bezwaar maakte tegen het woord *Neger* in de titel. Het stuk had Max zijn eerste nominatie door de Vereniging voor Theaterkunst bezorgd in de schaars bevolkte categorie Beste Oorspronkelijke Script, waar zijn concurrenten twee losjes als 'musicals' aangeduide stukken waren waarin overjarige bakvissen in petticoats bij de fantamachine *doo-wop*-liedjes zongen over de goeie ouwe tijd tegen een middelbare verzekeringsagent met een buikje die gekleed was als Elvis Presley.

Hij maakte natuurlijk geen enkele kans.

'Een schijnvertoning,' verklaart hij een paar minuten later als we naar een vijftigjarige dame in petticoat zitten te kijken die zíjn prijs in ontvangst neemt uit de handen van een man die een vest draagt met muzieksleutels erop. 'Echt een complete schijnvertoning, godverju. Ik ga me bezuipen. De mazzel.'

Dit was mijn laatste kans om de begeerde Ereprijs voor de Beste Actrice (Jeugd) van de Vereniging voor Theaterkunst van Centraal Omaha te winnen. Volgend jaar zou ik niet langer meer tot de Jeugd behoren, dan was ik de leeftijdsgrens voorbij, en zou ik het op moeten nemen tegen een veel lastiger gezelschap van doorgewinterde actrices annex makelaars (in Omaha het equivalent van actrice annex model), die in staat waren even heftige als gelaagde vertolkingen te geven van klassiekers als *Brigadoon, Bus Stop,* en *The Best Little Whorehouse in Texas.* Bovendien zou ik hier, bij Gods gratie, waarschijnlijk niet meer wonen. Ik had nog geen brief gekregen waarin stond dat ik was aangenomen, maar die kwam vast, dat voelde ik gewoon. Dat moest wel.

Een brief waarin stond dat je was aangenomen?

Ja, ik heb me ingeschreven voor de enorm prestigieuze theateropleiding aan de universiteit van New York.

Aha, dus je gaat naar de grote stad. Rachel, wat moeten wij hier zonder jou beginnen?

Nou, ik ben nog niet aangenomen!

Maar dat gebeurt wel. Hoe kunnen ze jou nou *niet* aannemen?

Lief dat je het zegt. Maar voorlopig ben ik even gericht op de prijs van vanavond!

Nou, als er iemand de VvT-prijs verdient, dan ben jij het wel. Joh, jij bent het grootste talent dat Nebraska heeft voortgebracht sinds Henry Fonda!

Ik had al in het begin van mijn toneelcarrière voor het eerst gehoord van de Vereniging voor Theaterkunst. Oude rotten die zich in de afgetrapte gemeenschappelijke kleedkamers van de theaters in Omaha voor de gebarsten spiegels zaten te schminken had ik horen fluisteren over 'de VvT-vergadering' of 'het VvT-bestuur' alsof ze het hadden over een geheime organisatie als Skull & Bones of de Ku Klux Klan, of over homoseksualiteit. Ondanks die geheimzinnigdoenerij nam ik aan dat het ging over iets saais voor volwassenen, zoals belastingformulieren of terminale zorg. De gedachte dat de genoemde Vereniging voor Theaterkunst een gezelschap was dat mij misschien ooit nog eens zou vereren met een of andere prijs (in een plechtigheid die werd uitgezonden door de publieke televisiezender van Nebraska nog wel!) kwam niet bij me op, totdat ik op zekere dag optrad in een jaarlijkse kerstmusical met enorm veel medewerkers, waaronder meer dan twintig kinderen. Anders dan de meeste kinderen, die simpelweg rondstapten om de voorstelling een sfeer van onbezorgd kerstplezier te verlenen, had ik ook één zinnetje tekst: 'Ik vind het pas echt Kerstmis als het sneeuwt!' Die opmerking in de slotscène van het stuk, vlak voordat wij allemaal een in cadeaupapier verpakt houten blok ten geschenke kregen, waaromtrent ons was ingeprent dat we het *onder geen* ENKEL *beding mochten uitpakken*, plaatste mij in een ietwat hogere theatrale kaste en maakte mij gehaat bij mijn leeftijdgenootjes (of althans, dat dacht ik graag), maar er werd voor mij geen uitzondering gemaakt toen op een duistere namiddag alle spelers van onder de achttien vroeger aanwezig moesten zijn en opdracht kregen om zich in hun toneelkleding op de bühne te verzamelen. Mijn kostuum was een rood-groen geruit, slechtzittend tafzijden jurkje, een afdankertje van de al even versleten voorstelling van *De Notenkraker* van de Balletschool van Omaha. Het stond stijf van zeventien jaar zweet van jeugdige danseresjes en verspreidde een weelderige jeugdige danseresjesgeur. Bovendien zat er een groot, jeukend label in de hals genaaid. Na een paar dagen kreeg ik een lelijke huiduitslag in mijn nek, dus ik had een nagelschaartje van mijn moeder meegenomen naar het theater en het label eruit geknipt. Vervolgens was de uitslag verhuisd naar het strookje onbedekte huid tussen mijn onderhemd en de rand van mijn maillot. Het jeukte zo erg dat ik er haast niet van kon slapen. Ik overwoog om mijn moeder te vragen mijn kostuum naar de stomerij te brengen om het te laten desinfecteren, maar we waren gewaarschuwd dat als we ook maar iets van de kleding of de rekwisieten mee naar huis zouden nemen, de mensen van de productie dat zouden beschouwen als diefstal, waarvoor we gestraft zouden kunnen worden met ontslag en mogelijk zelfs met de dood.

Onze dirigent stond voor ons. De kruimelige resten van een broodje bal versierden zijn gehavende Huskers sportjack. Met half toegeknepen en wimperloze ogen vergastte hij ons op een lange litanie van onze zonden. Wij waren druk. Wij maakten herrie. Tijdens de voorstelling waren onze voetstappen van achter de schermen te horen, wat heel onbehoorlijk was tegenover de echte spelers op de bühne, die daar hun stinkende best liepen te doen. Er waren ondanks herhaaldelijke waarschuwingen 'kerstcadeautjes' uitgepakt. Sommige van de kleinste kinderen waren achter de schermen in slaap gevallen tijdens het tweede bedrijf en waren daardoor niet op tijd opgekomen.

'Ik speel goddomme de introductiemuziek van de Sneeuwelfjes, en *dan is er godverdomme geen Sneeuwelfje te zien!*'

Verschillende Sneeuwelfjes, waaronder mijn zusje, barstten in huilen uit. Ik nam haar op schoot en gaf een kus op haar natte wang.

'Godverdomme geen Sneeuwelfje te zien!' gaat hij ongelovig verder. 'Ik sta daar verdomme voor lul!'

Op de magische Noordpool vanwaar zij stammen, staan de Sneeuwelfjes bekend om hun magische krachten. Een berg sneeuw kunnen ze veranderen in een stapel speelgoed, een stel weerspannige elfen in een toom vrolijk dravende rendieren. Maar als het erop aankwam onze dirigent te veranderen in een lul geloof ik niet dat er veel hulp van Sneeuwelfjes nodig was.

Hij was inmiddels woedend vanwege de wandaden van de Sneeuwelfjes. 'Ook hebben sommigen van jullie,' brulde hij, 'jullie kostuums *beschadigd*.' Deze aantijging wekte een algemeen schuldgevoel op; ik was niet de enige die onbedwingbaar aan het krabben was. In de kleedkamer vergeleken we vaak onze uitslag en ik wist dat ik niet de enige was die maatregelen getroffen had. 'Denk maar niet dat we niet weten om wie het gaat, of dat we de reparatiekosten niet op jullie ouders zullen verhalen.' De kleur van zijn ogen was niet zichtbaar, wat zijn ijzige blik alleen nog maar

killer maakte. 'Als ik jullie vader was, zou ik jullie zelf laten op-
draaien voor de schade, tot op de laatste cent.'

'Glukkugbejjemvadeniet,' mopperde Derek Ziederbeck, een
klein, dik ventje van negen in een knalroze matrozenpakje met
een gestaag uitdijende bruine vlek in het kruis. Derek voerde tot
zijn verdediging aan dat die vlek er al in had gezeten toen hij het
kostuum had gekregen.

'Wat zei jij daar?'

In het nauw gedrongen, ontluisterend uitgedost, en met zo'n
twintig paar van leedvermaak glanzende ogen op zich gericht
had Derek geen andere keuze dan neer te knielen aan de rand van
het graf dat hij voor zichzelf had gegraven. 'Ik zei: GELUKKIG BEN
JE MIJN VADER NIET!'

'Oké,' zei de dirigent. 'Oké, Derek. Loop jij maar even naar de
balie, en bel je moeder op.'

'Waarom?'

'Om te zeggen dat ze je moet komen halen. Jij doet niet meer
mee aan onze voorstelling.'

'Vanavond niet?'

'Nee, helemaal niet meer.'

Paf! Bloedend viel de figuurlijke Derek voorover in zijn graf.
Zijn dode ogen staarden nietsziende naar de spots, en de bleek-
bruine vlek in zijn roze matrozenbroek werd natter en donkerder.
De echte Derek rukte de geruite strik van zijn hals, gooide hem
naar de dirigent en stampte naar buiten, waarbij verschillende
stoelen het moesten ontgelden.

'Opgeruimd staat netjes,' zei de dirigent. 'Jonathan, ken jij zijn
solo?'

Jonathan, een fout jongetje in het lichtblauw die vrijwillig op
tapdansen zat, keek verheugd op. 'Ja natuurlijk, meneer.'

'Mooi, die is dan voor jou.' De golf van jaloezie die de groep
overspoelde terwijl Jonathan in triomf zijn vuisten dichtklem-
de, was bijna tastbaar. 'Zo zie je, kinderen. Betrouwbaarheid.

Discipline. Respect. Dat zijn de dingen die je nodig hebt als je een carrière nastreeft bij het Theater. Als je die dingen niet hebt, tja, dan maakt het niet uit hoeveel talent je bezit, dan kom je er eenvoudig niet.' Ik kon de uitslag op zijn knieën zien door de gaten in zijn groene trainingsbroek. Droeg hij ook zulke kostuums als wij?

'Weet je,' ging hij verder, 'vanmorgen stond ik te praten met DeeDee.' DeeDee was een vreemd mens met uitpuilende ogen dat eruitzag alsof ze eigenlijk thuishoorde achter een winkelwagentje in het stadspark met twee felle strepen rouge over haar wangen en de Alledag-bijlage van de *Omaha World-Herald* tussen haar billen geklemd. Ze was een veteraan in het theaterwereldje en speelde de boze heks/moederfiguur (de fijnere details van het plot zijn me nu nog net zo duister als destijds). 'En zij zei dat de absolute standaard voor kindacteurs is gezet door Happi Holliday toen zij de titelrol speelde in *Annie* bij de DTC.'

'Happy Holiday?' fluisterde ik tegen mijn vriendin Abby.

'*Ssst!*' fluisterde Abby. '*Happi Holliday. Dat is haar artiestennaam.*'

'Ze moet toen een jaar of twaalf geweest zijn,' zei de dirigent enthousiast.

'Dat kind had op haar twaalfde al een artiestennaam?'

'*Hou je mond!*' fluisterde Abby me luid en venijnig toe. In tegenstelling tot mijn moeder, die uitermate sceptisch stond tegenover elke activiteit die er niet toe zou kunnen leiden dat ik werd toegelaten tot een van de meer prestigieuze universiteiten en uiteindelijk tot het bestuur van een welvarende conservatieve synagoge, nam Abby's moeder de theatercarrière van haar dochter wél serieus. Abby had een zielenknijper, een privédansleraar en stond ingeschreven bij Whizkidz, het agentschap voor jong talent in de stad. Ik geloof dat ze tegenwoordig vertegenwoordiger is in geneesmiddelen in Wisconsin en tweemaal gescheiden.

'Happi Holliday heeft hier vier maanden gestaan met *Annie*, en is daarna op tournee gegaan in heel Nebraska en Iowa. Ze is van school gegaan en maakte haar huiswerk voortaan in auto's en op motelkamers. Ze maakte de mensen aan het lachen, ze maakte ze aan het huilen en dat deed ze iedere avond. Op een dag werd ze ziek. Keelontsteking, tweeënveertig graden koorts. Maar denk je dat ze klaagde? Vroeg ze iemand om haar van Pawnee City naar huis te rijden en het publiek zijn geld terug te geven? Niks daarvan. Zij ging door. Bijna ijlend van de koorts, compleet uitgedroogd, man, man, ik weet niet hoe ze het deed, maar ze deed het. En ze was niet te geloven zo goed. Beter dan ze ooit was geweest. Het publiek gaf haar die avond, en alle avonden daarna, een staande ovatie.' Hij zweeg, in gedachten verzonken over het talent en de roem, het vuur en het zwaard van Happi Holliday. 'Voor die voorstelling heeft ze de VvT-prijs gekregen, toch, DeeDee?'

'Nou en of,' schreeuwde DeeDee van achter uit de zaal, waar ze de hele tijd had gezeten. 'Nou en of! En zij is de reden waarom ik *heel* veel moeite heb met mensen die altijd en eeuwig met smoesjes komen, en alleen maar omdat ze toevallig *kinderen* zijn.'

Ik kreeg het gevoel dat DeeDee hier de hele tijd al achter gezeten had. Iedereen dacht natuurlijk dat ze aardig en oma-achtig was omdat ze oud en dik was en er raar uitzag, maar het was helemaal geen oma. Het was een vals kreng.

We waren genoeg uitgefoeterd. We mochten gaan. 'En zachtjes!' schreeuwde de dirigent.

'Wat is een VvT-prijs?' vroeg ik achter de coulissen aan Abby, terwijl we op ons signaal stonden te wachten. Een van de acteurs moest zeggen: 'Het zijn de elfjes geweest, mama! De elfjes zijn gekomen en hebben al het snoepgoed opgegeten!' en dan moesten wij opkomen en giechelend met een hand voor onze mond naar de overkant van het toneel rennen.

'*Ssst.*'

'Nee, serieus, wat is dat?'

Ze zuchtte. 'Dat is net zoiets als een Tony Award.'

'... zijn gekomen en hebben al het snoepgoed opgegeten!'

'Maar dan in Omaha? Een soort Omaha Tony? Een OmaTony?'

Het was op dat moment een beetje een rage om *Omaha* te vermengen met een ander woord zodat er nieuw woord ontstond dat de bepaling eer aandeed en het onderwerp bagatelliseerde, een verbale geste die chauvinisme verbond met diepe zelfverachting, zoals *Omahomie, Omaterieel,* en *Omaseksueel.*

'Ja. Maar *echt belangrijk.'*

'HET ZIJN DE ELFJES GEWEEST, MAMA!!!'

'Shit. Lopen. *Lopen!'*

Later in de twee maanden dat het stuk liep, werd ik tijdens een pauze bedolven onder een heleboel oude, zware planken die opeens naar beneden kwamen in de voorraadkast op de zolder die als kinderkleedkamer diende. Ik heb daar tien minuten gelegen voordat de toneelmeester naar boven kwam om ons te waarschuwen dat we op moesten. Ik was bont en blauw, mijn ribben waren mogelijkerwijs gebroken, en er was een spijker diep in mijn pols terechtgekomen en had mij met een roestig gat gestigmatiseerd, maar ja, *'the show must go on'.* Wat Happi Holliday kon, kon ik ook.

'Maar allejezus, hoe kun je nou toch zo dom zijn?' riep mijn moeder uit toen ze me na de voorstelling kwam ophalen. Ze was geschokt en reed meteen met me door naar de spoedeisende hulp, waar ze me een tetanusinjectie gaven en mijn pols doorlichtten. 'Waarom heb je niet gevraagd of ze mij wilden bellen?' vroeg ze terwijl we zaten te wachten op de uitslag van de röntgenfoto's.

'The show must go on. Ze konden niet zonder mij.'

'Niet zonder jou? Je hebt *één kloterig zinnetje.* Had een van die honderd andere kleine meisjes dan niet even kunnen zeggen: "Het is geen Kerstmis als er geen sneeuw ligt"?'

'De tekst is net even anders, weet je nog? "Ik *vind het pas* echt Kerstmis als het sneeuwt." En nee, dat had niet een van die andere meisjes kunnen doen. Het is *mijn* tekst.' *Dacht je soms dat ik Abby mijn tekst ging laten zeggen? Dat kun je net denken, mens.* 'Ik ben een professional,' voegde ik er hautain aan toe. 'En ik vervul mijn professionele plicht. Ja, ik denk zelfs dat het zo langzamerhand tijd wordt dat ik een artiestennaam ga gebruiken.'

'Wat is er mis met je echte naam dan?'

'Ik heb iets flitsenders nodig. Iets met wat meer vaart. Brandi bijvoorbeeld. Of Cherry, of Starla. Rachel – ik weet niet, het klinkt gewoon te... te...'

'Te weinig als een prostituee?'

Ik wreef het zout nog eens goed in de wonde. 'Te joods.'

De dokter kwam terug. Mijn pols was verstuikt en een rib was gekneusd. Hij gaf me een antibioticumkuur mee. 'Voor het geval dat,' zei hij. 'Verder moet je de komende dagen rustig aan doen met bewegen. Als je de volgende paar voorstellingen kunt missen, lijkt me dat beter.'

'Nee, absoluut niet,' zei ik. 'Ik wil een VvT-prijs winnen.'

'Dat is nou typisch onze Brandi,' zei mijn moeder. 'Een echt doorzettertje.'

Toch heeft het nog twee jaar hard werken gekost voor ik de briefkaart mocht ontvangen, versierd met de bekende komedie-/tragediemaskers in clipart, die mij berichtte dat de Vereniging voor Theaterkunst mij had genomineerd voor mijn door de pers toegejuichte sterrenvertolking van Brigitta von Trapp in de klassieker *The Sound of Music* van Rodgers en Hammestein. (*Omaha World-Herald*, 15 juni 1992: 'Vooral Rachel Shukert was uitstekend.')

'Waarom bel je Kalico[N] niet even,' raadde ik mijn moeder aan. 'Misschien willen ze mijn jurk voor de uitreiking wel sponsoren.'

'Ik heb een beter idee,' zei ze. 'Waarom bel je je oma niet even om te vragen of *zij* misschien je jurk zou willen sponsoren? Die

---

N De dag waarop een meisje voor het eerst naar Kalico ging was echt een Bijzonder Nebraska-moment. Kalico was een familiezaak, een boetiek die gespecialiseerd was in kleding voor meisjes van zeven tot zeventien. Het was *de* zaak waar de kleine prinsesjes

heeft het minder snel in de gaten als iemand uit z'n nek lult.'

'*Kun je me nou echt niet een beetje steunen?*'

'Lieverd,' zei ze. 'Ik ben reuzetrots op je. Als je meer steun wilt, neem dan vijf dollar mee en koop een goeie panty.'

Gelukkig was het zomervakantie en had ik alle tijd om me grondig voor te bereiden. Net als de meeste mensen in de Nieuwe Wereld heb ik praktisch vanaf het allereerste moment dat ik kon praten geoefend in het houden van dankwoordjes. Nu ik geconfronteerd werd met de aanzienlijke kans er een te moeten houden, stond ik urenlang te repeteren voor de grote passpiegel in de slaapkamer van mijn ouders en hield ik een klein plastic Oscartje tegen mijn borst geklemd dat ze ooit als grapje hadden gekregen op een feestje van hun werk.

'O lieve god, ik ben compleet overdonderd. Ik weet even niet wat ik zeggen moet.' Dan adem ik even moeizaam, alsof ik een uitbarsting van tranen moet weerhouden. Ik wend me een ogenblik af en knijp mijn traanbuis samen op de brug van mijn neus en kijk dan weer op. 'Het is eenvoudigweg niet onder woorden te brengen hoe dankbaar ik ben dat ik de kans heb gekregen dit on-ge-lo-felijke verhaal te mogen vertellen, dit verhaal van moed en trouw en overwinning, van familiebanden en van...' (*mijn stem breekt*) '*van hoop*, hoop in een tijd waarin een donkere wolk over de mensheid was neergedaald. En meer dan aan wie of wat ook wil ik dankzeggen aan die twee heel bijzondere theatermensen: Richard Rodgers en Oscar Hammerstein, voor de moed die zij hebben gehad om juist dit verhaal te vertellen. Want *The Sound of Music* is een buitengewoon meesterwerk, een meesterwerk dat on-

---

van Omaha hun nette kleding, hun sportieve kleding en hun nette sportieve kleding aanschaften. Mijn eigen bat mitswa-kleren en al mijn jurken voor trouwerijen, gala's en feestdagen waren allemaal van Kalico gekomen, totdat ik last begon te krijgen van mijn hormonen en ik me begon bezig te houden met dingen als winkeldiefstal en het snoeien van mijn eigen haar met behulp van een keukenmes. Ik geloof dat er tegenwoordig een woonwinkel in het pand is gevestigd.

verschrokken de bittere werkelijkheid van het leven induikt, de verwrongen en verdorven ziel van fanatisme en haat tegemoet treedt, en ontdekt dat redding te vinden is in de schoonheid van het gebergte, in een zuiver witte bloem, in een lachend beekje dat trippelt en tuimelt over rotsen en stenen, daar *zo hoog en zo vrij,* ALS EEN VOGEL DIE ZWEEFT NAAR DE ZO-O-O-O-O-O-O-N!!!!'

'Je maakt me wakker!' Mijn zusje komt binnen, roze en kreukelig van haar middagslaapje. Ze legt haar krullenkopje tegen de deurpost.

'Ik ben aan het oefenen!'

'Wat ben je dan aan het oefenen?'

'Mijn *dankwoordje.*'

Haar smalle wenkbrauwen fronsten zich verbaasd. 'Maar waarom stond je dan te zingen?'

'Ik stond niet te zingen!'

'Jawel. Je stond keihard te zingen.'

'Ik *probeerde iets uit.* Ik experimenteerde met verschillende manieren om mijn speech onvergetelijk te maken. Je moet het net een beetje anders doen. Zoals Sally Fields: "Jullie houden van me, jullie houden echt van me!" Of zoals Marlon Brando, toen hij die Indiaanse vrouw stuurde. Of Vanessa Redgrave met de PLO.'

'Wat is de PLO?'

'Je weet wel, dat tuig, die schurken. In Israël.'

'Zijn er dan schurken in Israël?' Haar onderlip trilde. 'Maar iedereen is daar toch joods?'

Ik zuchtte. 'Niet de joden daar. De Arabieren.'

'O. Waarom heb jij geen broek aan?'

Kort tevoren had ik voor het eerst gemerkt dat er een probleem was met mijn dijen. Mijn dijen, bleek, waren heel dik. Ik was nogal verrast door die ontdekking. Ik had altijd aangenomen dat ik als ik opgroeide 1,78 meter lang zou worden en vijftig kilo zou wegen, net als prinses Diana; het was nooit bij me opgekomen dat mijn benen op zekere dag zouden kunnen gaan lijken op een stel rechtopstaande gerookte hammen die aan de bovenkant uitpuilden en welvingen hadden als de boeg van een schip. Toen ik zo voor de spiegel stond had het me handig geleken mijn broek uit te trekken – dan kon ik er beter in porren en op slaan, ze vanuit alle mogelijke hoeken en posities bekijken, en proberen vast te stellen of deze plotselinge reuzengroei een toevallig lichteffect was dan wel een intrinsieke tekortkoming van mijzelf waar zo spoedig mogelijk iets aan gedaan zou moeten worden.

'Mammie vindt het vast helemaal niet leuk als jij zonder broek aan in haar kamer staat.'

'Nou, zolang mammie geen grote passpiegel voor mijn eigen kamer wil kopen, moet ze er maar tegen kunnen.'

Ze zette een pruillip op. 'Mammie is *lief*. Mag ik blijven kijken?'

'Voor mijn part. Als je je mond maar houdt.'

Vrolijk rende ze de kamer binnen en sprong op het bed. Ik bedankte de spelers, de technici, de leden van de Academy, mijn lerares van de zesde klas, de kledingontwerpster en de timmerlui, de *Omaha World-Herald*, mijn vader, mijn moeder, mijn grootouders, mijn vrienden en vriendinnen, mijn kapper, mijn spraakleraar, mijn kinderarts en mijn moeders verloskundige – 'Ik had een moeilijke geboorte, en zonder haar tedere, kundige handen aan de verlostang op die beslissende dag, had de artistieke prestatie die u vandaag zo eervol beloont, wellicht nooit kunnen worden geleverd' – en natuurlijk: mijn publiek.

Mijn zusje haalde de slip van haar hemd uit haar mond. 'Waarom heb je mij niet bedankt?'

'Jij valt onder de spelers.' Mijn engelachtige zusje, met haar gouden krullen en haar enorme ogen, had Gretl gespeeld, de kleinste Von Trapp, die de onsterfelijke regels uitte: 'Ik hoor / Mijn bed / Hij vraagt: "Waar blijf je nou?"', die wij oudere en lelijkere Von Trapps echoden met: 'Adieu / Vaarwel / Auf Wiederseh'n / Tot gauw!'

'Waarom krijg ik geen prijs?' vroeg ze fronsend.

'Nou ja,' zei ik zo vriendelijk als ik kon, 'omdat dit niet hele-maal jouw roeping is.'

'Maar ik heb in een heleboel stukken gespeeld! Ik heb Janey Popper gespeeld in *Mr. Popper's Penguins* en Zuzu in *It's a Wonder-ful Life*. Daar zat jij niet eens in!'

Dit was een punt waaromtrent enige spanning tussen ons heerste.

'Je moet het zo zien,' zei ik. 'Er is een verschil tussen Meryl Streep en, laten we zeggen, Jennie Garth. Jennie Garth is dan mis-schien jonger en blonder, en leuker om te zien, maar ze zal nooit een Oscar winnen.'

Haar gesnik was verscheurend, maar op de een of andere ma-nier maakte ik eruit op dat ze wist dat ik gelijk had.

Er wordt in het Theater veel gehuild, en nog het meest achter de schermen. De lange werktijden, de voortdurende frustratie, en, iedere week weer, de willekeurige, onvoorspelbare, pijnlijke afwijzingen die je krijgt… En dat terwijl de meesten van ons heel gevoelige types zijn – althans waar het om onszelf gaat. Na mijn eerste auditie, waarbij ik werd afgewezen voor een groots opge-zette productie van *Anatevka* in het nieuw ingerichte Joods Ge-meenschapscentrum, wierp ik mijzelf languit neer op de zonver-hitte betonnen vloer van ons achterplaatsje, en besmeurde mijn gezicht en mijn haar met houtskool uit de barbecue zoals de oude Romeinen dat deden, totdat onze buurman kwam zeggen dat zijn terriërs bang werden van mijn onbeheerste gekrijs. Maar ik had mijn lesje geleerd. Afwijzing viel nu eenmaal te verwachten in dit werk, en als je ergens wilde komen kon je daar maar beter mee le-ren omgaan.

'Maak je over mij maar geen zorgen,' zei ik toen mijn vader en moeder mij op de receptie probeerden te troosten toen ik had ver-loren. 'Met mij komt het wel goed. Mijn huid is net zo dik en glan-zend als die van een patiënt met scleroderma in een gevorderd stadium.'

Mijn ouders keken elkaar aan.

'Wat nou? De zus van Bob Saget heeft dat. Op joodse les hebben we er een folder over gekregen. Wist je dat vooral Asjkenazische joden er last van hebben, en dat uiteindelijk al je organen verharden, en dat je dan doodgaat? Ze denken dat de eerste gevallen misschien werden aangetroffen in het oude Griekenland en dat daar wellicht de mythe van Medusa vandaan komt.'

'Mooi,' zei mijn vader. 'Ik ben blij dat je er zo volwassen mee omgaat.'

'Het is alleen al een eer om genomineerd te worden,' ging ik verder. 'En bovendien begrijpt iedereen dat ze die prijs alleen gegeven hebben aan dat meisje dat gewonnen heeft, omdat ze achttien is en dit haar laatste kans was in de categorie Jeugd. Net zoals ze Jessica Tandy een Oscar hebben gegeven omdat ze waarschijnlijk gauw zou sterven.'

'O, juist,' zei mijn moeder.

'Dus maak je geen zorgen,' stelde ik hen gerust. 'Ik heb nog tijd zat om te winnen.'

Maar ik werd pas halverwege de middelbare school voor de tweede keer genomineerd, voor mijn rol in een vreselijk sentimenteel stuk getiteld *Anne Frank en ik*, geschreven in de aloude, vergezochte jeugdliteratuurstijl: meisje ontmoet jongen, meisje doet onverschillig/sceptisch over de Gruwelen van de Holocaust, meisje krijgt ongelukje en stoot een beetje hard haar hoofd, meisje wordt wakker als Dorothy in het toverland van Bezet Europa, waar burger zich tegen burger keert en de joden ieders Meest Geliefde Prooi worden. Het stuk trok me aan om drie redenen.

EEN: Ik vond het fijn dat ik niet gevraagd werd voor de rol van het ongelukkige joodse meisje, maar voor die van haar niet-joodse beschermster, een kokette Parisienne. Op die manier zou ik eens mooi mijn ijverig geoefende Franse accent kunnen etaleren dat ik minutieus had aangescherpt tijdens talloze vertoningen van *Gigi*. En mijn kostuum zou niet bestaan uit de gebruikelijke slappe lappen met een enorme gele davidster die mijn hele linkerborst bedekte (die dingen werden extra groot gemaakt om goed zichtbaar te zijn vanuit de zaal), maar uit een chic jurkje van marineblauwe crêpe de Chine met een beleg van roze zijde, mooie klassieke schoenen met hoge hakken en een enkelbandje, en hoog opgekamd haar à la Rita Hayworth boven hoge dunne wenkbrauwen en een krachtige mond. Ook betekende het dat ik van alle meisjes die op die dag auditie hadden gedaan bij het JGC degene was van wie de regisseur had gedacht: *Kijk! Daar heb je er een die je op kunt laten komen zonder dat iedereen meteen denkt 'Jo jo jo jodinnetje'!* Na een heel leven in Omaha te hebben doorgebracht tussen Scandinaviërs met appelwangetjes en Slavische vleesklompen vond ik dat een bijzonder vlijende gedachte. Ik schreef dit geluk toe aan mijn neus.

TWEE: Deze productie zou me herenigen met de twijfelachtig georiënteerde (maar prachtige!) jonge speler met wie ik eerder dat jaar een even gepassioneerde als stekelige affaire begonnen was tijdens een jeugdproductie van *Cat on a Hot Tin Roof*. Hij had de rol van mijn tweelingbroer gespeeld, wat een heerlijk vals psychoseksueel kantje had gegeven aan onze toch al ingewikkelde verhouding. Alleen al bij de gedachte eraan kreeg ik zenuwachtige vlinders in mijn buik; niets is stimulerender voor het libido van een bepaald soort zestienjarig meisje dan het vooruitzicht op een dreigende emotionele kwelling.

DRIE: In het stuk kwam een scène voor die letterlijk in de gaskamer speelde.

Ja, echt.

Mijn personage werd samen met de joden die zij zo dapper had geholpen naar Auschwitz gestuurd, en werd zelf een van de slachtoffers. Nu vertellen acteurs je altijd graag over hun favoriete sterfscène – kogel, buik opengesneden, beroerte, verhanging, vergif – maar er is niemand die weet hoe de dood eruitzag in een gaskamer in Birkenau, behalve dan een paar mensen die er om juridische redenen hun mond over houden. Er was dus veel ruimte voor een vrije artistieke invulling. Ik kon kokhalzen. Ik kon naar adem snakken. Ik kon me op de grond laten vallen en trekkebenen in een krampachtige doodsstrijd. Ik kon tranen van wanhoop en angst onder mijn oogleden vandaan persen, een ander krijsend en in doodsangst verkerend slachtoffer in mijn armen nemen (meestal mijn zusje, in de rol van schattig maar ten dode opgeschreven kindje) of gekweld en gepijnigd sterven, terwijl ik jammerlijk en zinloos mijn nagels versleet langs de denkbeeldige deur die me scheidde van het leven. En omdat ik een rijke nietjoodse speelde wier persoonlijke welstand niet noemenswaard geleden had onder de Duitse bezetting kon ik dat allemaal doen in een *fantastische* lange witte nertsmantel die ik een van de kleedsters voor me uit het kledingmagazijn had laten halen.

'Het is van wezensbelang voor mijn personage,' had ik gezegd. 'Het helpt me om echt onder de huid van die vrouw te komen. En stel je even voor wat een geweldig toneelbeeld het oplevert! Vertel mij maar eens wat er aangrijpender is dan die trotse, elegante *aristocrate* die daar in het gas sterft als een dier, als een jood. Dat gaat verdomme door merg en been.' De nerts was niet voor mijzelf. Die was er voor de kunst. En elke avond als ik die mantel had uitgedaan en de kleedsters hem in zijn hoes hadden weggehangen, sloop ik naar de decorwerkplaats voor een martelende vrijpartij met mijn twijfelachtig georiënteerde vriendje in het verblindende licht van de werklampen.

'Nee,' zei hij toen ik zijn hand met enige dwang richting mijn clitoris stuurde. 'Ik voel me hier toch niet zo prettig bij.'

Het bezoekersaantal was mager en vrijwel geheel opgebouwd uit een selectie vijfdeklassers van de plaatselijke Talmoed Thoraschool (de vijfde was het eerste jaar waarin de Holocaust het leerplan volledig beheerste) en een bonte sortering van catatonische en/of demente patiënten uit het Rose Blumkin Tehuis voor Joodse Bejaarden die in hun rolstoelen hierheen waren gereden, en waarvan er veel halverwege de voorstelling onstuitbaar begonnen te huilen of te lachen en weer teruggereden moesten worden. Mijn nominatie was derhalve nogal een verrassing.

'Gefeliciteerd!' snerpte mijn zusje toen het bericht per post arriveerde. 'Misschien win je deze keer wel.'

'Ik denk van niet,' antwoordde ik. Ik mocht dan onvoldoendes halen voor wiskunde, natuurkunde en aerobics, maar over prijsuitreikingen wist ik alles. Behalve als je uit Engeland komt kun je geen prijs krijgen voor iets dat niemand gezien heeft.

'Als je mij maar niet vergeet te bedanken,' zei ze. 'Als je wint is het vooral dankzij mijn werk in de gaskamerscène.'

Ik besteedde dat jaar niet veel aandacht aan de uitreikingsplechtigheid. Ik bereidde geen praatje voor en deed niets bijzonders met mijn haar; ik geloof zelfs dat mijn ouders er niet eens heen gingen. Dat gebrek aan belangstelling sloot aan bij mijn algemene houding ten opzichte van het leven. Ik had mijn twijfelachtig georiënteerde vriendje aan de kant gezet voor een jongen die minder fysieke afkeer voelde voor mijn geslachtsdelen, maar die *mij* vervolgens dumpte. Ik kwam terecht in een akelige en wanhopige periode waarin ik hysterisch huilde, aan slapeloosheid leed en 's avonds laat langs zijn huis reed terwijl ik naar het cassettebandje met tophits luisterde dat hij voor me had gemixt tot het me de keel uitkwam en ik het verving door The Smiths en naar de dichtstbijzijnde *Village Inn* reed waar ik een dubbele hamburger met kaas en tomaten wegwerkte met extra patat hoewel ik eigenlijk te depressief was om te eten. Daarna ging ik dan weer in mijn auto zitten en zette ik de ruitenwissers aan zodat het eruitzag of het regende terwijl ik huilde, en deed ik alsof ik in een Engelse videoclip zat uit 1984.

Het klinkt alsof dat niet zo'n leuke tijd voor je was.

Dat was het ook niet. Dat was het zeker niet! (grinnikt)

Hoe vond je de kracht om verder te gaan?

Nou, Diana Ross heeft dat heel mooi verwoord: 'Iedereen heeft wel-
eens verdriet en pijn in zijn leven, en ik heb veel verdriet gekend, maar
ach, dat gebruik ik dan gewoon een keer in een rol waarbij ik veel verdriet
en pijn moet laten zien.'

Brava! Jij bent het grootste talent dat Nebraska heeft opgeleverd
sinds...

Montgomery Clift?

Montgomery Clift!

Nu we het toch over Monty Clift hebben: mijn vriend Richard had
beloofd om met me mee te gaan naar de prijsuitreiking, die dat
jaar gehouden werd in de danszaal van Harrah's Casino in Council Bluff.

'Chic,' zei Richard.

Hij praatte weer met me, nu ik niet langer misbruik maakte
van wat hij noemde 'de vaginale tirannie van de bevoorrechte
heteroseksuelen' door een waardevol lid van de toch al beperkte groep beschikbare homoseksuele tieners in Nebraska bezet te
houden. We zaten op de parkeerplaats jointjes te roken tot we
naar binnen konden.

'Ik zie je zo wel in de zaal,' zei ik toen we door de lobby liepen. 'Ik
moet even...'

'Je gaat toch niet lopen kotsen, hè?' vroeg hij. 'Dat was allejezus
sterke wiet.'

'Nee, niks aan de hand. Ik moet alleen even naar de... *jeweetwel.*
De *doos.*' Ik begon te giechelen. 'Ik moet naar de DOOS!'

'DOOS? Wil je een DOOS? Nou, dan moet je niet bij mij zijn, lieverd!' Richard gilde van de lach, wat de woede opwekte van de
gokkers in de zaal daarnaast. Twee enorme wijven, van wie er een
zat vastgesnoerd op zo'n soort gemotoriseerd karretje waar ze op
het vliegveld bagage mee vervoeren, rammelden misprijzend
met hun pot met kwartjes in onze richting.

De toiletruimte bij de Dames was enorm. Kennelijk ontworpen

voor cliënten met uitzonderlijke ruimtelijke behoeften. In elk toilethokje kon makkelijk een kleine familieauto worden geparkeerd, en achterin was nog een extra groot toilet, uitgerust met veiligheidsgrepen, een handig trapje annex krukje met antisliprubber, een gootsteen, een aanrecht en een aankleedtafel met een wit geplastificeerd matrasje. De wc-bril was duidelijk bedoeld voor een reuzenfamilie. Ik ben niet klein van stuk, maar mijn voeten zweefden boven de vloer alsof ik een klein kind was, en het was nog een eind naar de grond. Een heel eind. Zo'n eind, zeg maar, dat de teleprompter in mijn hoofd die me mijn meer bewuste gedachten doorgeeft riep: *Het is een heeeeeeeeeeeeeeeeeeeeeeeeeeeeeeeeeeel eind naar beneden vanaf deze wc-bril.*

Godzijdank was er het trapje annex krukje. Wat vriendelijk en attent van casino-eigenaren om hun clientèle zo liefhebbend bij te staan. Ze hadden echt het allerbeste met ons voor. Ik hield van ze. Mijn hart stroomde over van liefde. Heel veel liefde. Kijk maar eens naar dat gezicht in de spiegel. Dat was een gezicht vol liefde. Een stralend gezicht. Een... blauw gezicht.

Blauw? Nee, geel. Blauw en geel. En rood. En het trilde. Mijn gezicht was blauw, geel en rood, en het trilde, alsof ik naar een 3D-film zat te kijken zonder 3D-bril op.

'Ik ga dood,' zei ik hardop. 'Ik ga dood.'

Er moet ergens een gaslek zijn in dit casino, er dringt gas naar binnen in dit enorme toilet, ik word vergiftigd. Mijn verwrongen waarneming, het trillen, de abstracte beelden in de spiegel – het moest wel zo zijn dat mijn zenuwfuncties het begonnen op te geven. Mijn organen zouden weldra volgen. Ik kon het toilet verlaten, wegvluchten, maar het was al te laat. Ik had al te veel van het gas ingeademd om nog te kunnen overleven, en als ik nu de deur opendeed zou ik alleen maar ook anderen blootstellen aan een onvermijdelijk doodsgevaar. De eenzame gokkers daarbuiten, die hun speelautomaten volstouwden met kwartjes en hun eigen mond met bacon, hadden misschien niet veel om voor te leven, maar ik zou niet degene zijn die hen ten gronde richtte, niet vandaag. Nee, dit was een last die ík moest dragen, en dat was precies wat ik zou doen; languit op het geplastificeerde matrasje van de aankleedtafel zou ik sterven aan verstikking met gifgas, zoals mijn voorouders voor mij. Er was één voordeel aan de hele situatie: terwijl mijn laatste adem mijn lichaam ontglipte, kon ik nagaan in hoeverre mijn spel in de gaskamerscène de werkelijkheid benaderd had. In mijn laatste ogenblikken op aarde zou ik eindelijk te weten komen of ik ook echt een goede actrice was.

'Waar zat jij verdomme?' snauwde Richard toen ik de danszaal kwam binnengewankeld. 'Jouw categorie is net geweest!'

'Wat? Heb ik gewonnen?'

'Nee,' zei hij. 'Jammer. Ik zat er helemaal klaar voor om namens jou die prijs te weigeren uit protest tegen het verbod op *partial-birth*-abortus van de staat Nebraska[N]. Je weet wel, omdat jij die steeds laat doen.'

Rachel – mag ik je Rachel noemen?

Natuurlijk!

Kun jij onder woorden brengen wat deze avond – en deze eer – voor jou betekent? Nu dit jouw laatste kans is?

Nou ja, het zou uiteraard leuk zijn om te winnen! Maar eerlijk gezegd begrijp ik niet goed hoe je een bepaalde vertolking kunt vergelijken met een andere, alsof artistieke prestaties iets kwantitatiefs zijn. Ik bewon-

N Het was waarlijk een Groot Moment uit de Geschiedenis van Nebraska toen de wetgevende macht van deze staat die wet afkondigde. Het begrip 'partial-birth-abortus' werd daarbij voor het eerst in wettelijke termen gedefinieerd en er werd geen uitzondering gemaakt voor gevallen waarbij de gezondheid van de moeder op het spel stond. Om die reden werd deze wet in het jaar 2000 door het hooggerechtshof ongrondwettelijk verklaard, waarbij de door velen zeer gemiste Sandra Day O'Connor de beslissende stem uitbracht voor de meerderheid. Zoals u misschien gehoord heeft, had de antiabortusbeweging meer geluk toen ze voor de tweede keer een balletje opgooiden, waardoor ze uiteindelijk toch voor eens en altijd wisten vast te leggen dat wanhopig zieke of straatarme vrouwen niet langer hun kindertjes harteloos mogen vermoorden tot vermaak van de goddeloze linkse elite. Halleluja!

der alle actrices in mijn categorie, zonder uitzondering. Ik bedoel, zij mo-
gen dan misschien dapper zingende weesjes of dapper zingende Oosten-
rijkers of dapper zingende weesjes in weer een andere musical over
weesjes hebben gespeeld, en ik mag dan een door de kritiek bejubelde ver-
tolking hebben gegeven van de jonge wasvrouw die een psychoseksueel
uiterst complexe relatie opbouwt met de Markies de Sade in 'Quills', het
stuk waarmee Doug Wright de Obie-Award heeft gewonnen en dat een
diepgravend onderzoek is naar censuur, geweld en religieuze en seksuele
taboes – maar echt, het blijven appels en peren. Zij mogen dan lastige tap-
dancepassen hebben uitgevoerd, en ik mag dan hebben liggen sidderen en
kronkelen op een stenen grafzerk terwijl een gereïncarneerde hoerduivel
zorgvuldig beschrijft hoe ik de gewelddadige drievoudige penetratie moet
ondergaan van Satans drieledige fallus, wat wellust en verschrikking
opwekt in de ziel van de gekwelde priester die mij in het geheim bemint,
maar is het een nu echt moeilijker of prijzenswaardiger dan het ander? Ik
weet het niet – ik ben zelf niet zo'n tapdanser! Maar het is een geweldige
eer om te worden genomineerd samen met zo'n groep ongelofelijk geta-
lenteerde negenjarigen, en ik wens ze allemaal heel veel geluk.

'Veel geluk,' zei mijn vriendje, en hij gaf me een kneepje in mijn
knie toen de winnaar van vorig jaar op de verhoging ging staan
om de nieuwe winnaar aan te kondigen. 'Ik hoop echt dat je wint.'
'Ik ook,' zei ik. 'Ik ook.'

Ik wilde er geen enorme ophef over maken of zo. Toen mijn moeder de stervormige VvT-prijs van de plank haalde en in bubbeltjesplastic begon te wikkelen toen we de spullen uit mijn kamer
aan het inpakken waren, schudde ik mijn hoofd. 'Hou 'm maar
hier,' zei ik. 'Ik wil niet dat de andere kinderen denken dat ik een
uitslover ben.'
'Weet je het zeker?' vroeg mijn moeder.
'Ik weet het zeker.' Ik wilde niemand intimideren of, erger nog,
ontzag inboezemen. Ik wilde dat mijn nieuwe vrienden mij zou-

den mogen om wie ik was en niet om het feit dat ik in 1998 de Prijs van de Vereniging voor Theaterkunst in Omaha had gewonnen. Die hele zomer, eigenlijk sinds ik bericht gekregen had dat ik welkom was op de Tisch Hogeschool voor de Kunsten aan de universiteit van New York, had ik steeds weer hetzelfde liedje gehoord: 'We houden contact hè? Denk nog eens aan me als je straks beroemd bent!' Eerlijk gezegd werd dat op den duur wel een beetje vermoeiend. Natuurlijk was ik bestemd voor iets hogers en beters dan de rest van mijn examenklas. Dat was toch altijd al duidelijk geweest? Desondanks was ik heel gewoon gebleven. Ik wilde gewoon net zo behandeld worden als iedereen. Mijn enorme talent zou zich snel genoeg openbaren als mijn studie begon – ik zou dan wel zien hoe ik zou omgaan met de bijverschijnselen. Als ik de rancune, de vleierijen en de kleingeestige jaloezie eruit gefilterd had, wist ik wie mijn échte vrienden waren. En om eerlijk te zijn waren mijn gevoelens ten opzichte van de prijs toch ook wel wat veranderd toen ik hem overhandigd kreeg en zag dat ze mijn voornaam verkeerd hadden gespeld. R-A-C-H-A-E-L. Het ziet er gewoon ontzettend stom uit. De voorzitter van de prijzencommissie had aangeboden om hem terug te sturen en opnieuw te laten graveren (op mijn eigen kosten, uiteraard), maar ik had gezegd dat hij geen moeite hoefde te doen. Een fout is een fout. Die kun je niet terugnemen.

'Hou jij hem maar, mam,' zei ik. 'Jij hebt me tenslotte al die jaren heen en weer gereden naar de repetities.'

Ze kreeg tranen in haar ogen. 'Dat vind ik echt heel lief.'

'Mag ik dan dat bubbeltjesplastic?' kwam mijn zusje ertussen. 'Ik vind dat zo'n leuk geluid.' Ze griste het plastic uit mijn moeders hand en begon vrolijk de bubbeltjes te knappen. Ze zou die herfst naar de middelbare school gaan.

'Mam,' zei ik, terwijl ik keek hoe mijn zusje peinzend heen en weer ging zitten schommelen, helemaal tevreden met de symfonie van de blaasjes die tussen haar vingers knapten en leegliepen.

'Is het ooit bij je opgekomen dat ze weleens autistisch zou kunnen zijn?'

'Hou je *kop*!'

'Neuh,' zei mijn moeder. 'Als ze autistisch was, zou ze het juist een *rot*geluid vinden.'

De eerste paar avonden van mijn studententijd waren veelbelovend. Er werd bier gedronken. Er werd wiet gerookt. Ik ging een hamer lenen van mijn buurman die muziektheater studeerde en kwam terecht in een geïmproviseerde meezingversie van *Into the Woods*. Nieuwe kennissen bij de vleet – alleen het lukte maar niet om van die kennissen ook vrienden te maken naarmate de tijd verstreek. Ze leken elkaar allemaal al te kennen. De mensen uit New York gingen om met de mensen uit New York, de mensen uit New Jersey met de mensen uit New Jersey, de mensen uit L.A... nou ja, je snapt wat ik bedoel. Niemand anders kwam uit Nebraska – en ik begon te vermoeden dat dat motief de rest van mijn volwassen leven zou blijven terugkeren. Hoe meer ik probeerde met mensen in gesprek te komen en gemeenschappelijke thema's probeerde te vinden op welk gebied dan ook, hoe afstandelijker ze werden.

'Jij heet toch Friedman van je achternaam? Ben jij joods?'

'Eh... jaaa...'

'O, te gek! Ik ook.'

'O,' zei Friedman dan. 'Je bent toch niet van die Chabadbeweging[†] of zo? Want ik ben volstrekt niet geïnteresseerd.'

Mijn nieuwe kamergenoot, een obsceen keurig verzorgde roodharige uit Bel Air, was aardiger. 'Weet je, toen ik die dinges kreeg waarin stond dat jij uit Nebraska kwam, dacht ik dat je zo'n

---

[†] Heidenen, afhankelijk van hoe je eruitziet – bijvoorbeeld als je een Italiaan bent – ben je misschien weleens, bijvoorbeeld als je aan het winkelen was ergens in een grote stad, aangesproken door een man met een lange baard en een zwarte hoed op en met een of ander ritueel voorwerp in zijn hand, die aan je vroeg 'Bent u joods?' Omdat u een heiden

heikneuter zou zijn. Je weet wel, met een overall en zo, en trekkers en stront.'

'Maar dat ben ik dus niet?'

'Nee,' zei ze. 'Ik bedoel, ik zal niet zeggen dat je nou heel *mondain* bent of zo' – ze had erg moeten lachen toen ik kort daarvoor geschokt had gevloekt toen een voorgerecht veertien dollar bleek te kosten – 'maar je bent ook geen echte boerentrien.'

'Nou, dank je wel.'

'Begrijp me niet verkeerd,' zei ze. 'Ik vind je heel aardig. Ik heb echt zoiets van dat ik jou zou willen *beschermen*.'

Toen de lessen eenmaal begonnen, bleken die weinig troost te bieden. Ik had gedacht dat ik mijn klasgenoten zou verpletten met mijn vaardigheid in het samenspel en het indrukwekkende gemak waarmee ik met mijn tekst wist om te gaan, maar we besteedden doorgaans het grootste gedeelte van de dag aan het blootsvoets en met de tong ten hemel uitgestoken produceren van vreemde en onaangename geluiden, met hurken en strekken en kronkelen, en met het eindeloos achterelkaar rondlopen in kringetjes tot de leraar zei dat we mochten ophouden.

'Heel interessant,' zei de leraar. 'Goed. Wat hebben jullie hiervan geleerd?' We werden geacht daar een antwoord op te hebben, en dat kon dan niet zijn: 'Ooit dacht ik dat het stratosferisch niveau van verveling dat ik bereikte tijdens de uitvoering van een concert met liturgische muziek in de Temple Israel-synagoge in 1987 onmogelijk kon worden overtroffen. Vandaag echter heb ik

bent hebt u natuurlijk ontkennend geantwoord, maar had u 'ja' gezegd, dan had hij u verheugd een gereedstaande caravan binnengeloodst, waar hij u had aangemoedigd een bepaalde zegenspreuk uit te spreken (afhankelijk van de tijd van het jaar) en u beloond had met een papieren bekertje Seven-Up waar geen prik meer in zat en een koekje. Zo'n man is lid van de Chabad-Lubavitchsekte, een beweging die zich ermee bezighoudt seculiere joden meer bij het jodendom te betrekken; op een bepaalde manier zijn het net joodse hare krisjna's, behalve dan dat de meeste hare krisjna's ook joods zijn en de mensen van Chabad alleen maar willen dat je een paar bescheiden donaties doet links en rechts, en niet dat je meteen al je aardse goederen weg gaat lopen geven.

geleerd dat dat niet het geval is.' Toen we een keer op onze rug lagen met onze benen over ons hoofd teruggevouwen na een bijzonder slopende en zinloze oefening, ving het meisje naast me mijn blik en trok ze een speelse grimas om aan te geven dat ze zich even fysiek en geestelijk, gekweld voelde als ik. Omdat ik in haar een medestander vermoedde, sprak ik haar na de les verlegen aan.

'Verschrikkelijk, hè?'

'Breek me de bek niet open,' zei ze met een nieuwe grimas. 'Ik word hier helemaal gek van!'

'En zo volkomen zinloos!' riep ik opgewonden uit. 'Ik bedoel, hoe moeten we van dit gerol over de vloer en proberen te voelen hoe onze lever beweegt in hemelsnaam goede acteurs worden? Dit is zo zweverig... nee, niet zweverig, het is gewoon stompzinnig! Ik weet niet hoe het met jou zit, maar ik heb al een heleboel *echt* acteerwerk achter de rug, en dit soort dingen is absoluut...'

Ze trok opnieuw een grimas, maar dit keer was het geen speelse, samenzweerderige grimas. Dit was er een van pure afschuw. 'Ze proberen ons meer in ons lichaam te krijgen. Tot morgen. Of zo.'

Meer in ons lichaam? Kwam er dan weleens iemand buiten zijn lichaam? Wat zou dat moeten betekenen? En waarom wilde er niemand vriendjes met mij zijn?

De dagen lijken erg lang als je eenzaam bent. Zelfs met veel uren les per dag was het een heel geworstel om genoeg dingen te bedenken om mijn tijd mee te vullen. Ik verzon boodschapjes voor mezelf, nutteloze of overbodige dingen die ik dan dringend moest gaan kopen: haakjes voor in de muur die nooit uitgepakt werden, fotolijstjes, een luchtbevochtiger. Een paar middagen in de week ging ik naar musea in het centrum, en dan niet met de metro, maar acht blokken lopen om de tijd te vullen. Als ik mijn eten op had zat ik nog uren in de mensa, in de hoop dat er iemand, wie dan ook, binnen zou komen die ik herkende, en die dan geen andere keus zou hebben dan bij mij te gaan zitten. Mijn verwachtingen namen gestaag af. Een half uur, een kwartier, tien minuten niet alleen hoeven zijn, dat was alles wat ik wilde.

Ik was opgetogen toen een gesprek dat ik had aangeknoopt met een klasgenoot, een jongen uit Californië met een zachte stem, duurde totdat we de trap af waren, en zelfs tot buiten op straat. Hij toonde niet de neiging om snel te vluchten. We maakten zelfs grapjes over de lessen en de leraren terwijl we in de richting van onze respectieve studentenhuizen sjokten. *We lopen samen naar huis*, dacht ik; *een vriend brengt me naar huis*. Twee bevriende studenten lopen te lachen en grapjes te maken terwijl ze gewoon samen onderweg zijn naar huis. Ik kon wel huilen van blijdschap.

'Dus,' zei ik. 'Heb jij al veel toneelgespeeld in Californië?'

'Nou, gaat wel,' zei hij. 'Stukken van school en zo.'

'Jaaa,' antwoordde ik. 'Ik ook. *Anatevka* hebben we gedaan, en vorig jaar *Hello, Dolly!* – dat soort dingen, je weet wel. Heb ik hoofdrollen in gespeeld. En jij?'

'O, dingen van Ionesco hebben we gedaan, en van Samuel Beckett. Er zat een meisje bij, en die d'r moeder was actrice, en die heeft *American Buffalo* met ons gedaan.'

'Jaja, dat ken ik. Er wordt veel goed theater gespeeld in Omaha. Zeg maar wat meer experimentele dingen, weet je wel? Ik heb in *Quills* gespeeld, ken je dat, *Quills* van Doug Wright? Over de Markies de Sade? Heeft een Obie gewonnen toen het uitkwam in New York, dacht ik. Maar dit was dan, zeg maar, de première voor het Midwesten. Het speelt in een gekkenhuis in Frankrijk, in de achttiende eeuw, dus wij hebben dat gespeeld in een verlaten station, te gek griezelig daar binnen, maar daar was natuurlijk geen verwarming meer, en na de laatste voorstelling had ik veertig graden koorts, en Matthew Broderick was komen kijken omdat hij in de stad was voor opnames, maar daar was ik helemaal niet zenuwachtig voor, want werk is werk, weet je wel. En ik heb voor die rol zelfs de VvT-prijs gekregen, dat is een soort Tony Award, maar dan voor toneel in Omaha, maar niet alleen Omaha, Council Bluff hoort er ook bij, en Ralston en Bellevue, je weet wel heel Omaha en omgeving, daar hoort een stuk van Iowa bij... Nou ja, hoe dan ook, daar is dan zo'n prijsuitreiking van, die ze ook op tv uitzenden, en dat is allemaal heel spannend.'

'Wauw.' Hij klonk echt onder de indruk. Eindelijk! 'Dat is cool.'

'Ja, best wel,' zei ik een beetje blozend. 'Ik mis het wel, weet je. Echt acteren.'

'Nou ja, dat krijgen we binnenkort wel weer te doen, lijkt me,' zei hij.

'En jij?' vroeg ik. 'Heb jij behalve op school ook nog wat geacteerd?'

'Nou... wel een beetje. Mijn moeder werkt bij... eh... de televisie, dus ik heb ook wel een paar dingetjes op tv gedaan. Ik weet niet... Niks bijzonders.'

'Tv, dat is geweldig!' zei ik vriendelijk. 'Je was vast hartstikke goed.'

'Dank je wel. Hé, zeg eens, wat doe jij vanavond?'

Op mijn kamer zitten. Op de weegschaal staan. Huilen, en mijn moeder drie uur lang aan de telefoon proberen te houden zodat ik iemand heb om tegen te praten. Als zelfs je moeder het liefst de hoorn erop zou gooien, is het wel erg met je.

'Eh...' Ik beet op mijn lip. 'Weet ik eigenlijk nog niet. Ik zou misschien naar iemand toe gaan...' Een paar hare krisjna's hadden me aangesproken en me uitgenodigd voor een gratis vegetarisch diner in hun heilige kraakpand in East Village. 'Je ziet eruit of je een beetje verdwaald bent,' hadden ze gezegd. 'Laat ons je de weg wijzen.' Ik wilde gewoon iemand om samen mee te eten.

'Nou, als je het niet te druk hebt,' zei hij, 'waarom kom je vanavond dan niet langs? Een paar vrienden die ik ken van thuis komen bij mij *Waiting for Guffman* kijken. Ken je die film?'

Was dat niet die film over twee treurige oude mannen, een

zwart, een blank, die elkaar ontmoeten op een bankje in het park en elkaar onderrichten over het leven, de lol en de liefde? Daar werd fantastisch in geacteerd, dacht ik.

'Oké,' zei ik. 'Misschien kom ik wel even langs.'

Om een uur of negen klopte ik aan bij mijn nieuwe vriend, nadat ik een paar keer rond het gebouw was gelopen waar hij woonde omdat ik niet te vroeg wilde komen. Ik wilde niet al te gretig lijken.

'Je bent er!' riep hij uit. 'We stonden net op het punt om de film te starten! Wil je een biertje?'

De kamer zat vol met studenten. Hij stelde me aan iedereen voor. Ze kwamen allemaal uit Los Angeles. Ik zat aan zijn bureau met een Heineken in mijn hand, en zag een paar foto's in keurige lijstjes op zijn boekenplank. Zijn moeder werkte niet alleen bij de televisie, bleek, zijn moeder *was* televisie, de grote ster van een klassieke comedyserie die nog altijd overal liep. Verschillende van mijn nieuwe kennissen hadden ook achternamen die ik herkende, en nu ik zo naar ze keek, hadden ze ook eigenlijk griezelig bekende trekken, alsof ik ze allemaal al eens ergens eerder had gezien in een iets andere samenstelling.

'Ik ben zo benieuwd naar deze film,' zei een meisje. 'Mijn vader heeft net een project met Chris Guest afgerond, en hij zei dat het een *ontzettend* aardige vent was.'

'Absoluut,' zei iemand anders. 'En Jamie Lee is ook zó'n schat! Wist je dat ze Jakes peettante is?'

'Dat is waar ook,' piepte haar vriendin. 'Dat heb ik gehoord. En er komt binnenkort iets belangrijks uit van Jake. Vlieg jij naar huis voor de première? Ik heb tegen hem gezegd dat we waarschijnlijk net die week tentamen hebben, maar ja, lekker belangrijk.'

Een ander meisje deed haar ogen dicht. 'Ik mis L.A. echt onwijs.'

'Ik ook.'

'Kut man, ik mis het *eten* daar, tering zeg,' zei een jongen met een artistiek verbleekt T-shirt van de Ramones. Hij keek me betekenisvol aan. 'Ik heb dringend behoefte aan een recht op en neer In-N-Out; kut zeg, dat is echt lekker!'

Dat was niet, begreep ik later, een voorstel tot geslachtsverkeer, maar een verwijzing naar de lokale hamburgerketen waar de telgen van Hollywoods Droomfabriek graag kwamen, vooral als ze dronken waren en voordat ze om drie uur 's nachts nog even een duik namen in Dustin Hoffmans bubbelbad.

Ook was *Waiting for Guffman* geen sentimentele film over de onwaarschijnlijke vriendschap tussen twee knorrige oudjes; ik had die stroeve titel verward met *I'm Not Rappaport*. Nee, *Waiting for Guffman* is, zoals u natuurlijk weet, een van Christopher Guests typische, vakkundig gemaakte persiflages van akelig gemakkelijke slachtoffers – in dit geval een misleid amateurtheatergezelschap in een klein stadje in het Midwesten.

Omaha is geen Blaine, Missouri. Wij hebben meer dan één Chinees restaurant, en niet alleen onze tandartsen zijn joods, maar ook onze endocrinologen en onze belastingadvocaten. En voor zover ik weet heeft er nog nooit een onstuimige impresario met rouge op de wangen onze stadsbestuurders weten over te halen hem een bedrag van honderdduizend dollar te betalen om Omaha onsterfelijk te maken door middel van muziek en show (hoewel ik er geen seconde aan twijfel dat ze hem dat bedrag zo zouden geven als hem dat lukte). Toch zijn de overeenkomsten onmiskenbaar. Een aanstellerige druktemaker die dol is op sieraden en kleurige vestjes maar het desondanks steeds heeft over een geliefde en gewaardeerde echtgenote? Klopt, hebben we. Drankzuchtig echtpaar met allebei hetzelfde joggingpak aan dat totaal onnodig en op de totaal verkeerde momenten het zelfbewuste jargon van oude rotten uit het theatervak bezigt? Klopt, hebben we. Een kwijlende halvegare die denkt dat hij een ster kan worden? Klopt, hebben we. Volkomen onnatuurlijke grime waardoor zowel mannen als vrouwen eruit gaan zien als de aan syfilis lijdende hoeren op de schilderijen van Otto Dix? Klopt, hebben we. En de innige, welhaast wanhopige adoratie van het thuispubliek, dat doet denken aan fans van een kansloze maar geliefde voetbalclub? Klopt, hebben we ook. Ik weet alleen niet precies wie ik dan zou moeten zijn. Waarschijnlijk Corky St. Clair, de flamboyante regisseur met grootheidswaan.

Rachel, hoe voel jij je ten opzichte van collega's die van jongs af aan in het wereldje zijn opgegroeid? Mensen die zich puur dankzij hun connecties nooit hoeven af te vragen hoe ze aan een goeie manager of een agent moeten komen, die niet alle castingbureaus hoeven af te lopen, die altijd vanzelfsprekend een recensie krijgen of zelfs een interview – om nog maar te zwijgen over het feit dat ze weten hoe het systeem werkt, hoe je eruit moet zien, hoe je je moet gedragen, en welk image goed verkoopt in die wereld? Hebben die geen enorme voorsprong?

Ja, dat zal best. Maar ik blijf geloven dat het uiteindelijk toch allemaal gaat om talent. Ze mogen dan een kleine voorsprong hebben, maar je hebt talent en betrokkenheid nodig om ook werkelijk verder te komen. Om het simpel te zeggen: het is toch het werk zelf dat belangrijk voor me is – niet de dingen eromheen, de roem en het geld en dat je Spielberg en Geffen bij hun voornaam mag noemen. Het werk zelf is waar het om draait.

Maar wat vind je van die mensen? Wees eens eerlijk.

Eerlijk? Ik haat ze.

'Hé man!' Mijn nieuwe vriend draaide zich naar mij om toen de film was afgelopen. 'Is het in het echt ook zo?' Hij bedoelde het helemaal niet verkeerd. Hij wilde het gewoon echt weten. Het was geen onaardigheid van die vriendelijke jongen, die al sinds zijn zesde een agent had en een kaart van de Bond van Filmacteurs, die zijn hele kindertijd naar Emmy's gedoken had in zijn zwembad in Beverly Hills. Het was helemaal niet zijn bedoeling geweest me voor schut te zetten. Het was gewoon uit vriendschap dat hij me voor deze film had uitgenodigd, en god weet dat ik een vriend kon gebruiken.

'Een beetje wel, ja,' zei ik.

Hij lachte. 'Hilarisch vind ik het. Is die film niet hilarisch?'

'Ja,' antwoordde ik. 'Ik heb gehuild van het lachen.'

9

Het anorectisch kookboek

N.B. Het onderstaande is een fragment uit *Het anorec-tisch kookboek. De hoorn der onthouding*, het meest be-langwekkende, zij het nog ongepubliceerde, werk van lifestylegoeroe Rachel Shukert.

Inleiding: DIT GAAT OVER JOU!

Trek je kleren uit en ga voor de spiegel staan. Ga met je ogen langs alle delen van je lichaam: je armen, je taille, je dijen. Kijk naar je buik. Kijk er eens goed naar. Prik met je vinger in dat vet. Pak het vast en voel hoe het aanvoelt. Laat het dan weer terugvallen en luister naar het geluid dat je dan hoort. Geeft het een ploppend geluid zoals wanneer je je lip hard terug laat schieten tegen je tan-den? Of is het meer een doffe, kleiachtige bons, als van een grote jute zak met reuzel die heen en weer schuift achter in een vracht-wagen?

Kijk naar je polsen. Kun je met duim en wijsvinger een van je polsen omspannen en houd je dan nog wat ruimte over of niet? En hoe zit het met je handen: zijn die slank en elegant, of dik en vlezig, alsof er in een kamertje achter een stripclub zojuist ie-mand mee is gewurgd die Vito heette? Kijk naar je borst, naar je schouders, naar je nek; hef dan ten slotte heel langzaam het hoofd en kijk jezelf in het gelaat.

Dat valt niet mee, hè?

Was je blij met wat je zag? Heb je naar die afzichtelijke zwembandjes gekeken, die lillende plooien van zweterig vlees, die weerzinwekkende, pokdalige klompen opzwellende bagger, en heb je toen gedacht: *Nou ja, gelukkig ben ik nog gezond?* Ben je zo iemand die denkt: *Goh, het is toch eigenlijk ook al een hele eer om genomineerd te worden?*

Of ben je iemand die naar die papperige, trillende vetklodder in de spiegel kijkt en denkt: *dat moet beter kunnen?*

In dat geval is dit boek voor jou bestemd.

Want het *kan* beter. En *jij kunt* beter. De vraag is alleen: heb je er ook het lef voor? Je hebt zeker *lijf* genoeg – maar heb je ook *lef* genoeg? Het lef om het op te nemen tegen al die jaloerse en negatieve types die zullen proberen je tegen te werken zodat ze vooral niet geconfronteerd zullen worden met hun eigen zielige, dikke, treurige leventjes? Het lef om door te gaan, zelfs als het pijn gaat doen, zelfs als artsen en hulpverleners je hoofd proberen vol te stoppen met 'symptomen' en 'statistieken', zoals ze hun eigen, walgelijke monden voortdurend volproppen met cheeseburgers met bacon?

Ze zullen zeggen dat je jezelf opsluit in een gevangenis. Nou, daar weet ik wel een antwoord op. De gevangenis ga je niet vrijwillig in, tenzij het zo'n open gevangenis voor geweldloze wetsovertreders in Finland is. En nu we het daar toch over hebben, laten we dan ook maar eens kijken naar dat andere woord voor gevangenis: *verbeteringsinstelling.* Verbetering – dus zeg maar 'weer goed maken'. Als iets verkeerd is, dan maakt een verantwoordelijk lid van de samenleving dat weer goed.

Misschien zijn de meeste mensen tevreden met zichzelf zoals ze zijn: doodgewone, doorsneeboerenhufters die het liefst gewoon op de grond bitterballen zitten te eten in de rotzooi, maar jij moet bedenken dat de middelste lettergreep van *anorexie* REX is. En dat is geen hondennaam, of zomaar de naam van een beroemde Engelse toneelspeler en filmster, dat is het Latijnse woord voor 'koning'. Anorexiepatiënten: jullie zijn van *koninklijk bloed*.

Spring eens een eindje omhoog en voel dan hoe alles in je buik mee beweegt. Je kunt het zelfs nog zien nabewegen als je alweer geland bent, of niet? Walgelijk is dat. Kijk eens hoe al dat vet aan jouw lichaam lubbert en blubbert als je een beetje op en neer springt. Luister eens naar jezelf als je weer op de grond terechtkomt – alsof een olifant een dansje probeert te doen. Wat voor gevoel krijg je daarvan?

Sommige mensen verdienen het echt om in de gevangenis te komen.

Hoofdstuk 1: ONTBIJT

Je weet wat de meeste kookboekenschrijvers over het ontbijt zeggen. Die schrijven over hoe het was op de gezellige oude boerderij van hun oma, hoe je daar wakker werd bij de geur van spek in de pan en pruttelende koffie, van verse koekjes uit de oven en dikke plakken boerenham en zelfgerookte worst, van grutten-met-kaas en aardappelkoekjes en havermout met room en aardbeien. En te midden van dat alles stond dan oma zelf met een verschoten schort om haar aanzienlijke middel flensjes te bakken op de oude houtkachel. Ze schrijven hoe ze elke keer dat ze Pater Daans pannenkoeken met bosbessen of Hildes beroemde worstenbroodjes maken, denken aan de verloren wereld van hun overleden grootmoeder en haar handgeborduurde servetten die tegenwoordig een kapitaal waard zouden zijn.

GENOEG! Kom op, schreeuw maar lekker. GENOEG!

Ze zeggen dat het ontbijt de belangrijkste maaltijd van de dag is. Het is ook de lastigste maaltijd om over te slaan, vooral als je de avond daarvoor ook al heel weinig hebt gegeten. Maar hier zijn een paar snelle en eenvoudige recepten om de dag goed te beginnen.

Simpele chocolade-vanille vezelvla

Ken je die oude sketch uit *Saturday Night Live* met die reclame voor dat zogenaamde ontbijtproduct Colon Blow? Jammer dat het niet echt was. De kunst bij dit recept is om de vezelrijkste cornflakes te vinden die er te koop zijn – iets dat MaxiVezel heet of Kleenios of zo. Denk eraan, vezels zijn onze vrienden – zeven van de tien calorieën uit vezels zijn alweer nodig om ze te verteren! Dit decadente, toetjesachtige ontbijt rekent niet alleen af met dat irritante hongergevoel dat je 's ochtends hebt, het maakt je van binnen ook helemaal schoon. Je voelt je meteen weer zo licht als een veer.

Ingrediënten
½ kopje extra vezelrijk ontbijtgraan (60 calorieën)
3 eetlepels magere vanilleyoghurt of sojamelk met vanillesmaak
    (30-40 calorieën)
1 pakje Swiss Miss magere mix voor cacaodrank (20 calorieën)

Doe de ontbijtgranen samen met de yoghurt of sojamelk in een kom. Strooi er naar behoefte de cacaomix overheen en roer. Voeg desgewenst 1 zakje zoetstof in poedervorm toe (en tel 5 calorieën op bij het totaal!), of enkele spatjes vet- en suikervrije chocoladesaus (10 calorieën). Indien u nog wat hongerig blijft, vul het gerecht dan aan met koffie, water of een light frisdrank tot u een verzadigd gevoel krijgt. Wacht op ontlasting alvorens het huis te verlaten (ongeveer 10 minuten).

Het zal er wel vreemd hebben uitgezien voor andere mensen, maar zelf had ik niet zo'n last van die donshaartjes. Er waren andere symptomen die ik veel vervelender vond: de migraineaanvallen, de huidvlekken, de vertraagde hartslag die me deed duizelen als ik opstond van een stoel – maar de iele, bleke haartjes die binnen de kortste keren mijn hele huid hadden bedekt in een wanhopige poging om mijn lichaam warm te houden nu het isolerende laagje vet ontbrak, vond ik fascinerend. Elke ochtend bewonderde ik ze in de spiegel, en streelde ik het zijdedons als een jongen die trots is op zijn eerste baardhaartjes, en verheugde ik mij in het wonder van de evolutie en de vindingrijkheid van het lichaam.

Als kind had ik vele gelukkige uren doorgebracht met het turen in mijn vaders dikke medische encyclopedie en het uit mijn hoofd leren van de symptomen en achtereenvolgende verschijnselen van allerlei ziektes, in de hoop mijn juf/de BHV'er/mijn moeder ervan te kunnen overtuigen dat ik leed aan een acuut geval van bronchitis/het carpale-tunnelsyndroom/kanker van de alvleesklier, waardoor het noodzakelijk zou zijn mij onmiddellijk van school naar huis te sturen.

'Jij hebt géén cholera,' zegt mijn moeder en ze duwt me mijn *Star Wars*-boterhamtrommeltje stevig in de hand.

'Maar ik heb pijn in mijn rug,' protesteer ik. 'Ik heb het gevoel dat ik elk ogenblik diarree kan krijgen. Dat zijn allebei klassieke symptomen van beginnende cholera.'

'Jij hebt géén cholera,' herhaalt ze en ze ritst het *Kleine Zeemeermin*-rugzakje van mijn zusje dicht.

'Dank je wel, mammie! Ik hou van je!' tinkelt ze. Buiten drukt de moeder die ons vandaag naar school zal brengen nog eens op haar claxon.

'Maar mama, luister nou,' schreeuw ik, inmiddels totaal over mijn toeren. 'De gemiddelde levensduur van een onbehandelde cholerapatiënt kan vanaf het moment dat de eerste symptomen zich openbaren minder dan zes uur bedragen. Ik kan vanmiddag al wel dood zijn. Zou je die tijd niet liever samen met mij doorbrengen, dan voortaan te moeten leven in het besef dat ik mijn laatste ogenblikken op aarde heb gespendeerd aan het maken van een proefwerkdictee met woorden die ik al lang en breed goed kan spellen?'

'Jij hebt géén cholera!'

De wegbrengmoeder toetert opnieuw, harder en langer dan net.

'Alsjeblieft, mama.' Mijn ogen beginnen te tranen op volgens mij ontroerende wijze. 'Ik heb echt heel erg pijn in mijn buik. Ik ben zo bang, mammie. Ik wil nog niet dood.'

TOEOEOEOEOEOEOEOEOET!!

Mijn zusje ziet er aangeslagen uit. 'Gaat Rachy dood?'

'Nee!'

'Ga ik dan dood?'

'NEE!' schreeuwt mijn moeder. 'Jullie gaan geen van tweeën dood!'

Ik werp een blik uit het raam en zie de in vele meters zebrastof gehulde wegbrengmoeder het paadje op komen waggelen. Ze ziet er niet zo blij uit. Mijn moeder duwt mijn zusje naar buiten en kijkt mij diep in de ogen. 'Rachel, kijk me aan. Cholera krijg je als je de stront van andere mensen drinkt. Heb jij stront gedronken van andere mensen?'

'Jij weet niet wat er op die school allemaal gebeurt,' zeg ik duister. 'Het is er *erg* smerig.'

'En jij,' zegt mijn moeder met haar gezicht vlak bij het mijne, 'bent een godallemachtig raar kind.'

Vroeger was het helemaal nooit wat geworden. Het had altijd alleen maar in mijn hoofd gezeten. Maar nu had ik een onvervalst en onmiskenbaar fysiologisch symptoom dat zich als een zacht sneeuwbuitje over mijn hele lichaam verspreidde, en daar had ik helemaal zelf voor gezorgd. Niemand anders had dat gedaan dan deze Rachel, uit Omaha.

Ik kon niet anders dan toch echt een beetje trots zijn.

Hoofdstuk 2: LUNCH

Lunch – wie zit daarop te wachten? Jij in elk geval niet! Je bent tenslotte een druk-druk-druk meisje! Er moeten zaken gedaan worden, artikelen geschreven, werelden veroverd – en dan heb ik het nog niet eens over fitness, steppen en power-yoga. Oef! Maar soms hebben zelfs supermagere supervrouwen behoefte aan een oppeppertje halverwege de dag. Voel je niet schuldiger dan nodig met deze geweldige lunchoplossingen!

Hardgekookte verrassing voor uitgekookte dames
Je kent het type wel. Je ziet ze in films, doorgaans met een sigaret in de ene hand en een man in de andere. Goedgebekt, flitsend, slank, welverzorgd en zeer beheerst – van die dames die je niets hoeft te vertellen. Ze laten zich dan ook niet gauw verrassen, behalve dan door deze lunch, waarvan iederéén zich gegarandeerd een prachtige prima donna gaat voelen.

Ingrediënten
1 ei (75 calorieën)
mosterd
zout (naar smaak)
peper (naar smaak)
tabasco of andere scherpe saus

Kook het ei hard en pel het. Snijd het in de lengte doormidden. Verwijder zorgvuldig de hele dooier en gooi die weg. Smeer mosterd over de snijvlakken van beide eiwitten. Breng op smaak met peper en zout en een ruime hoeveelheid tabasco (scherpe saus kan de stofwisselingfuncties met wel dertig procent versnellen, dus niet te spaarzaam gebruiken). Plak de eierhelften tegen elkaar (gebruik de mosterd als lijm) om er weer een heel ei van te maken. Neem een grote hap. Zonder de dooier kost dat voorheen zo dikmakende ei je maar 15 calorieën! Is dat een verrassing of niet?!

Stevige opkikkerlunch

Luchtig, bruisend, en grappig om te eten – deze lunch valt niet te verslaan! Een echte traktatie, en even plezierig voor je smaakpapillen als voor je lijn. Er is maar één probleempje: wat ga je doen met al die extra energie?

Ingrediënten

twee blikjes Cola light of Pepsi light (naar persoonlijke voorkeur)
1 Twizzler (30 calorieën)

Bijt beide uiteinden van het holle snoepgoedstaafje af en houd die apart. Maak het eerste blikje cola open en drink het leeg, waarbij je de Twizzler als rietje gebruikt. Doe hetzelfde met het tweede blikje. Eet de Twizzler op, samen met de beide apart gehouden uiteinden. Experimenteer ter afwisseling eens met Twizzlers in andere smaken – chocolade, watermeloen, of zelfs druif!

En voor een extra kick:

Stevige opkikkerlunch speciaal

Volg de aanwijzingen voor de Stevige opkikkerlunch, maar als je het tweede blikje hebt opengemaakt, drink het dan voor een derde leeg, en vul het restant aan met wodka. Drink het blikje leeg met de Twizzler als rietje. Eet nu de helft van de Twizzler op, en gebruik de andere helft om een lijntje cocaïne te snuiven. Eet deze helft van de Twizzler, aan de binnenzijde nu bedekt met cocaïne, eveneens op. Herhaal dit proces naar behoefte.

Opmerking betreffende de aankoop van cocaïne: dit behoeft geen probleem te zijn wanneer u in een stedelijke omgeving woont en regelmatig kunt beschikken over een pinpas; verkeert u in een plattelandsomgeving, gebruikt u dan ter vervanging rustig een zelfgemaakte metamfetamine (zie recept op bladzijde 367). Eet smakelijk!

Waarschijnlijk is geen dier zo absurd oververtegenwoordigd op de muren van medische instellingen als de kat, en dat is vreemd wanneer men bedenkt hoe notoir onverschillig juist dit dier staat tegenover het menselijk welzijn. Katten kan het geen bal schelen hoe jij je voelt. Zelfs als je kreunend op de bank ligt na een heftig rondje chemotherapie, loopt de kat nog rustig dwars over je gezicht in de richting van de kamerplant die hij wil verwoesten. Toch zijn er om de een of andere reden overal in de gezondheidszorg afbeeldingen te vinden van katten die zelfgenoegzaam naar je grijnzen terwijl je een wortelkanaalbehandeling ondergaat of een aanranding uit je kindertijd naspeelt met behulp van vingerpoppetjes, en moedigen je aan met teksten als: 'Doorbijten!' en: 'Laat je niet kennen!'

Zo zat ik ook nu naar zo'n kat te kijken. Het was een boosaardige siamees die gevaarlijk dicht in de buurt was geslopen van een grote plak kunstig geglaceerde cake, waarbij hij zijn meedogenloze blauwe blik op de toeschouwer richtte alsof hij wilde zeggen: 'Precies, ik ga hier boven op jouw toetje mijn gat zitten likken. Daar heb je niet van terug, hè, klootzak?' Het beest was glanzend geplastificeerd om hem te beschermen tegen speekselaanvallen van minder evenwichtige patiënten en hing vlak boven het gebogen hoofd van de diëtiste die mij op medische indicatie was toegewezen, en die het felgekleurde plastic voedsel netjes aan het sorteren was op de tafel.

'En deze nog... zo!' Ze lachte verrukt en legde het plastic bergje erwten bij de plastic banaan, de plastic appel, de plastic hamburger met plastic sla, plastic kaas, plastic tomaten, en plastic bacon.

Ik pakte een plastic kippenpootje van de tafel en bekeek het van verschillende kanten. 'Mijn zusje had er hier een heleboel van toen we klein waren. Ze speelde altijd voedselbankje in de kelder.'

De diëtiste lachte, of althans, ze maakte het gebaar van lachen door haar hoofd zodanig te schudden dat haar pijlvormige oorbellen van zilver en turquoise tegen haar hals sloegen, zonder er enig geluid bij te maken. 'Is dat niet grappig? Wat schattig!'

Er zijn allerlei dingen die een mens kan doen om mijn wantrouwen te wekken. Gemaakt lachen en indiaanse sieraden dragen als je niet duidelijk van indiaanse afkomst bent staan daarbij hoog op mijn lijstje, samen met duimringen, een fixatie op studentensport, en het regelmatig aanroepen van God elders dan in een gebedshuis. Maar ik haatte haar ook omdat zij probeerde me dik te maken.

'Deze helpen ons bij het beter leren inschatten van de grootte van de porties,' zei ze, en ze griste het kippenpootje uit mijn handen om het terug te leggen bij de rest van de vleessoorten op tafel. 'Om gezond te blijven moet je elke dag een bepaald aantal porties eten uit elk van de vier voedselcategorieën. Een goede vuistregel om de grootte van zo'n portie te bepalen, is dat je daarbij denkt aan je eigen vuist.' Ze hield mij haar eigen vuist voor, waarvan de duim versierd was met een belachelijk dikke zilveren ring, waarin indiaanse stammotieven waren gegraveerd.

Ik huiverde. 'Mijn vuist?'

'Een portie fruit of groente, bijvoorbeeld een appel, een trosje druiven, of een portie gekookte groente, heeft ongeveer de omvang van je vuist.'

Ik balde mijn vuist. Díé was geruststellend klein. 'En mensen die echt heel grote vuisten hebben dan? Moeten die ook meer eten?'

Ze negeerde mijn opmerking. 'Een portie eiwitten, zoals vis of biefstuk of kip, heeft ongeveer de afmeting van je handpalm. Nu eten de meesten van ons meer dan dat...'

'Ik niet!'

'De *meesten* van ons eten twee of drie van die porties per keer. De voedselcategorie waar we het meest van zouden moeten eten is die van het brood, of de graanproducten, de zogenaamde koolhydraten dus. Van die categorie hebben wij dagelijks zes tot elf porties nodig.'

'Nooit van mijn leven,' zei ik. 'Echt niet!'

'Ik begrijp wel dat koolhydraten een slechte naam hebben gekregen,' ging ze onverstoorbaar door, 'maar toch is dat niet veel. Eén zo'n standaardportie is bijvoorbeeld één boterham. Als je een sandwich eet, zijn dat alweer twee porties.'

'Ik kan me niet herinneren,' zei ik met zoveel mogelijk waardigheid, 'wanneer ik voor het laatst een sandwich heb gegeten.'

Ze klemde haar koraalrode lippen lichtjes op elkaar, en nam mijn hele 44,5 kilo nog eens goed in zich op: de knokige polsen, het vooruitstekende sleutelbeen, mijn vale gezicht dat begroeid was geraakt met dunne, zachte haartjes. 'Zou je wel een sandwich willen eten?'

Ik begon te huilen.

'Luister eens naar me.' Ze boog zich over de tafel en nam mijn nog altijd tot voedselportie gebalde vuist in haar hand. 'Op een dag, en dat zal helemaal niet zo lang meer duren, ga jij weer een sandwich eten. Dat beloof ik je.'

Schuldgevoelvrije sandwich à la Nan Kempner

Ontleend aan wijlen Nan Kempner, de grande dame van de New Yorkse beau monde en bijzondere modekenner. Zij deed ooit de beroemde uitspraak: 'Ik vind dat de meeste mensen op de wereld er zo walgelijk uitzien. Ik verafschuw dikke mensen.' Wij zijn het helemaal met je eens, lieverd.

Ingrediënten
2 grote slabladeren (10 calorieën)
1 plakje vetvrije Amerikaanse kaas (30 calorieën)
1 plakje vetvrije kalkoen (30 calorieën)
1 schijfje tomaat (5 calorieën)
mosterd, tabasco of een andere scherpe saus, of azijn

Leg de kaas, de kalkoen en de tomaat tussen de twee slabladeren, zoals je twee boterhammen belegt. Voeg mosterd, tabasco of azijn toe naar smaak. Bon appétit!

Hoofdstuk 3: DINER À DEUX

Op de relatiemarkt worden allerlei onaardige dingen gezegd over ons soort meisjes. Wij zijn 'bang voor onze seksualiteit'. Wij zijn 'beschadigde waar' of 'vragen veel onderhoud'. Mannen 'houden niet van zulke bonenstaken'. Dat laatste is de grootste leugen van allemaal en zij wordt vooral rondverteld door walgelijk dikke meisjes zonder vriendje die zich wat minder rot proberen te voelen als ze op zaterdagavond hun ijscoupe naar binnen schuiven. Tuurlijk, Dikkertje Dap. Mannen willen een vrouw waar een beetje vlees aan zit. Oké, ga dan nog maar eens voor de zevenendertigste keer naar het *Dagboek van Bridget Jones* kijken, en huil jezelf in slaap.

Laten we wat afspreken, dames. De eerstvolgende keer dat je George Clooney ziet met een vrouw die meer heeft dan maatje 34, ga je lekker een ijsje eten.

Als je de tijdschriften moet geloven zeggen mannen vaak heel verantwoorde dingen, zoals in die onderzoekjes in *Cosmopolitan*: 'Ik wil gewoon een vrouw die tevreden is met haar eigen lichaam en met zichzelf' of 'Als ik een vrouw zie eten als een varken, kan ik daar heel opgewonden van raken, want dat betekent dat ze in bed ook beestachtig zal zijn.' Maar vergeet niet: *Cosmo* geeft ook het advies om een donut om de pik van je vriend te doen en hem er dan vanaf te eten.

Als je vriend een pik heeft die door het gat van een donut past, wordt het trouwens misschien weleens tijd om een nieuwe vriend te gaan zoeken.

Naarmate je gewicht verliest en aantrekkelijker wordt, zul je meer aandacht krijgen van mannen dan ooit tevoren. De lekkere kerels die wat met je willen zullen gewoon over elkaar struikelen. Maar vriendjes betekent afspraakjes, en afspraakjes betekent eten. Gelukkig zijn er een paar waterdichte methodes om de schade beperkt te houden.

DELEN: Neem *Lady en de Vagebond* als inspiratiebron: niets is romantischer dan in elkaars ogen staren over een gedeeld bord pasta, en niets is eenvoudiger dan ervoor te zorgen dat hij niet in de gaten heeft hoe weinig daarvan over jouw lippen gaat. Neem één hap op zeven van hem, en voor je het weet is al het eten verdwenen. Bovendien wil hij vast niet wachten op een toetje!

KOKEN: Liefde gaat door de maag, maar dat hoeft niet per se de jouwe te zijn. Ga hartstochtelijk tekeer over de schanddaden die de vleesindustrie begaat tegenover dieren, en maak vervolgens een dikke biefstuk voor hem klaar. Hij zal oprecht geraakt zijn door jouw hypocriete praatje en zich er niet over verbazen dat jij het bij een salade houdt.

BEKENNEN: Als er iets is dat een man aantrekkelijker vindt bij een vrouw dan extreme magerheid, dan is het de innerlijke tegenhanger daarvan: extreme kwetsbaarheid. Toon je zwakte. Hij zal je onmogelijk kunnen weerstaan. Beken hem alles: je eetprobleem, je emotionele broosheid, de twijfel aan jezelf. Begin te huilen, eerst met een bescheiden traantje, maar dan met wat meer overtuiging, en net als hij je in zijn grote, sterke armen wil nemen, vraag je wat hij zou vinden van een potje troostrijke orale seks. Het onderwerp 'eetprobleem' blijft daarna waarschijnlijk niet lang overeind – maar iets anders wel!

Het duurde niet lang voordat ik de meeste medewerkers op de derde verdieping van het Studentengezondheidscentrum bij hun voornaam kende: Desmond, de Jamaicaanse beveiligingsman; Santos, de vriendelijke conciërge; en het zonnestraaltje Danita, de parttime receptioniste die sterk gehecht was aan de regels en die uitermate weinig scrupules had waar het ging om het tonen van haar minachting voor de verwende studentjes die zich in haar wachtkamer verdrongen in de hoop de fouten van een slordig weekend te kunnen corrigeren.

'Mag ik effe je pasje dan?' bulderde ze dan tegen zo'n ongelukkige studente.

'Eh... dat heb ik niet bij me.'

'Nou, dan moet je 't maar effe gaan halen.'

'Dat kan niet. Ik ben het geloof ik verloren.'

'Dus je heb geen pasje?'

'Nee.'

'Ja, maar zonder pasje ken ik niet bij jouw gegevens. Hoe moet ik jou nou in die computer krijgen zonder het nummer van je pasje?'

'Ik kan je mijn nummer wel geven, ik heb alleen mijn pasje niet bij me.'

Danita bekeek het meisje van top tot teen met minachtende blik.

'Waar kom je voor dan?'

'Ik kom voor de morning-afterpil.'

'De morning... after... pil.' Danita herhaalde de term alsof het zo'n vreemd nieuw begrip was dat elk woord ervan apart moest worden overdacht. 'De morning-afterpil,' herhaalde ze, deze keer zo luid dat alle andere mensen in de wachtkamer opkeken van hun acht maanden oude exemplaar van *Time* en hun blik richtten op de lichtzinnige die zich zo schaamteloos in hun midden had durven begeven. Niet dat ze deze behandeling uitsluitend reserveerde voor vrouwelijke patiënten – ik heb ook weleens het genoegen gehad te zien hoe ze omging met een jongen die de kliniek bezocht vanwege een klacht van intieme aard: 'Je hebt een *wat* op je edele delen?'

'Een *wrat*,' zei de jongen zo voorzichtig mogelijk.

'Ja, dat vraag ik,' drong Danita aan. 'Een *wat*?'

Niet iedere receptioniste ziet kans om een Abbott-en-Costello-act te maken van iemands eerste soa, en iemand met de zin en het talent om dat wel te doen dient alom geprezen te worden. Maar het was niet een en al komedie met Danita. Als de omstandigheden erom vroegen kon ze ook zorgzaam en liefhebbend zijn. Toen ik op een dag in de wachtkamer zat zei ze bijvoorbeeld tegen me: 'Jij ben te dun. Wat mankeer je? Heb je kanker of zo?'

'Nee,' zei ik. 'Volgens de dokter heb ik anorexia nervosa.'

'Anorex-a... is dat van dat je niet kan eten?'

'Precies.'

'Waarom ga je dan niet gewoon wat halen bij McDonald's? Ga toch gewoon een Big Mac halen of iets.'

'Dat kan ik niet,' zei ik. 'Dat is een serieus psychologisch probleem.'

Danita gooide haar hoofd in haar nek en lachte. 'Een probleem? Ach meisie, kom jij nog maar eens terug als je vijf kinderen heb en ze sluiten je gas en licht af. Dán hebbie een probleem. Tot het zover is, schatje, heb jij godverdomme nog helemaal geen probleem.'

Wat dat betreft deed ze me denken aan onze muziekjuf op school, een bazig type dat ons besnuffelde als we haar lokaal binnenkwamen, en iedereen die ze een beetje overrijp vond ruiken, naar de douches bij het gymlokaal stuurde. Op een middag zag ze dat ik duidelijk overstuur was over een of andere toestand, en onderbrak ze haar inspectie. 'Wat is er met jou aan de hand?'

Betraand legde ik het haar uit. Ik weet niet meer wat het was – een slecht proefwerkcijfer of iets met het rooster – maar het was in elk geval iets dat ik echt vreselijk vond. 'Wat moet ik doen?' vroeg ik snikkend. 'Wat moet er toch van mij terechtkomen?'

Ze slaakte een zucht die getuigde van de ervaringen uit een lang en treurig mensenleven. 'Ach kind,' zei ze, 'op een dag ben je volwassen, en dan ben je vergeten dat deze dag er ooit geweest is.'

De rest van mijn leven hebben die woorden me op moeilijke momenten altijd weer in de oren geklonken. Ik heb haar daarom liefgehad. Ook Danita had ik lief. Maar toch was ik blij dat niet zij achter de balie zat toen ik deze middag de wachtkamer binnenkwam, maar Gladys, een kleine, stevige vrouw die met haar bejaarde moeder in de Bronx woonde en die ervan hield om sieraden of accessoires te dragen die pasten bij het seizoen of het jaarfeest dat op dat moment het dichtstbij was – een gewoonte die, vond ik, een hartverwarmende bereidwilligheid toonde om van alles het beste te maken.

'Ha, Gladys,' zei ik.

'Ha, meisje,' zei Gladys met een glimlach. 'Waar moet jij zijn? Bij dokter Gupta weer?'

'Nee, Gladys, vandaag niet,' zei ik plechtig. 'Vandaag breng ik een bezoek aan de Afdeling voor seksuele en procreatieve gezondheidszorg.'

Gelukkig dat Danita er niet was. Godzijdank. Ik kon haar stem bijna horen – *Procre-wat? Heb jij daaronder ergens last van? Iets smerigs?* Gladys knikte alleen maar, gaf me mijn kaart en zei dat ik even moest wachten, dan zou zij gaan kijken wie er beschikbaar was.

Eerlijk gezegd verwachtte ik het ergste. Een week daarvoor had ik last gekregen van ernstige vaginale jeuk. Ik had een hele reeks smeersels en zetpillen uitgeprobeerd, maar die leken het ongemak alleen maar te verergeren. Bovendien was daar algauw de bijna onafgebroken afscheiding bij gekomen van een wonderlijk gekleurde vloeistof met de consistentie van afwasmiddel en de stank van – om het in één woord te zeggen – de *dood*. Wat een gore putlucht. Het rook als de binnenkant van een vuilniswagen. Het rook als een welgevulde vrieskist na een langdurige stroomuitval in augustus. Het rook als die lucht waarvan je in de ondergrondse soms opeens een vlaag treft: zo smerig, zo misselijkmakend goor, zo verpletterend, dat je zeker weet dat er vlakbij ergens een reusachtig knaagdier ligt weg te rotten, of dat er zich hier onlangs een dakloze had uitgekleed. Er huisde een boze geest in mijn vagina, een die me iedere keer dat zijn verpestende lucht mijn neus trof ziek dreigde te maken, en toen mijn vriend – als je tenminste iemand je vriend kunt noemen als jij verliefd op hem bent maar hij weigert jou zijn vriendin te noemen en je allebei ook weleens met iemand anders naar bed gaat – terugkwam van buiten de stad en vertelde dat hij verliefd was geworden op iemand anders en niet langer geïnteresseerd was in geslachtelijke omgang met mij, was ik zo opgelucht dat ik hem desondanks bij me in bed liet slapen. Hij kon die avond nergens anders heen omdat hij zijn kamer voor de zomer had verhuurd aan een stel uit Delaware, en omdat de bank al bezet was door een kennis die drie maanden daarvoor uit Arizona naar New York was gekomen en vooralsnog geen tekenen gaf ook weer te zullen vertrekken. Ik stopte dus een stuk sterk geurende zeep in mijn onderbroek om de stank te maskeren, en hoopte er het beste van. De volgende morgen was hij vertrokken voordat ik wakker werd, en de drie dagen daarna bleef ik op mijn kamer, plezierig ondergedompeld in een krat Schotse whisky. Toen de whisky opraakte, bespeurde ik dat ik een barstende koppijn had. Ook realiseerde ik me dat de stank erger was geworden dan ooit, dus zocht ik een taxi (de enige plek waarvan ik zeker wist dat een andere lichaamsgeur de mijne zou overheersen) en bereikte zo de plek waar ik nu al bijna twee jaar zorg en troost had gevonden.

'Nou, hier heb ik je gegevens,' zei de verpleger, een man in blauwe verplegerskleding die ik nog nooit eerder had gezien. Ik kwam niet vaak op de afdeling voor seksuele en procreatieve gezondheidszorg. 'Ik zie dat je wordt behandeld voor anorexia? Door dokter Gupta? Gaat dat goed?'

'Prima,' zei ik.

'Lijkt mij ook,' zei hij. 'Dokter Gupta heeft hier genoteerd dat je wat bent aangekomen. Daar zal ze blij mee geweest zijn.'

Ik was vijf kilo aangekomen, om precies te zijn, en de laatste keer dat ik dokter Gupta had gesproken, vier weken daarvoor, was ze inderdaad dolblij geweest.

'Je bent buiten de gevarenzone!' had ze gezegd terwijl ze verrukt in haar handen klapte.

'Ja,' zei ik.

'Hoe vind je dat zelf?' vroeg ze me haastig.

'Ik ben erg blij dat ik niet meer het gevaar loop van een plotselinge hartstilstand,' zei ik.

'Het is geweldig,' antwoordde ze. 'Echt. Je kunt reuzetrots op jezelf zijn. En zal ik je eens wat vertellen?' Ze begon opgewonden te fluisteren alsof ze me wilde gaan verklappen wat de Kerstman dit jaar voor me mee zou brengen. 'Nog een paar pondjes, en dan ga je misschien zelfs weer menstrueren!'

Ik vertelde haar maar niet dat ik inderdaad gevaarlijk dicht in de buurt van een gezond gewicht was gekomen, maar dat minstens 75 procent van mijn verhoogde calorieopname bestond uit alcohol. Ze was zo blij, en het leek me erg wreed om die vreugde te verstoren.

Na allerlei eindeloze verhalen van gediplomeerde deskundologen uit de gezondheidszorg over uiterst dreigende complicaties en ondervoeding, en na samen met mijn vriendin Bj en een portie lsd gekeken te hebben naar *Superstar; The Karen Carpenter Story*, had mijn angst voor de dood het eindelijk gewonnen van mijn angst voor voedsel. Net. Ik vond mezelf nog steeds niet erg dun, maar de drank leek een goed compromis. Er zaten wel veel calorieën in, maar dan op een goeie manier – die calorieën waren niet alleen voedsel voor je lichaam, maar ook voor je ziel. Ik ontdekte ook dat de drempelverlagende werking van alcohol een hele steun was als ik normaal voedsel wilde proberen. Na een paar stevige wodka's als ontbijt, kon ik wel een bakje yoghurt en twee droge sneetjes geroosterd brood aan. Nog een snelle borrel halverwege de ochtend en dan ging er zelfs wel een banaan in. Een lekker glaasje whisky bij de lunch en wie weet schrok ik dan niet eens meer van een eidooier.

'Goed,' zei de verpleger. 'En wat is het probleem?'

'Ik denk dat ik een ontsteking van de urinewegen heb,' loog ik.

'Waar heb je last van?'

Ik somde de symptomen op. Na een halve minuut uiterst onprofessioneel te hebben gezwegen, hervond hij zijn evenwicht. Tja, kut, dacht ik.

'Dat klinkt niet als een urineweginfectie.'

'O,' zei ik onnozel. 'Niet?'

Hij zweeg even en tekende een rondje in het hoekje van mijn kaart. Toen vroeg hij: 'Ben je in de laatste paar maanden seksueel actief geweest?'

De alcohol die ik consumeerde hielp me dagelijks een stapje verder uit de buurt van een dreigend hartfalen, maar zorgde er ook voor dat ik regelmatig een black-out had, soms van uren achterelkaar. Maandenlang was ik 's morgens thuis in mijn bed wakker geworden zonder dat ik me kon herinneren hoe ik daar toch ook weer was terechtgekomen, maar de laatste tijd was het allemaal wat ingewikkelder geworden. Soms dronk ik even gezellig een cocktail op een zonnig terras in Greenwich Village en dan vond ik mezelf opeens een paar uur later terug bij een laat dinertje in Chinatown te midden van een ruige groep volkomen vreemden, of hand in hand met een Senegalese horlogeverkoper in de rij bij de drogist om haarverf te kopen. In vage flarden herinnerde ik me wel mannen – een hand, een mond, een washok – maar hoe ver we al dan niet waren gegaan, wist ik niet. Gezien mijn demografische status echter (een eeuwig ladderzatte tweeëntwintigjarige studente experimenteel theater met een problematisch zelfbeeld en zonder stringente religieuze of morele overtuigingen, woonachtig in New York City), zou een gokker wel weten waar hij zijn geld op moest zetten.

'Ik denk het wel,' zei ik.

Vanwege het feit dat ik slechts een warrig beeld wist te schetsen van de pelgrims die de laatste tijd de gewijde toegang tot het Allerheiligste hadden mogen passeren, vroeg de verpleger mij of ik bereid was mijn voortplantingsorganen aan een onderzoekje te laten onderwerpen. Dat was ik. Hij deelde mij mee dat het mogelijk was dat ik slachtoffer was geworden van een opportunistische infectie, die door onbeschermd seksueel contact kon worden overgedragen. Ik moest bekennen dat ik daar ook weleens aan gedacht had. Nadat ik de nodige toestemmingsformulieren had getekend, volgde ik hem door de gang naar een klein onderzoekkamertje, waar hij mij een papieren hemd overhandigde en hoffelijk afscheid nam.

'Succes,' zei hij.

'Dank je wel,' zei ik. 'Je hebt je fantastisch gehouden.'

Daar moest hij van blozen. 'O, nou ja, dat hoort er allemaal bij.'

Ik kleedde me uit en ging op de onderzoektafel zitten. Het gladde papier was koud aan mijn blote billen. De Stank begon het vertrek te vullen, en ik klemde mijn benen tegen elkaar in de hoop die lucht zoveel mogelijk bij me te houden, toen de deur openging.

Ze herkende mij niet meer, maar ik wist onmiddellijk wie ze was. Als je bij de gezondheidsdienst van een universiteit werkt, moet je een echt manusje-van-alles zijn; je moet net zo makkelijk een gebroken been kunnen zetten als een uitstrijkje maken of een intraveneuze injectie geven, en dit was dezelfde vrouw die mij behandeld had toen ik in het begin van het eerste jaar in de kliniek terecht was gekomen met ernstige uitdrogingsverschijnselen ten gevolge van een bijzonder heftige (en onbehandelde) streptokokinfectie. Ondanks protesten van de leiding had ze een bed voor me geregeld, en had ze naast me gezeten en mijn bezwete voorhoofd gedept terwijl ik een glas appelsap door mijn gezwollen keel probeerde te persen. Ze had mijn moeder voor me gebeld en mijn telefoontje tegen mijn oor gehouden zodat ik haar stem kon horen. Ze had me papieren zakdoekjes gebracht toen ik lag te huilen van heimwee, zich verbaasd over mijn leeftijd – 'Ach, je bent nog zo'n kind!' had ze gezegd – en me verzekerd dat ik een dapper meisje was. En nu, twee jaar later, was ik opnieuw aan haar zorg toevertrouwd, maar dit keer als een patiënt met een serieus psychiatrisch probleem die opzettelijk de goede gezondheid had ondermijnd die zij destijds zo ijverig had helpen behouden, en zat ik hier jeukend en stinkend – *stinkend!* – vanwege een ziekte die ik had opgelopen van een van de talloze, naamloze mannen aan wie ik mezelf lichtzinnig had geschonken. En o ja, ik was waarschijnlijk ook nog alcoholist. Beschaamd liet ik het hoofd hangen.

'Oké!' zei ze opgewekt terwijl ze mijn gegevens doornam. 'Dus vandaag doen we een soa-controle?'

Ik tilde mijn hoofd een beetje op om te knikken.

'Wil je misschien even gaan liggen, zodat ik een kijkje kan nemen?'

Ik schoof naar het midden van de tafel, legde mijn voeten in de beugels, ging achterover liggen, en deed mijn knieën uit elkaar, terwijl ik haar gezicht bestudeerde om de walging erop te kunnen lezen op het moment dat ze door de stank werd getroffen.

Maar er gebeurde niets. Alleen het koude, vertrouwd onaangename gevoel van het speculum.

O, doktoren! Gij, die uw weerzin hebt weten te overwinnen voor de misselijkmakende lichaamsfuncties van andere mensen, gij wier koele, medische pokerface de patiënt de indruk vermag te geven dat zijn walgelijke lichaamsvochten en gruwelijke wonden helemaal niet zo erg zijn, gij die uw eigen angst voor dood en verval en voor de mogelijkheid iets lelijks op te lopen hebt weten te temmen in het belang van de wetenschap, in dienst van de hoop, en om de levens van uw medemensen te redden – welk een wonder! Welk een nobele, onvoorstelbare, onmogelijke taak is het dokterschap!

'Aha, hier zit het probleem.' Mijn dokter (ik zou er later achter komen dat zij in werkelijkheid een doktersassistente was) klonk opeens precies als een automonteur. Ze liet het speculum even op zijn plaats zitten om andere rubberen handschoenen aan te trekken. 'Wanneer was je laatste menstruatie?'

'Ik menstrueer niet,' zei ik, zo waardig als mogelijk was met ontbloot onderlichaam en een metalen klem aan mijn schaamdelen. 'Ik ben anorexiepatiënt.'

'Dat kan wel zijn,' zei de doktersassistente, 'maar je hebt hier binnen een tampon zitten. En die zit er al een week of twee, drie, zo te zien.'

?

??

???

'Ik... ik wist niet dat dat kon,' fluisterde ik.

'Ik ook niet,' zei ze. 'Maar er zit ook wat bloed, dus het ziet ernaar uit dat je toch echt ongesteld bent geweest. Was je gewoon vergeten dat-ie erin zat?'

'Ik heb de laatste tijd erg veel gedronken,' zei ik.

'Ik zal hem er in stukjes uit moeten halen,' zei ze. 'Ik ben eerlijk gezegd verbaasd dat je nog leeft.'

'Misschien heeft al die alcohol ervoor gezorgd dat het niet kon ontsteken,' zei ik met een zwak lachje. 'Je weet wel, in films ontsmetten ze daar ook dingen mee en zo.'

Ze keek me een lang ogenblik aan, met de operatieschaar in haar hand. 'Dat lijkt me niet erg waarschijnlijk,' zei ze ten slotte.

Was het mogelijk? Had ik werkelijk zoveel gedronken? Zoveel dat ik me niet eens meer kon herinneren dat ik voor het eerst in acht maanden weer ongesteld was geworden? Terwijl de langgerekte instrumenten heen en weer gingen tussen mijn benen, op de terugweg steeds voorzien van een plukje bevuild wit katoen, probeerde ik vruchteloos te reconstrueren wat er gebeurd kon zijn – een vlek in mijn slipje, een knie op de rand van de wasbak om de tampon er makkelijker in te krijgen. Had ik premenstruele symptomen (hoofdpijn, kramp) misschien aangezien voor een kater? Waren het misschien tampons geweest, en geen haarverf, die ik had willen kopen met die Senegalese horlogeverkoper? Uiteindelijk moest ik uit wetenschappelijke overwegingen de conclusie trekken dat ik werkelijk zoveel had gedronken.

De assistente was klaar. 'Oké! Kleed je maar aan. Ga naar huis, neem een douche, dan ben je weer helemaal in orde. Ik zal tegen dokter Gupta zeggen dat je weer menstrueert. Dat zal ze erg fijn vinden!'

'Dank je wel,' zei ik. 'Weet je zeker dat ik geen medicijnen nodig heb of... wat dan ook?'

Ze keek me een ogenblik aan. Haar gezicht was plotseling wat hartelijker, en ik dacht even dat ik een glimp van herkenning in haar ogen zag.

'Misschien moet je toch maar niet meer zoveel drinken,' zei ze zachtjes. Ze glimlachte even. 'Je bent nog zo'n kind.'

Een paar weken later werd dat kind om 7.34 uur 's morgens wakker aan het infuus op een brancard in een ziekenhuis in het centrum van New York, waar het een paar uur eerder per ambulance was afgeleverd. Ze had rijtwonden in het gezicht, drie hechtingen in haar knie, en een barstende hoofdpijn. De arts die haar behandelde wist niet precies te vertellen wat voor ongeluk het kind had gehad, maar wel dat de wakkere medewerkers van de afdeling spoedeisende hulp het kind hadden onderzocht met het oog op een eventuele verkrachting, en toen ze op dat punt niets hadden gevonden, haar maag hadden leeggepompt, haar wonden hadden verzorgd en een infuus hadden aangebracht om uitdroging te voorkomen. De medewerkers waren het erover eens dat het kind waarschijnlijk in een staat van verregaande dronkenschap op straat in elkaar was gezakt en zichzelf had bezeerd, waarna een welmenende maar anoniem gebleven passant de ambulance had gebeld. Om 9.12 uur werd het kind losgekoppeld van haar infuus en op eigen risico uit het ziekenhuis ontslagen, met in haar hand het recept voor een mild antibioticum, een zalfje, en de ziekenhuisrekening voor verleende diensten. De rekening voor de ambulance, voegde men haar nog toe, kwam binnenkort met de post.

10

Zo'n leuk meisje als jij

Toen ik heel klein was had ik drie serieuze carrièreopties. Eén: ik wilde wel iemand worden die voor zijn beroep met speelgoed mag spelen. Of twee: professionele neuspulker.

'Die begrijp ik niet helemaal,' zei mijn moeder. 'Bedoel je nou dat je geld zou willen verdienen met in je neus pulken? Of in de neus van andere mensen?'

'Allebei,' zei ik.

'Nou ja,' zei ze. 'Het is fijn als je iets kunt doen waar je van houdt.'

Het derde was dat ik wel een restaurant zou willen beginnen waar alle maaltijden werden bereid met poep of pies als basisingrediënt. Poepsteak met piessaus. Piesza. Spaghetti poepagnese. Piessoep met poepzahballetjes. En als dessert de keuze uit Piesijs, Poeptaart of Chocoladepoeperij (een soort pudding, maar dan steviger en voedzamer). Ik maakte een menukaart van knutselkarton, waar ik alle gerechten zorgvuldig op tekende met kleurpotlood, maar toen ik de juf vroeg om me te helpen de namen van mijn creaties eronder te schrijven, belde ze mijn moeder.

'Nou en?' vroeg mijn moeder boos. 'Moeten alle kleine meisjes dan Barbie willen worden als ze groot zijn?'

Toen ik groter werd en mij sneller ergens voor schaamde, begon mijn lijst met mogelijke beroepen wat conventionelere keuzes te vertonen. Prinses wilde ik wel worden. Of bruid. Of astronaut. Zo'n archeoloog als Indiana Jones. Of nazi-jager zoals Simon Wiesenthal. Rond mijn tiende hield ik het bij de vrij alledaagse ambitie om filmster te worden, maar tot schrik van alle mensen die het goed met me voor hadden, ben ik daar nooit overheen gegroeid. Twaalf jaar later, toen ik was afgestudeerd van de toneelschool en ik geen agent had, geen manager, geen aanbiedingen, en geen commercieel aantrekkelijke kwaliteiten, zag mijn lijstje van gewenste beroepen er als volgt uit.

1 Actrice
2 Filmactrice
3 Tv-actrice
4 Ster
5 Filmster
6 Tv-ster

Blijf realistisch, waarschuwde het plan-uw-carrière-boek dat mijn vriendin Bj voor me had gejat bij Barnes & Noble.

7 Cynica
8 Verteller
9 Gevat auteur

Ga een stevige uitdaging niet uit de weg!

10 Cynica, verteller *en* gevat auteur!

Denk aan je hobby's, de dingen die je graag doet. Wat zijn beroepen die dergelijke elementen bevatten?

11 Zuiplap
12 Prostituee voor sterk op de nacht georiënteerde *singer/songwri-*

ter-types zonder geld in South Williamsburg

13 Cocaïnedealer

En durf ook te dromen!

14 Winnares van de bronzen olympische medaille ijsdansen voor
   dames
15 HKH de Prinses van Wales
16 President van de Verenigde Staten

'Flikker nou toch op,' is de reactie van mijn moeder. Toch is die
lijst met mogelijke beroepen haar idee geweest. Mijn moeder is
erg goed in lijstjes: boodschappenlijstjes, takenlijstjes, lijstjes
van dingen om je druk over te maken in dalende volgorde van ra-
tionaliteit, lijstjes van mensen die beknibbelen op de lekkernijen
bij hun *Oneg Sjabbat*†. 'Besef jij wel dat je kleine zusje, die nog
maar net in de bovenbouw zit, al haar zakgeld zelf verdient met
babysitten?'

'Maar jij beseft niet hoe het hier in New York is, op dit moment,' protesteerde ik. 'Er is helemaal geen werk.'

'Ik geef je je vader.'

Mijn vader pakte zijn telefoon op. We wachtten allebei een tijdje in stilte, totdat mijn moeder snapte waarom en de hoorn neer-
legde.

---

† Voor de heidenen! Moogt gij leven in vrede! Een *Oneg Sjabbat* is een receptie na de
dienst van vrijdagavond of zaterdagmorgen, die gewoonlijk wordt gehouden in het
zaaltje dat bij de synagoge hoort en die betaald wordt door iemand die iets te vieren
heeft: een bar mitswa, een jubileum, of een verloving. Laat het me je als volgt duidelijk
maken:
 – Bloemstuk: $300
 – Eiersalade voor 250 pers.: $150
 – 18 noedeltaarten $214
 – Je familie en vrienden de kans geven je jaarinkomen te schatten op grond van de vraag
   of je plakjes gerookte zalm dan wel een gehele gerookte zalm serveert: onbetaalbaar.

'Doe dan alsof,' zei hij hulpeloos. 'Probeer dan tenminste de schijn te wekken dat je pogingen doet om geld te verdienen'. Hij zuchtte. 'Dat zou het voor mij een stuk makkelijker maken hier.'

Het jaar waarin ik afstudeerde was het eerste na wat nog steeds weleens wordt aangeduid als 'de recente gebeurtenissen'. We waren enthousiast, optimistisch en vol plannen begonnen aan ons laatste jaar toen het gebeurde: op een schitterende ochtend, terwijl we op onze dakterrassen nog wat na zaten te doezelen boven onze koffie en ons af zaten te vragen of we dat college antropologie niet zouden kunnen overslaan ook al hadden we er nog maar één les van gevolgd, sloeg een vliegtuig te pletter op het World Trade Center. We staarden geschokt naar dit beeld dat kunstig geconstrueerd leek als een voorbeeld van conceptuele fotografie uit het Whitney Biennial, en hadden nog maar net onze camera's tevoorschijn gehaald om dit krankzinnige, niet te verzinnen ongeluk vast te leggen toen uit de stralend blauwe hemel een tweede toestel de tweede toren trof. Vanaf het dakterras weerklonk een meerstemmig *'Godverdomme!'* over Brooklyn, en wij realiseerden ons dat dit geen ongeluk was. We renden naar beneden en zetten de radio, de televisie en de computer aan, en kregen te horen dat dit het einde van de wereld was. Dus belden we onze ouders op, maar we kwamen er niet doorheen. Dus dronken we onze koffie op en keken we naar het journaal vol gillende en rennende mensen helemaal onder de as, en we huilden en gingen weer terug naar het dak, net op tijd om die verdomde Twin Towers te zien instorten, om ze te zien verkruimelen tot stof als iets uit het Oude Testament, en overal dwarrelende papieren, een decennia-oude verzameling gegevens en cijfers en jaarverslagen en bankafschriften die de hemel vertroebelden, en we waren heel blij dat ons dak niet zo dicht bij het water was dat we de lichamen konden zien vallen, hoewel we ons levendig realiseerden dat het gebeurde. En plotseling beseften we dat het al drie uur geleden was – *drie uur* – dat het gebeurde en dat we nu echt niet meer naar antropologie gingen, en dus gingen we weer naar binnen en belden we onze vaders en moeders nog een keer, deze keer via ons vaste toestel, en nu kregen we wel gehoor en zij huilden en krijsten en dankten God dat ons niets overkomen was, en wij zeiden: 'Mam, de enige keer dat ik in het World Trade Center geweest ben was die keer dat de vader van mijn vriendin over was uit Maryland en ons meenam naar Windows on the World en heel dronken werd van de Glenlivet en met me naar bed wilde,' en onze vader vroeg ons of wij niet naar huis wilden komen, want alle vluchten waren dan wel geannuleerd, maar dan kwam hij wel met de auto naar New York, dan reed hij wel de hele nacht door als het moest om ons op te halen, we hoefden het maar te zeggen, en tegen beter weten in maar met enige trots zeiden wij: 'Nee, dank je wel, ik probeer het hier wel vol te houden.' En toen belde ons kleine zusje om te zeggen dat ze huilend van angst uit de wiskundeles was weggerend en zich een uur lang op de wc had verstopt en alsmaar had geprobeerd ons te bellen op haar mobieltje totdat het eindelijk lukte, en wij kalmeerden haar en zeiden dat we niets mankeerden, dat het prima met ons ging, dat ze maar weer terug naar de les moest gaan, maar dat als wij het geweest waren we misschien wel de rest van de dag vrij hadden genomen. En omdat de telefoon het nog steeds leek te doen belden we de jongen met wie we weleens naar bed gingen maar voor wie wij meer voelden dan hij voor ons, en boden aan om met hem te trouwen om te zorgen dat hij niet in het leger hoefde als ze de dienstplicht weer gingen instellen, maar hij zei: 'Ik geloof niet dat het nog zo werkt, maar bedankt voor het aanbod,' en toen moesten wij toch even nadenken wat hij daarmee bedoelde. Maar daarbuiten gingen mensen dood en wij konden elk moment verschroeid worden door een atoombom, dus wij pakten weer de telefoon en belden onze grootouders, en onze grootmoeder zei dat onze grootvader naar fysiotherapie was, maar dat het verschrikkelijk was wat er was gebeurd, en hoe ging het met ons? En wij zeiden dat het prima ging met ons, maar dat we toch wel een beetje bang waren, en zij zei: 'Maak je maar geen zorgen hoor, popje. Het is net als toen ze Pearl Harbor aanvielen, en dat is toch ook allemaal goed afgelopen!'

Gesterkt door die opwekkende woorden zetten wij ons schrap. We rolden slaapzakken en luchtbedden uit en stelden onze kamers open voor vrienden die de hunne hadden verloren, en zagen toe hoe weer andere vrienden vertrokken naar New Hampshire, voor een paar dagen zeiden ze, tot dit allemaal was overgewaaid – om nooit terug te keren. We volgden onze lessen en spraken wekenlang over gevoelens, en lazen over een man die Osama Bin Laden heette, waar tot dan toe niemand van gehoord leek te hebben, maar van wie we inmiddels wisten dat hij een ongewoon lange Arabier was met een hartkwaal die in een grot woonde en een hekel had aan onze vrijheid, en ook waren we erachter gekomen dat de zwakzinnigheid van onze president niet alleen om te lachen was, maar ook uitermate beangstigend, en dat Giuliani, aan wie we een gruwelijke hekel hebben, en wiens roemruchte politiemacht ons ooit een bon van honderd dollar heeft gegeven voor wildplassen om drie uur 's nachts, voorlopig niet ging opstappen ook al was zijn termijn voorbij, en wij vroegen ons af hoe het zat met dit soort tijdelijke totalitaire bijwerkingen in de politiek, maar niet te hardop, want we waren toch vooral bang en verdoofd. Verdoofd althans tot die middag een paar weken nadat het gebeurd was, toen we over 6th Avenue liepen en overal die plakkaten zagen hangen, van die gefotokopieerde plakkaten met foto's erop: 'Heeft u mijn man gezien?', 'Heeft u onze mama gezien?', 'Heeft u mijn zus Michelle gezien?' Toen was het ons opeens allemaal te veel en gingen we midden op de stoep zitten, daar bij dat bagel-winkeltje, zomaar midden op het New Yorkse trottoir, waarvan iedereen weet dat je er hepatitis† van kunt krijgen als je het met je blote handen aanraakt, en barstten we in huilen

† Net als schelpdieren zijn de New Yorkse trottoirs niet kosjer.

uit. En een jongen die op de bus stond te wachten, zo'n hangtype, zo'n jeugdcrimineeltje voor wie je normaal gesproken als hij bij je in de lift zou stappen als je alleen was zou uitstappen (ook al voelde je je daar schuldig over), legde heel, heel zachtjes zijn hand op je schokkende schouder en zei: 'Ik weet hoe je je voelt.'

En toen kwamen de antrax en het verhoogde terreuralarm en de koppen in de *Post* waarin de Fransen laffe gluiperds werden genoemd, en oproepen tot genocide. We kregen foldertjes in de bus die waarschuwden dat we plastic folie en stevig plakband bij de hand moesten houden voor het geval er een bioterroristische aanval zou plaatsvinden, en toen was het Kerstmis en gingen we allemaal naar huis, naar onze eigen kleine stadjes waar we vertroeteld werden alsof we een oorlog hadden meegemaakt, en we waren dankbaar voor de aandacht, maar tegelijk ook weer blij om terug te kunnen, ook al dreigden we te worden vergast of te worden besmet met de pokken. En toen werd het lente en deden we eindexamen. Op onze buluitreiking was de belangrijkste spreker niet, zoals in de jaren daarvoor, Adam Sadler of Alec Baldwin of Martin Scorsese, maar iemand die beter paste bij deze moeilijke tijden: de hoofdcommissaris van politie, die een sober en afgemeten toespraakje hield over de 'nieuwe, zware uitdagingen die van alle kanten op ons af zouden komen terwijl wij onze weg zochten in deze nu zo heel andere wereld', waarmee hij bedoelde dat we nu niet alleen veel meer kans hadden om levend te verbranden in de ondergrondse of opgeblazen te worden tijdens een honkbalwedstrijd van de Mets, maar dat er ook geen banen meer zouden zijn. Geen banen, voor niemand. En de baantjes díé er waren, werden niet alleen begeerd door mensen die afgestudeerd waren aan de toneelschool en al gewend waren aan het vooruitzicht op een leven van ondergeschikte baantjes, maar ook door economie- een rechtenstudenten, die vorig jaar nog rechtstreeks van de universiteit werden aangenomen voor een jaarsalaris van tachtigduizend dollar, maar die nu een moord zouden doen voor een tijdelijk baantje als receptionist of barkeeper net als de arm-zaligste afgestudeerde theaterstudent.

'Jammer dat er geen baantje is waarbij je betaald wordt voor zelfmedelijden,' zei mijn moeder onbarmhartig.

Dat is er wel, mam! Dat zit je nu te lezen!

'Ik vind het fijn om medelijden met mezelf te hebben,' zei ik. 'Dat geeft me het gevoel dat ik het toch allemaal ergens voor doe, te midden van een vijandige wereld.'

'Mooi,' zei ze. 'En je kunt natuurlijk altijd een tijdje terugko-men naar Omaha. Hier zijn banen genoeg. We zijn niet voor niks de *telemarketing*hoofdstad van de wereld.'

Gelouterd en fris gedoucht (voor het eerst in een verontrus-tend lange tijd) kwam ik de volgende dag bij het uitzendbureau. Ik werd begroet door mijn intercedente, een vrolijke vrouw met een enorm kapsel die Tina heette. Stel je zoiets voor als Melanie Grif-fith in *Working Girl*, maar dan met een Melanie Griffith die erg dui-delijk van Staten Island komt.

'Wij zijn *zo* blij dat je aan ons hebt gedacht!' riep ze uit, alsof ik haar net gevraagd had de catering te verzorgen voor mijn miljoe-nenhuwelijk. 'Heel erg bedankt!'

'Nou eh... graag gedaan.'

'Goed, laten we eens kijken.' Ze zweeg even en bestudeerde het vragenformulier dat ik netjes had ingevuld. 'Je bent dus net afge-studeerd – gefeliciteerd! Maar wat een afschuwelijke tijd om de arbeidsmarkt voor het eerst te betreden. Er is op het moment ge-woon niets, helemaal niets.'

'Ik hoopte dat jullie me daarbij konden helpen.'

Ze beloonde me met een zogenaamd verontschuldigende grijns. 'Nou ja, we doen ons best! Meer kunnen we niet doen!'

Tina bracht me naar een klein, kleurloos vertrekje dat hele-maal leeg was afgezien van een klein, Indiaas mannetje dat ijverig op de toetsen van zijn computer zat te tikken.

'Dit is Mohan, onze technische medewerker,' fluisterde Tina theatraal.

'Hoi, Mohan!' zong ze. Mohan keek niet op of om. 'Hij is een beetje verlegen,' zei ze. 'Dat zijn ze meestal.'

Ik moest twee proefjes doen: een om mijn vaardigheid te testen in de Engelse taal, de andere met de computer. Ook moest ik een verklaring tekenen dat ik geen crimineel was, dan wel, voor zover ik wist, een misdadige gek. Of dit later tegen me gebruikt kon worden als een vorm van meineed wanneer ooit nog eens zou blijken dat ik wel degelijk een misdadige gek was, bleef onduidelijk. Tina kwam terug om de uitslag te bepalen en het goede nieuws te vertellen: ik sprak vloeiend Engels en ik kon typen. Ik zei dat ik erg blij was het te horen. Daarna gaf ze me nog een formulier, waarop ik mijn werkervaring kon specificeren.

'Alleen binnen New York,' zei ze, met opnieuw een valse verontschuldiging op haar gezicht. 'En graag zo gedetailleerd mogelijk.'

Zelfs op mijn halfhartige, Iejoorachtige zoektocht naar werk liep ik overal tegen hetzelfde aan: potentiële werkgevers waren uitsluitend geïnteresseerd in werkervaring die was opgedaan in New York. Al had je tien jaar ervaring als kelner in een viersterrenrestaurant in Chicago, al had je op eigen houtje een vastgoedimperium opgebouwd in Pittsburgh: de Starbucks op Astor Place weigerde je in te zetten, want geen enkele vorm van eerdere sociale interactie, hoe geavanceerd ook, kon je voorbereiden op de ultieme uitdaging een Mocca Frappucino te serveren aan een inwoner van Manhattan. Daarmee werd uiteraard gesuggereerd dat New Yorkers dermate kieskeurig waren, dermate veeleisend, en dusdanig ontdaan van ieder menselijk fatsoen, dat ieder zwakker wezen dat werd blootgesteld aan hun eisen – en zeker een wezen dat afkomstig was uit wat spottend 'de binnenlanden' genoemd werd – binnen de kortste ineen zou zakken als een slappe drilpudding en zich terug zou trekken op de personeelstoiletten om zich daar voor de kop te schieten, wat een hoop geklieder zou opleveren en een massa juridische problemen.

Ik heb trouwens wel een bescheiden hoeveelheid werkervaring opgedaan in New York, hoewel dat nergens staat geregistreerd en onmogelijk valt te verifiëren. Een week voordat mijn eerste studiejaar begon waren mijn moeder en ik gevlucht voor de dreigende orkaan van mijn vader die kastjes in elkaar aan het zetten was in mijn nieuwe kamer. We dwaalden wat door de straten en ontdekten bij die gelegenheid de Droomfabriek. Dat was een grote winkel in de West Village die gespecialiseerd was in vintage kleren en accessoires, en dan met name in spullen die een connectie hadden, hoe verwijderd ook, met Hollywoodsterren uit het Gouden Tijdperk. De wanden van de winkel waren bedekt met filmfoto's en glazen uitstalkasten zoals in een museum, waarin plateauschoenen tentoongesteld lagen die van Joan Crawford waren geweest, een zakdoek met monogram van Lana Turner, en een jurk die Ann-Margaret had gedragen bij de uitreiking van de Golden Globes in 1967. Dergelijke onbetaalbare voorwerpen waren niet te koop, maar waren bedoeld om meer betekenis te verlenen aan de dingen die wél te koop waren: een kokerrokje dat sterk leek op het rokje dat Anita Ekberg ooit gedragen had toen ze in Gstaad uit een straalvliegtuig stapte, of de handtas met een *K* erop waarmee je kon doen alsof hij van Kim Novak geweest was. De nabijheid van de geheiligde relikwieën in de glazen vitrines beïnvloedde uiteraard ook de prijs van de koopwaar.

'Tweehonderd dollar voor een trui met een gat erin?' riep mijn moeder. Ze trok haar hand terug alsof ze die aan het mohair had gebrand.

'Ja,' kweelde een grote man in een hawaïshirt, 'maar het is een originele Bobbie Brooks, vrijwel identiek aan de trui die Shirley Temple droeg in *The Bachelor and the Bobby-Soxer*.'

Toen we weggingen gaf ik de man mijn telefoonnummer en vroeg ik of hij me wilde bellen als ze ooit personeel nodig hadden.

'Waar heb jij een baantje voor nodig?' vroeg mijn moeder. 'Niet voor het geld. Je studiejaren zijn de laatste die je hebt voordat je moet gaan werken.'

'Het lijkt me leuk!' zei ik vrolijk. 'Het is een ontzettend leuke winkel! Bovendien ben ik daar vast heel goed in. Ik ben dol op homo's, en homo's zijn ook dol op mij.'

'O ja,' zei mijn moeder, 'en als jij volgende week op de toneelschool begint heb je natuurlijk een enorm tekort aan homo's in je omgeving.'

Toen mijn ouders waren vertrokken en ik mij een paar weken later bibberig begon te realiseren dat ze ook niet meer terugkwamen, kreeg ik een telefoontje van Charles, de grote man met het hawaïshirt uit de winkel. Ze konden me misschien wel gebruiken.

'Een beetje nieuw bloed is misschien geen gek idee,' zei Charles een beetje weifelachtig. Ik moest me de volgende zaterdag 's morgens om tien uur melden, dan zou Mel, de eigenaar, me kunnen ontvangen en een beetje wegwijs maken.

Onder de Droesem van het Sterrendom bevond zich een grote collectie memorabilia die betrekking had op Mel zelf, afkomstig uit zijn jonge jaren als presentator van een kindertelevisieprogramma in Baltimore en omgeving. Mel was nu een kwiek mannetje van achter in de zestig, die door de hele zaak fladderde en dingen tegen zijn jurken mompelde alsof ze nog altijd de beroemde vrouwen omspanden die er ooit in hadden rondgelopen. Toen hij mij zag lichtten zijn ogen op.

'Fantastisch. Weet je op wie jij lijkt? Ik bedoel, op wie jij echt precies lijkt?'

'Nee, op wie?' snorde ik.

'Op Monica Lewinsky,' zei hij. 'Echt waar. Helemaal precies. Ik bedoel, het is gewoon griezelig. Jij bent toch een soort van actrice? Dan moet je tegen je agent of wie dan ook zeggen dat als ze nog eens een tv-film of zo gaan maken over al dat gedoe, dat ze jou daarvoor moeten hebben. Ze nemen je geheid.'

'Ik heb geen agent,' zei ik tandenknarsend.

Hij bekeek me even van top tot teen. 'O, nee. Nee, dat zal ook wel niet.'

Mijn taken waren eenvoudig. Ik moest tussen de rekken rondlopen, en zorgen dat de kleren op kleur en stijl gesorteerd bleven, en meteen goed kijken of er nergens kleine gebreken aan waren – een kapotte ritssluiting, een losse zoom, ontbrekende kraaltjes. De dingen die gerepareerd moesten worden bracht ik naar achteren, waar een naaister zat die kleine reparaties en aanpassingen deed. Als er een klant binnenkwam, met name een klant die jonger was dan zestig die ruime kleding aanhad of een tas bij zich droeg, moest ik die op een afstand onopvallend tussen de rekken door volgen om ervoor te zorgen dat hij of zij niks stal. Mel had een ontzettende hekel aan winkeldieven; als klanten iets wilden passen, moest ik met ze meegaan de kleedkamer in, om ze met hun ritssluitingen te helpen en om te zorgen dat ze niks jatten.

'En wat als ze er geen vreemde bij willen hebben als ze zich omkleden?' vroeg ik.

'Als ze jou niet mee naar binnen laten, dan moet je zeggen dat het je spijt, maar dat je ze dan niet mag toestaan hier verder te winkelen,' zei Mel dreigend. 'Als ze jou niet mee naar binnen laten, zijn ze duidelijk niet veel goeds van plan.'

'Oké,' zei ik.

'En niet vergeten,' zei Mel. 'Als je daarbinnen bent moet je verkopen! Verkopen, verkopen, verkopen! En altijd goed op hun handtas letten en op de afmetingen van hun diamanten en sieraden. Daar kun je aan zien hoeveel ze gaan uitgeven.'

'Fantastisch,' zei een slanke man tegen mij terwijl ik een feloranje Pucci mini-jurk voor hem dichtritste. 'Ik wed dat je nog nooit eerder een heer in zijn cocktailjurkje hebt geholpen.'

'Nee,' sprak ik naar waarheid.

Hij trok de stof glad over zijn tengere heupen en draaide zich om om mij aan te kijken. 'Nou, meisjelief, welkom in Chelsea.'

Ik wees hem er maar niet op dat we in Greenwich Village waren.

Voor dit baantje als Rekkenwacht annex Kleedkamervoyeur & Taxateur kreeg ik zes dollar per uur, zwart. Mijn collega's, afgezien van Mel en de immer waakzame Charles, waren Janine, een bleek, mager vrouwtje dat zwijgend de wacht hield bij de onbetaalbare collectie namaakjuwelen naast de kassa, en Rita, een opgewekte kloon van Ruth Gordon die de werkdagen opvrolijkte met kleurrijke, elkaar royaal tegensprekende verhalen over haar leven als danseres bij de Rockettes, als hoedenmannequin bij Hattie Carnegie, deelpachter in Mississippi, en als gangsterliefje van een dranksmokkelaar. 'Maar dat was natuurlijk allemaal voordat ik met de baron trouwde,' zei Rita. 'Aan dat huwelijk heb ik trouwens een eind gemaakt toen ik erachter kwam dat hij met de nazi's heulde. Hier, neem een dadel. Die heb ik meegebracht uit Rome.' Rita was 117 jaar oud.

'Een klant!' siste Charles, die plotseling uit het niets was opgedoken. 'En ze heeft een *overall* aan. Maak het haar ongemakkelijk, zodat ze weggaat.'

'Trek je maar niks van hem aan,' fluisterde Rita toen hij buiten gehoorsafstand was. 'De medicijnen voor zijn hoge bloeddruk maken hem zo chagrijnig.'

Op een dag kwam er een vrouw de zaak binnen die een jurk zocht om te dragen naar een liefdadigheidsfeest in Florida. 'Te dik,' sputterde ze walgend toen ik stond te worstelen om de ritssluiting dicht te krijgen over haar rug en schouders. 'Dik, dik, dik.'

'U bent helemaal niet zo d...' begon ik.

'O, hou toch op,' beet ze me toe. 'Je hoeft me niet voor de gek te houden. Ik weet precies wat ik heb. Ik heb een leuk gezicht en mooie borsten, maar de rest is zo walgelijk dat mijn man zijn erectie voelt slinken als hij naar me kijkt. Hij zegt het zelf. Hij kan hem niet overeind houden omdat zijn vrouw zo'n walgelijk, dik varken is. O god.' Ze barstte in tranen uit. 'Wat moet ik doen? Wat moet ik toch doen?'

En wat moest *ik* eigenlijk doen? Ik vond het heel erg voor haar allemaal, maar ze kliederde met dat gehuil wel mascara over een koraalrode avondtuniek van Yves Saint Laurent die $785 moest kosten. Volgens de overlevering had niemand minder dan Elizabeth Taylor er weleens op geademd. 'Eh, misschien moet u er eens met uw man over praten... ik bedoel, als hij van u houdt...'

'O, hou toch op!' snauwde het mens. 'Hoe oud ben jij nou helemaal? Tweeëntwintig?'

'Achttien.'

'*Achttien?* Achttien!!!!!!!'

Haar wanhoopskreet rukte Mel weg van waar hij zachtjes stond te communiceren met een rek badpakken als gedragen door Sally Field.

'Wat is *hier* aan de hand?' vroeg hij streng, met het bovenstukje van een ruitjesbikini om zijn nek alsof het een meetlint was.

'Ze heeft... Ik weet niet...'

'Mijn man wil me niet meer neuken!' snikte het mens. 'Hij zegt dat hij net zo goed een gelatinepudding kan gaan naaien!'

'Het spijt me,' begon ik, maar Mel onderbrak me.

'Ik handel dit wel af,' zei hij venijnig. 'Jij hebt al meer dan genoeg gedaan.' Hij keek hoe ik me uit de voeten maakte, terug de zaak in, en riep me achterna: 'En schatje, heel fijn om te zien dat je eindelijk eens iets straks aanhebt. Wees trots op je vrouwelijke vormen!'

Ik begon eerlijker te worden tegen klanten, en commentaren te geven als 'Van achteren staat het u niet erg flatteus', 'In die kleur zie je eruit of je misselijk bent', of 'U heeft gelijk, vierhonderd dollar is wel een beetje veel voor een doordeweeks jurkje, ook al lijkt hij sprekend op de jurk die Shelley Winters aanhad in *A Place in the Sun*.' Als klanten vroegen waarom ik door de hele winkel achter ze aan liep, tot in de kleedkamer toe, antwoordde ik naar waarheid: 'Mijn baas vindt dat u eruitziet als een crimineel.' Na een incident naar aanleiding van een misverstand over de plaats van een rek met jarenvijftigcirkelrokken, dat leidde tot een krijsende ruzie tussen Mel en Charles, vluchtte ik naar achteren, waar Rita bezig was een forsgebouwd meisje in een blauwgroene jurk te helpen van Balenciaga met lovertjes en vage vlekken in de oksels.

'Waarom zijn ze nou zo kwaad?' vroeg ik huilend. 'Charles zei dat ik die rokken ergens anders moest neerzetten, maar toen moest ik ze van Mel weer terugzetten en ik probeerde alleen maar te doen wat ze zeiden, en ik ben moe en eenzaam en ik wil naar huis!'

Rita gaf me afwezig een schouderklopje. 'Kom, kom, kom. Zeg, heb ik jou weleens verteld dat ik een keer heb moeten buikdansen voor de sjah van Perzië?'

Opeens realiseerde ik me dat Rita niet goed snik was. Ze waren hier allemaal niet goed snik. Ik werkte in een winkel vol gekken, en als ik hier niet gauw wegging, zou ik ook op mijn negentigste ieder argeloos jong meisje dat in mijn stoffige web terechtkwam gaan vertellen over die keer dat prins Faisal me verkracht had vlak voordat ik olympisch goud zou winnen bij het alpineskiën voor vrouwen. Ik ging buiten de deur lunchen en belde een uur later vanuit een telefooncel naar Janine om te zeggen dat ik me niet lekker voelde.

'Mmm,' zei Janine.

De volgende dag belde Charles me op mijn kamer om te zeggen dat de Droomfabriek zijn dromen voortaan zonder mij zou vervaardigen. Op de een of andere manier had ik niet het idee dat een zwart baantje bij een modemausoleum dat geleid werd door een stel boosaardige en geschifte ouden van dagen die mij na vijf weken hadden ontslagen een waardevolle toevoeging zou vormen aan mijn cv.

'Geen werkervaring binnen New York?' vroeg Tina nog eens terwijl ze fronsend keek naar het klembord met mijn oningevulde vragenlijst erop.

'Ik ben net klaar met mijn studie,' zei ik. 'Is dat een bezwaar?'

'Nou ja,' zei ze opgewekt, 'het betekent alleen dat we je tarief moeten terugschroeven naar tien dollar per uur. Maar maak je geen zorgen. Jij komt wel op je pootjes terecht – zo'n leuk meisje als jij!'

Die avond werd ik gebeld door mijn oma, die nieuwsgierig was naar mijn succesverhalen vol glitter en glamour. Normaal gesproken zou ik wel iets voor haar bedacht hebben waar ze over kon opscheppen tegen haar vriendinnen: een verzonnen gesprek met een uit de duim gezogen agent, een niet-bestaande medische student die ik had ontmoet op een avond voor joodse singles waar ik nooit was geweest, een fictieve auditie voor een Spielbergfilm die niet bestond. Maar die avond was ik moe en hongerig, en binnenkort zou ik een uitzendkracht zijn, wat in Omaha een maatschappelijke positie was die alleen werd ingenomen door alcoholistische gescheiden vrouwen die met hun ex in de clinch lagen over de kinderen, de pitbull, en het kampeerbusje. Ik kon het niet opbrengen.

'Ik snap niet waarom jij niet gewoon naar dat ochtendprogramma op tv van *Regis en Kelly* gaat,' zei mijn oma, alsof ik daar alleen nooit was geweest puur uit eigenwijzigheid mijnerzijds. 'Ik weet wel dat het niet zo kunstzinnig is en weet ik wat, maar een heleboel van die jongelui zoals jij gaan naar *Regis en Kelly* en hopsakee, dan zie je ze ineens overal, op tv, in films, overal.'

'Oma, die mensen komen juist bij *Regis en Kelly* om hun films en tv-programma's te promoten!'

'Ja, maar die jonge mensen komen één keer bij *Regis en Kelly* en...'

'Omaaa,' zei ik zuchtend, 'die worden niet rijk en beroemd omdat ze een keer bij *Regis en Kelly* zijn geweest, die komen bij *Regis en Kelly* omdat ze al rijk en beroemd zíjn.'

'O,' zei mijn oma op dat speciale toontje dat ze heeft, alsof ze net een cadeautje heeft uitgepakt in een geschenkverpakking van Tiffany's waar dan een lege fles gootsteenontstopper in blijkt te zitten. 'En jij wilt dus niet rijk en beroemd worden, begrijp ik?'

'Nee oma, ik ben naar de toneelschool gegaan omdat ik arm en onbekend wilde blijven.'

Ze veranderde van onderwerp. 'Ik zal een pakketje voor je maken. Ik zal het je deze week sturen. Ik stuur je een paar heerlijke pakjes soep, van die hele lekkere. Hebben ze dat in New York ook wel, van die hele lekkere pakjes soep?'

'Vroeger wel,' antwoordde ik. 'Maar die zijn heel schaars geworden sinds de stad wordt belegerd door de boze roofridders uit Philadelphia.'

'Je moet je oude oma niet plagen, hoor,' zei ze. 'Je hebt er nog maar één.'

Het duurde weken voordat Tina, de intercedente van het uitzendbureau, me belde.

'Het is een hele slappe tijd,' verontschuldigde ze zich. 'Je had echt geen slechter moment kunnen kiezen om af te studeren.'

Ik gaf toe dat mij dat ook was opgevallen. Maar aangezien ik aan alle voorwaarden voor mijn diploma had voldaan, wilden ze me op school niet langer houden. Misschien kon ik mijn ouders nog de schuld geven, die wel een heel ongelukkig jaar hadden gekozen voor mijn geboorte. O, had niemand kunnen voorspellen dat er een vliegtuig tegen het World Trade Center zou vliegen? Kom op zeg. Van Condoleezza Rice had ik dat eigenlijk al niet kunnen geloven, laat staan van hen.

'Nou ja, hoe dan ook,' kakelde Tina. 'Het goede nieuws is dat ik iets voor je heb! Tien dollar per uur, en het is voor minstens een paar weken!'

Geweldig. Als we de belasting verrekenden en de commissie voor het uitzendbureau zou ik na twee weken van veertig uur een achtste van mijn huur kunnen betalen en dan had ik nog over ook!

'Wil je die baan of niet?' vroeg Tina een beetje geprikkeld.

Ik wilde hem wel.

'Mooi! Het werk bestaat uit gegevensverwerking bij een uitge-verij. En denk eraan' – ze schakelde moeiteloos over van haar op-gewekt-zakelijke toontje naar een meer moederlijk-bezorgd re-gister – 'als er problemen zijn, aarzel dan niet om me te bellen. Heus hè.'

Het begrip gegevensverwerking bleek neer te komen op het sorteren van dossiermappen met materiaal voor al lang uitver-kochte studieboeken in honderden prehistorische dossierkasten die in rijen op elkaar gepakt stonden in een enorm ondergronds vertrek, waar geen bezem binnen was geweest sinds de dagen dat Peter Stuyvesant Manhattan had bestuurd met ijzeren vuist en een houten been. Een deel van de ruimte was afgeschot met brok-kelige gipsplaten, en de chef van mijn afdeling had me gewaar-schuwd dat het daar verboden toegang was. Ik vreesde dat daar de langzaam verterende overblijfselen waren verborgen van de on-gelukkige uitzendkrachten die vóór mij onder hun lasten waren bezweken. Het was ondraaglijk werk, een eentonige, smerige, gruwzame sisyfustaak. Elke keer dat ik een kartonnen doos met dossiermappen leeg had, verscheen er als bij toverslag een nieu-we en nog grotere voor in de plaats. Tegen halftwaalf begon ik regelmatig mijn hartslag te controleren om te kijken of ik niet eigenlijk al dood was en was opgesloten in een of andere helse onderwereld waar ik voor straf duizend mappen moest sorteren voor elke keer dat ik tijdens mijn leven mijn zusje had geslagen of seks had gehad zonder condoom. Tegen drieën had ik inmiddels twee keer een vinger tot bloedens toe geklemd tussen de roestige laden van een dossierkast, de hak van mijn schoen gebroken, en was ik manieren gaan verzinnen om een eind aan mijn leven te maken. Toen mijn chef verscheen om te zeggen dat ik klaar was voor vandaag, was ik al bijna vergeten dat er buiten nog een we-reld bestond, een gelukkige wereld voor lachende mensen die druiven zaten te eten in parken of aan elkaar zaten te frunniken in bioscopen. Verbijsterd stond ik te knipogen in de zon, als een soldaat die uit zijn bunker naar buiten kruipt en ziet dat de veld-slag voorbij is, en ik belde Tina.

'Ik hou dit niet vol,' zei ik. 'Het is alsof ik in de gevangenis zit. Het voelt alsof er iedere minuut die ik daarbinnen doorbreng een stuk van mijn ziel met een tang wordt samengeknepen, als een walnoot. Maar dan een levende walnoot, die het uitschreeuwt van pijn.'

'Probeer het nog één dag uit te houden,' zei ze sussend alsof ik een klein kind was. 'Doe het voor mij. Hou het nog één dagje vol, alsjeblieft.'

De volgende dag bleek ik een collega te hebben gekregen, Carlos.

'Hoi!' riep hij me toe toen ik 's morgens vechtend tegen de tranen binnenkwam. Hij gooide voor de grap een hele doos dossier-mappen door de lucht. 'Sjongejonge, lekker klusje hebben ze hier voor ons bedacht!'

Het was me bijna vanaf het begin duidelijk dat Carlos niet hele-maal honderd procent was, maar hij was vrolijk en vriendelijk, en zijn aanwezigheid had een temperend effect op sommige van mijn meer morbide neigingen. Het is lastig om plotseling hyste-risch snikkend ineen te zakken of om de smerige vloer af te gaan lopen zoeken naar een glasscherf die scherp genoeg is om er een slagader mee te openen, als er iemand bij je in dezelfde ruimte is. We waren uren achtereen samen, dus we begonnen vanzelf met elkaar te praten.

Carlos hield van zijn werk als uitzendkracht, maar zijn ware hartstocht lag bij het televisieprogramma dat hij maakte op internet: een nachtelijke talkshow met als gastheer Carlos' alter ego, een vuilbekkende handpop van het type pratende sok, ge-naamd Fredo. Trots liet hij me de foto's van Fredo zien die hij in zijn portemonnee had, en hij las me stukken uit de krant voor met Fredo's stem, een kruising tussen *Triumph the Insult Comic Dog* en *Ricky Ricardo*.

'Saddam Hoessein iemportiert oe-ranioem uitte Niger,' zei Fredo. 'Iek seg: Saddam Hoessein, jai liek mai reet!'

Carlos vond dat ik maar eens in zijn show moest verschijnen om geïnterviewd te worden door Fredo. Ik was precies het soort iemand naar wie Fredo op zoek was. Ik kon Fredo een beetje helpen, en Fredo mij. 'Jij zou het geweldig doen op tv,' zei Carlos. 'Zo'n leuk meisje als jij!'

We aten samen tussen de middag, en Carlos begon wat meer over zichzelf te vertellen. Hij vertelde over zijn vriendin Linda, die in Connecticut woonde en frigide was. Ze weigerde bij hem te blijven slapen op zijn flat in Manhattan. En erger nog, ze weigerde om met hem naar porno te kijken. Haar terughoudendheid op dat gebied was voor Carlos erg lastig te verdragen. Haar voortdurende weigering om met hem naar bed te gaan had hij geaccepteerd, maar waarom wilde ze niet gewoon naast hem komen zitten om een paar van zijn lievelingsfilms met hem te bekijken? Dat vond hij heel onrechtvaardig.

'En ik doe altijd alles wat ze wil,' klaagde Carlos. 'Ik voel me genaaid. En dat terwijl ik niet eens genaaid word!'

Ik begon me serieus af te vragen of die Linda wel bestond.

Hoewel het allemaal even eindeloos leek, was het werk bij die uitgeverij toch een keer afgelopen. Een paar dagen later werd ik door Carlos opgebeld. Ik was zo onnadenkend geweest om hem mijn nummer te geven toen hij een keer zei dat het handig kon zijn als een van ons een keer te laat was. Hij vroeg wanneer ik een keer tijd had om me door Fredo de Sok te laten interviewen.

'Dat weet ik nog niet,' zei ik. 'Ik bel je wel.'

Daardoor niet ontmoedigd begon Carlos me meerdere keren per dag te bellen, tot de dag waarop ik de hal binnenliep van mijn nieuwe uitzendklus op de salarisadministratie van de Honkbalbond, en daar Carlos zag zitten in een reusachtige fauteuil in de vorm van een vangershandschoen.

'*Yess!*' riep hij uit toen hij me zag. Hij begon triomfantelijk aan

mijn arm te zwengelen. 'Hartstikke mooi! Ik heb tegen Tina gezegd dat ze ons maar zoveel mogelijk bij elkaar moest zetten omdat wij zo goed met elkaar kunnen opschieten.'

'Heb jij ook aan Tina gevraagd hoe lang dit klusje ging duren?'
vroeg ik bleek.

'Ze zei een week of zeven,' antwoordde hij. 'Goed. Dus. Wil je
morgen door Fredo geïnterviewd worden, of...'

Een mens kan zijn lot niet werkelijk ontlopen; op een dag krijgt
het je toch in zijn stinkende klauwen. Nou ja, nu kon ik in elk geval
tegen mijn oma zeggen dat ik in een talkshow zou verschijnen.

Ik had mijn vriend Neal gevraagd om met me mee te gaan naar
Carlos' appartement, omdat ik vreesde voor mijn persoonlijke
veiligheid en Neal van iedereen die ik ken de hoogste tolerantie-
graad heeft voor geflipte types. 'Dat zal allemaal wel meevallen,'
zei Neal geruststellend. 'Het klinkt gewoon alsof de gozer een
beetje op je valt.'

'Ja, daar ben ik juist zo bang voor.'

Kennelijk werden de huurders in het gebouw waar Carlos
woonde geacht wekelijks de huur te betalen. Op de stoep lagen
twee kerels half buiten westen. Naast hen, te midden van gekreukelde plastic tasjes van Radio Shack, zat een derde kerel mompe-
lend een zakje met een paar pilletjes speed liefkozend tussen zijn
vingers te verfrommelen.

'Laten we hier weggaan,' zei Neal.

'Kan niet,' zei ik. 'Ik moet morgen weer met hem werken.'

'Dan neem je toch je ontslag.'

Ik sloot een ogenblik mijn ogen om die mogelijkheid even
zorgvuldig te proeven. Zou dat kunnen? Zou dat helpen? 'Zelfs
als ik ontslag neem blijft hij me bellen. Dan moet ik ook mijn
nummer veranderen en mijn naam, en plastische chirurgie
ondergaan, en verhuizen naar Fort Lauderdale.'

'Nou,' zei Neal nuchter, 'dan zit je tenminste lekker dicht bij
het strand.'

Carlos verscheen en nam ons mee de trap op naar zijn kamer. 'De wc is die kant op, als je hem nodig hebt,' zei hij, en hij wees in het donkere gangetje voorbij zijn deur. 'Maar het kan zijn dat je moet wachten. Ik deel het toilet met vijftien andere kerels op deze verdieping.' Zijn kamer stonk naar wierook en was versierd met plaatjes die uit de *Penthouse* en uit de *Kama Sutra* waren gescheurd, en overal lagen aanstekers: op de vloer, in hele stapels op tafel en verder overal waar maar plaats was. Het is geen goed teken als iemand zoveel aanstekers bezit. De videocamera was te groot voor de kamer, dus stelde Carlos hem op in de gang en richtte hij hem op een geïmproviseerd podium waar een sok op lag met grote, beweginloze ogen. Ik keek om. *Shit, waar is Neal gebleven?*

'Zeg, ik heb Ada even gebeld,' fluisterde Neal, die plotseling weer opdook bij mijn schouder. 'Ik heb haar precies verteld waar we zijn. Als ze niet binnen het uur iets van ons gehoord heeft, belt ze de politie.'

Toen de laatste cheques met zeven cijfers aan gepensioneerde 'korte stops' in Boca Raton in Florida waren uitgeschreven en mijn honkbalbaantje was afgerond, belde ik Tina.

'Luister eens, wil je de volgende keer dat je me ergens plaatst ervoor zorgen dat het niet samen met Carlos is?'

'Hij is een van onze beste krachten,' antwoordde ze. 'Heeft hij je op een of andere manier bedreigd?'

'O nee, dat niet, maar eh... hij is zo...'

'Wat?'

'Hij is zo... *raar*,' zei ik wat hulpeloos.

'Ja ja,' zei Tina. 'Nou, we zullen ons best doen om je zo goed mogelijk van dienst te zijn.'

Daarna hoorde ik een hele tijd niets van haar, maar dat kon ik haar ook niet echt kwalijk nemen. Als jij mocht kiezen, wie zou je dan liever nemen om jouw firma te vertegenwoordigen: een vrolijke, positief ingestelde jonge doorzetter die nou toevallig 's avonds graag naar porno kijkt in een eenvoudig logement in gezelschap van een pratende sok, of een chagrijnige adolescent met een kater die te laat komt en een vijandige uitstraling heeft? Maar toch, toen ze na weken eindelijk belde om me een kort klusje aan te bieden op het kantoor van een firma die ik hier MTV zal noemen, zei ik meteen: 'Wil je...'

'O nee, maak je *alsjeblieft* geen zorgen,' koerde ze, ijverig en welwillend als altijd. 'We sturen niemand anders naar dit adres. Je bent helemaal alleen.'

Vroeger zou ik het heel opwindend hebben gevonden om naar het kantoor van MTV te gaan, en zou ik me een werkplek hebben voorgesteld die eruitzag als een kruising tussen de *backstage* van het Glastonbury-festival en een tentoonstelling van conceptuele kunst, met rockmuzikanten in leren broeken en met kekke brillen die cocaïne liggen te snuiven op pluchen banken voor wanden van televisieschermen met afwisselend witte ruis en toevallig opgeduikelde beelden uit grappig ouderwetse reclamespotjes voor shampoo. Maar maanden van ononderbroken teleurstellingen hadden me op het ergste voorbereid, en ik keek er dan ook niet van op dat ik achter een leeg computerscherm werd gezet aan een grijze metalen tafel in alweer zo'n volkomen kleurloos vertrek zonder ramen. In het bedrijfsleven kun je maar beter je fantasie niet gebruiken. Daar krijg je alleen maar zelfmoordneigingen van.

Carolyn, de vrouw onder wier hoede ik was gesteld, zette een doos met dossiermappen voor me neer op het bureau. 'Hier,' zei ze. 'Die moeten op alfabet gelegd worden.' Ze wees naar een mannetje in een trui van Rocawear achter een aanpalend bureau. 'Dat is Lester.'

Lester lachte naar me en onthulde daarbij een aantal spectaculaire gouden tanden.

'Als je iets te vragen hebt, kan hij je wel antwoord geven,' ging ze verder.

'Moet ik ook de telefoon aannemen of zo?'

'Nee, dat doet Lester.'

'En wat moet ik doen als ik deze dingen op alfabet heb gelegd?'

Ze haalde haar wenkbrauwen op. 'Als je echt klaar bent met op alfabet leggen, nou ja, dan kom je maar even naar me toe, en dan geef ik je wel weer een ander klusje.'

Op de basisschool had ik altijd in de groep van de beste lezers gezeten, dus in een halfuurtje had ik die mappen wel op alfabet gelegd. Daarna heb ik nog een halfuur mijn handen zitten bestuderen om te zien of het papier er geen sneetjes in had gemaakt, terwijl ik mijn tranen probeerde te bedwingen. Uiteindelijk ging ik toch Carolyn maar opzoeken. Ze keek geschrokken op van haar kruiswoordpuzzel toen ik binnenkwam, alsof ze zich absoluut niet kon herinneren mij ooit het gebouw binnen gelaten te hebben. 'Kan ik je helpen?'

'Eh... ik heb ze op alfabet gelegd... dus... eh...'

'Allemaal?'

'Ja. Het waren er niet echt heel veel.'

'O. Nou, loop ze dan nog eens na en kijk of je het wel helemaal goed hebt gedaan, alsjeblieft. Ik heb geen tijd om straks fouten te gaan lopen verbeteren.'

Rot op, Carolyn. Ik had 549 punten voor mijn Cito-toets. Toen ik in groep twee zat hebben ze een hele nieuwe set leesboekje op niveau voor me moeten bestellen. 'Ik heb geen fouten gemaakt.'

Ze keek me boos aan. 'Luister eens, ik ben nu even druk. Ga terug naar je bureau en controleer je werk. Over een minuutje ben ik bij je met nieuwe instructies.'

Een uur later was er nog niets gebeurd. Ik keek even of Lester me kon helpen, maar die zat aan de telefoon, dus sloop ik op mijn tenen Carolyns kantoor maar weer binnen. Ze was nog niet erg opgeschoten met haar puzzel. Ik dacht nog even: misschien kan ik haar helpen, maar waarschijnlijk zou ze niet zo blij zijn met zo'n aanbod van iemand die moeite had met het alfabet.

'Wat nu weer, Rebecca?' siste ze.

'Eh... ik heet Rachel.'

'Ja, en wat wil je?'

'Nou,' stamelde ik, 'ik dacht, als je niets meer voor me te doen hebt, misschien mag ik dan het wachtwoord van de computer, dat kan ik op internet.'

Ze legde haar potlood neer. 'Is er een reden voor, dat jij de computer wilt gebruiken? Heeft iemand je een opdracht gegeven waarvoor je de computer nodig hebt?'

'Nee... ik dacht alleen... als er toch niks anders voor me te doen is...'

'Er is absoluut geen reden voor jou om over die informatie te beschikken.' Ze keek beledigd, alsof ik haar naar details had gevraagd over de buitenechtelijke relatie van haar vader, of waarom haar vriend altijd 'Arthur!' riep als hij klaarkwam. 'Ga nou maar gauw terug naar je bureau; als ik je iets wil vertellen *kom ik wel naar jou toe*.' Ze pakte haar potlood en richtte haar aandacht weer op haar puzzel. *Kanttekening*, dacht ik. 61 horizontaal, 'Marginaal kunstwerk van een filosoof,' is *kanttekening*, jij walgelijk stomme trut.

Toen ik terugkwam zat Lester nog steeds aan de telefoon. Eén afschuwelijk moment begon ik Carlos te missen, totdat ik mee begon te luisteren naar het gesprek dat Lester aan het voeren was. 'Oooo,' kreunde hij in de hoorn. 'Lekker wijfie. Ik wrijf die olie overal over je prachtige bruine huid. O, jaaa. Nu heb ik je helemaal glad en geurig ingesmeerd. Ik leg je languit op je rug en nu haal ik die heerlijke witte slagroom voor je tevoorschijn, ik spuit die lekkere klodders overal op je heerlijke bruine lijf. Ja, lekker.' Hij sprak op normale geluidssterkte en op een normale conversatietoon, zoals je ook zou kunnen zeggen: 'Zeg Paul, ik heb het Mac-Neil-rapport hier even nodig,' of: 'Hé lekkere heroïnehoer, hier heb ik Sumner voor je op lijn 2.' Diverse collega's waren langs zijn bureau gelopen tijdens zijn declamatie, maar hadden er allerminst van opgekeken, een of twee hadden hem in het voorbijgaan zelfs vriendelijk toegeknikt. Ik bedacht dat telefoonseks tijdens het werk net zoiets is als *De 120 dagen van Sodom* hardop voorlezen aan een baby: het maakt niet uit wát je zegt, het maakt alleen uit hóé je het zegt. Ik voelde opeens een heel andere waardering voor Lester; ik besloot zijn voorbeeld te volgen en mijn tijd verder goed te besteden door zelf ook een paar telefoontjes te plegen.

MET MIJN MOEDER: ... de lymfeklier achter mijn linkeroor is duidelijk gezwollen. Nee, ik voel me niet verkouden. Ik heb het al een paar dagen... Nee, niet zo heel erg groot, je moet een beetje wroeten om het echt te voelen. Ik bedoel, misschien is het gewoon de spier achter mijn kaak, maar ik geloof het niet, tenzij de rechterkant van mijn kaak veel minder is ontwikkeld dan de linkerkant... Ja, ik slik vitamine C, maar gezien mijn leeftijd kunnen we de ziekte van Hodgkin niet zomaar uitsluiten volgens mij... het is de meest voorkomende vorm van kanker in mijn leeftijdscategorie... Niet doen! Dat zeg je alleen maar omdat mijn gezondheid jou niets kan schelen... Ik haat je.

MET MIJN VADER: ... dat weet ik, en volgens mij is een oorlog ook onvermijdelijk, maar het is *zo'n* slecht plan. Ik bedoel, wat halen die klootzakken in hun hoofd? Ze denken toch niet werkelijk dat de Arabieren... Weet ik! Bevrijders! Met wie denken ze wel dat ze te maken hebben? Nou ja, het gaat allemáál over olie... Jawel. Het heeft allemaal met olie te maken. Heb je *The Nation* gelezen? ... Nee, ik weet dat die anti-Israël zijn, maar daar hebben ze toch echt helemaal gelijk in... Ja, en dan Bush met zijn verdomde oedipuscomplex...

MET MIJN BESTE VRIENDIN: Lauren, als je iets weet moet je het me vertellen... Nou ja, jij bent met hem bevriend, dus... Nee! Ik zeg helemaal niet dat je zit te liegen! Maar pasgeleden zegt hij nog van: 'Volgens mij moeten wij ons allebei laten testen op soa's,' dus ik zeg: 'Waarom? Heb jij ergens last van dan?' en hij van: 'Nee, maar het lijkt me gewoon een goed idee, daarom,' en ik weer van: 'Ik heb het de laatste tijd alleen maar met jou gedaan.' Zegt hij: 'Weet ik,' en kijkt-ie verder een beetje dom voor zich uit. Maar waarom zou hij zoiets nou zeggen als hij niet met iemand anders naar bed ging? Ik bedoel, welke gozer laat er nou voor niks zo'n wattenstaafje in z'n... Zeg, heb jij te veel op? ... Nou ja, laat maar.

MET MIJN OMA: Nee, oma, een *casting director* bepaalt uiteindelijk of je een rol krijgt en welke. Een *agent* stuurt je, zeg maar, naar allerlei audities... Omdat je zonder agent gewoon nergens een auditie kunt krijgen... Ja, natuurlijk heeft Erica Kane een agent, anders zou ze... Ja, en Natalie Portman heeft er natuurlijk ook een... Ja, dat wist ik wel, dat ze joods is, maar bedankt voor de waarschuwing vast... Ja, het gaat allemaal goed verder, maar nu moet ik ophangen hoor, ik ben op mijn werk... Nee, wérk!... Oké, daaag.

Toen ik op die manier wat was opgevrolijkt door familie en vrienden, vloog de rest van de dag voorbij. Toen ik die middag bij MTV de deur uitging was ik best trots op mezelf. Over vindingrijkheid gesproken! Ik had een vervelende situatie eenvoudig veranderd in een veel betere. Dat soort kwaliteiten zou de moderne werkgever in deze onzekere tijden beslist weten te waarderen. De volgende dag, toen ik bij Viacom beneden in de hal in de rij stond om te kunnen worden gefotografeerd, geïdentificeerd, gevingerafdrukt en goedgekeurd voordat ik aan het werk kon, ging mijn mobiel. Het was Tina.

'Jij hoeft je vandaag niet te melden boven. Het lijkt me zelfs beter dat jij meteen hierheen komt, naar ons kantoor.'

Een halfuur later, oog in oog met Tina, werd me meegedeeld dat MTV een formele klacht tegen me had ingediend. Mijn gedrag werd beschreven als storend, oncoöperatief, en vijandig. Ik had herhaalde pogingen ondernomen om hun hoogontwikkelde computerprogramma te *hacken* en nadat daar een stokje voor was gestoken, had ik uren besteed aan persoonlijke telefoongesprekken. Was dat waar?

'Ik heb helemaal niet geprobeerd om hun computersysteem te *hacken*! Wie denken ze dat ik ben, een of andere bedrijfsspion? Ik weet amper hoe ik een e-mailbijlage moet versturen.'

'Kom op zeg.' Tina hield haar hand voor mijn gezicht, waarbij ik de gekromde achterkant van haar lange oranje nagels te zien kreeg. 'Jij scoorde heel hoog op je vaardigheidstest voor Microsoft Word, dus we weten allebei dat dát niet waar is. En heb jij persoonlijke telefoongesprekken gevoerd?'

'Ik...'

'Het is een heel eenvoudige vraag. Heb jij, ja of nee, in de tijd van je werkgever persoonlijke telefoongesprekken gevoerd via een telefoon van je werkgever?'

Daar viel niet om te liegen. 'Ik heb... een paar telefoontjes gevoerd, ja.'

Tina ging zelfgenoegzaam glimlachend achterover in haar stoel zitten en vouwde haar armen vol rinkelende armbanden over haar decolleté. 'Maar je begrijpt het verkeerd,' probeerde ik nog hulpeloos. 'Ze had *niets* voor me te doen. *Niets*. Is dit een of andere uithoudingstest, zoals ze bij de Vietcong deden met hun krijgsgevangenen? Of moet ik dan echt zeven uur naar de punten van mijn schoenen gaan zitten staren tot het tijd is om naar huis te gaan? Is dat de bedoeling?'

Ja dus.

Met veel genoegen vertelde Tina me dat ik niet alleen voor eeuwig verbannen was uit de kantoren van MTV, maar ook uit die van alle andere Viacombedrijven. Nickelodeon, Comedy Central, VH1 – geen van alle wilden ze nog iets met mij te maken hebben. Net als Mel Karmazin, Howard Stern en de Tommen Cruise en Freston, had ik mijzelf een plekje verworven op de Lijst van Vijanden van Sumner Redstone, de grote baas. Welke gevolgen dit zou hebben voor mijn carrièreplanning kon Tina mij niet vertellen, maar één ding was zeker: gezien het feit dat vijfennegentig procent van de bedrijven waar zij uitzendkrachten voor leverde dochterondernemingen waren van Viacom, kon ik onmogelijk voor haar bureau blijven werken. Ze kon me natuurlijk verwijzen naar andere uitzendbureaus, maar ze voelde zich helaas verplicht haar collega's te waarschuwen voor mijn problematische gedrag. 'Heel jammer,' zei ze, en ze schudde bedroefd haar toren van gesteven haar. 'Ik had nog wel gedacht dat jij het zo goed zou doen. Zo'n leuk meisje als jij.'

Ontslagen door mijn uitzendbureau. Ik had tot dat moment nooit gedacht dat zoiets überhaupt kon. Mijn ontslag van een paar jaar geleden vervulde mij nog altijd met schaamte, maar dat kon ik tenminste nog wijten aan jeugdige onervarenheid en aan de grillen van een stelletje verbitterde, oude nichten. Maar om te worden ontslagen, verbannen door een uitzendbureau, de laatste toevlucht van de chronisch onbemiddelbaren! Hoe had dat kunnen gebeuren? Hoe zou ik met die schande kunnen leven? Waarheen moest ik vluchten? Wat zou er van mij terechtkomen?

Terneergeslagen dwaalde ik door de straten. Ik negeerde de dagelijkse telefoontjes van mijn moeder. Zoals u misschien al heeft kunnen constateren, ben ik niet bijzonder bedreven in het terughouden van informatie. Integendeel: hoe beschamender en vernederender een bepaald geheim is, hoe meer mensen ik geneigd ben erover te vertellen. Het is het eerste wat ik eruit flap. Maar ik kon haar gezeik nu gewoon niet verdragen. Ik kon het gewoon niet.

'Ontslagen door een uitzendbureau? *Wie wordt er nu ontslagen door een uitzendbureau?* Allejezus, de vorige uitzendkracht die ze mij stuurden op kantoor had het syndroom van Down. Het syndroom van Down, verdomme! Wat is er in hemelsnaam met jou aan de hand?'

Geloof me, mam: dat vraag ik mezelf mijn hele leven al af.

Ik weet niet hoe lang ik over straat heb rondgelopen, maar het moet nogal een tijd geweest zijn, want op een gegeven moment was ik helemaal in de binnenstad, en stond ik voor een bakkerij waar ik al vaker langsgekomen was. Het was het soort ouderwetse winkel waar je langs loopt en waarvan je je afvraagt hoe die nog steeds kan blijven bestaan. In deze Heerlijke Nieuwe Wereld van *designer*-brood en industrieel vormgegeven banket, en maatje nul vrouwen die in de rij staan voor cakejes van vier dollar per hap, was deze etalage uitdagend ouderwets en onveranderlijk: dikke, botervette babka's, hele stapels rugelach, bergen hamantaschen zo groot als een mannenhand en, in een hoekje van de etalageruit geplakt iets wat ik nog nooit eerder had gezien: een kaartje waarop iemand met de hand de boodschap had geschreven: PERSONEEL GEZOCHT.

Misschien was die boodschap meer dan gewoon een boodschap. Misschien was het wel echt een *Boodschap*. Ik zag opeens mijzelf, de herstellende anorexiapatiënt – o ironie der ironieën! – glimlachend, met ronde, blozende wangen achter de toonbank staan om vlechtbroden en rumcake en strudel in te pakken in frisse, witte bakkersdozen, die ik dan met rozige vingers handig dichtbond met touwtjes en strikjes, en aan de verzamelde menigte tevreden glimlachende joden overhandigde om mee naar huis te nemen naar hun gezinnen, voor de feestdagen. 'Gut Shabbos, mevrouw Weinstock! En zeg uw kinderen hartelijk gedag van me!' 'L'Shana Tova, mevrouw Nachman! Iets heerlijks voor een heerlijk nieuw jaar!' De joden zouden blij zijn, hun ogen zouden glanzen bij het vooruitzicht van iets verrukkelijks om te eten. Ze zouden vragen of ze een stukje mochten proeven van dit en van dat, en we zouden wat pingelen over de prijs, en ik zou er altijd iets extra's bij stoppen, een stukje *halvah*, wat *mandelbrot*, een verrassing voor als ze thuiskwamen en de dozen openmaakten, zodat ze zouden weten dat ze gewaardeerde klanten waren. Familie bijna.

Een heel nest van belletjes rinkelde toen ik de deur openduwde, maar er was niemand die me begroette. De winkel leek leeg.

'Hallo?' riep ik.

Ik hoorde achter wat geruis, en even later verscheen er een lange, chassidische man. Zijn zwarte, geklede jas was licht bestoven met bloem. Hij liet zijn blik gaan over mijn slechtgekozen nonchalant-zakelijke kleding: een getailleerde button-downblouse en de gruwelijke bloemetjesrok die mijn oma in 1996 voor me had gekocht bij *The Limited*.

'Kan ik jou helpen?' Hij sprak met dat malle, vervormde accent dat zoveel chassidim hebben, alsof ze staan te praten met een mondvol hete soep die er elk moment uit kan lopen zodat ze hun kin branden. Ik sloeg mijn blik neer.

'Ik zag uw kaartje in de etalage, dat u personeel zoekt, en ik dacht, nou ja, misschien is het wat voor mij.'

Ik geloof dat hij glimlachte, maar dat was moeilijk te zien met die baard. 'Hoe heet je?'

'Rachel,' zei ik.

'Vertel me eens, Rachel,' zei hij. 'Ben jij joods?'

Ik knikte. Nu kon zelfs die baard zijn glimlach niet meer verbergen.

'Dus het is eigenlijk Ruchele?'

'Ik denk het, ja. Op de joodse school noemden ze me Rahel.'

'Natuurlijk, Rahel, een van de matriarchen van het joodse volk. Zij was een mooie vrouw, die Rahel.'

'Ja, ik weet het. Jacob heeft veertien jaar gewerkt om haar te mogen trouwen.'

Hij lachte zijn hetesoeplachje. 'Aha, geleerd en mooi tegelijk! Zeg eens, Ruchele, heb jij honger?'

'Een beetje,' gaf ik toe.

'Kom met me mee naar achteren, dan zal ik je iets lekkers geven. Iets zoets. Kunnen we ook even praten.'

'Over dat baantje?'

'Over jou, en over dat baantje. Kom maar mee.'

Ik liep met hem mee naar de ruimte achter de winkel. Het linoleum zat vol vlekken en barsten, maar het rook er als in de hemel –

naar kaneel, boter en gebakken appeltjes. Van een groot metalen rek dat op een ijzeren karretje lag pakte hij een luchtig gouden baksel dat afgewerkt was met glimmende eidooier en bestrooid met poedersuiker. Hij gaf het aan mij.

'Kichlach,' zei hij. 'Voor *Shavuos*. Ken je dat, kichlach?'

'Mijn oma bakt ze weleens,' zei ik.

'Dan moet je deze eens proberen. De lekkerste die je ooit hebt geproefd.'

Hij ging zitten terwijl ik in een koekje beet. Het was zacht en mals, en de verrukkelijke boterkruimels waar mijn mond zich mee vulde waren vol van smaak maar toch op de een of andere manier niet vet. Ik zuchtte van genot.

'Lekker?' vroeg hij. 'Het zijn de allerlekkerste. Hier, neem er nog een.' Het is me weleens opgevallen dat sommige mensen, als ze iemand anders zien kauwen, hun eigen mond ook gaan bewegen, ook al is die leeg. Hij keek nauwlettend hoe ik de laatste kruimels uit mijn mondhoeken likte, en toen hij opnieuw begon te spreken, klonk zijn stem bijna vaderlijk. 'Zeg eens, Ruchele, heb jij een vriendje?'

'Ik had er wel een,' zei ik.

'Aha, *nu*. Wat is er misgegaan?'

'Dat weet ik niet. Hij vond me niet leuk meer. Volgens mij heeft hij me nooit zo heel erg leuk gevonden. Maar ik vond hem wel heel erg leuk, dus deed ik maar of ik dat niet merkte.'

'En vertel me nog eens wat, Ruchele, dat vriendje, die mesjoggene, was dat een jid, een joodse jongen?'

'Nee,' fluisterde ik. 'Absoluut niet.'

Hij klakte afkeurend met zijn tong, zoals ik al verwachtte. 'Ruchele, Ruchele. Je moet een joodse man zien te vinden. Een joodse man, om een joods gezin mee te stichten. Trouwen. Kinderen krijgen. Daar gaat het om in het leven. Je mama zou ook willen dat je met een joodse man trouwt.'

'Ja,' fluisterde ik. 'Dat zou ze inderdaad willen.'

'Je mama,' ging hij verder. 'Leeft die nog?'

'Ja,' zei ik verrast. 'Natuurlijk. Allebei mijn ouders. Ze wonen in Nebraska. Daar kom ik vandaan,' voegde ik er sullig aan toe. 'Nebraska!'

'Nebraska!' riep hij uit. 'Als je Nebraska zegt, dan denk ik aan cowboys en indianen. Zijn er dan ook joden in Nebraska?'

'Een paar joden, ja,' zei ik. 'Niet zoveel.'

'Zeg eens, vinden jouw mama en papa het niet vervelend dat jij zo ver van huis bent?' Hij streek met zijn hand langs de mijne. Dat gebeurde vast per ongeluk. Dat had hij niet zo bedoeld. Iedereen wist dat chassidim geen vrouwen mochten aanraken met wie ze niet getrouwd waren. Iedere herfst, als ze bij ons thuis kwamen in Omaha om de loofhut te bouwen, dan namen ze niet eens een beker water van mijn moeder aan om te drinken. Ze moest het water voor hen neerzetten op het aanrecht, in plastic bekertjes die ze altijd speciaal voor de gelegenheid kocht.

'Ik denk dat ze zich in het begin wel zorgen hebben gemaakt,' zei ik. 'Maar ik ben hier nu al vijf jaar, dus ze zijn er wel aan gewend.'

Heel langzaam legde de chassied zijn handen op mijn heupen, en hij trok mijn lichaam dichter naar zijn knieën. Ik was te verrast om te reageren, te verrast om adem te halen. 'Ruchele,' zei hij zachtjes. 'Ik zal je iets zeggen. Als je wilt werken, natuurlijk, dan kom je werken. Maar waarom kom je hier niet gewoon af en toe met me praten? Dan gaan we hier samen zitten, dan praten we wat, en dan geef ik je lekkere dingen om te eten. Lekkere zoete dingen. En misschien, na een tijdje, kom je er dan een beetje achter wat het betekent om joods te zijn.' Zijn hand kroop nauwelijks merkbaar langs mijn heup, en streelde die aarzelend. 'Wat denk je daarvan?'

Ik heb veel dingen gedaan. Ik heb onzekere oude vrouwen gedwongen zich onder mijn ogen tot op hun ondergoed uit te kleden, en ik heb onophoudelijke vergelijkingen aangehoord tussen mijn fysieke verschijning en die van de vrouw die 's werelds meest beroemde en meest bespotte geval van fellatio bedreef. Onder druk van ouders en gezondheidsspecialisten ben ik veertien kilo aangekomen, waarmee ik mijn kansen op een carrière op het terrein waarvoor ik ben opgeleid volkomen om zeep heb geholpen. Urenlang heb ik doorgebracht in een raamloze gevangenis, waar ik moest luisteren naar de praatjes van een alomtegenwoordige collega over zijn bizarre fixaties. Ik heb me voor de camera laten ondervragen over mijn seksleven door een sok met ogen, en bij het bedrijf dat de eigenaar en leider van genoemde sok in dienst heeft, naast nog een heel assortiment speedjunken, niksnutten, en wannabe singer/songwritertypes, ben ik ten onrechte ontslagen door een vrouw die haar diploma ingelijst aan de muur heeft hangen naast een plaatje van een kikker met een vlinderstrikje. En hoewel ik dan misschien vrijwillig mijn lichaam heb geschonken aan honderden of mogelijk duizenden schofterige niet-joden die mij niet eens zo heel erg leuk vonden, was ik niet van plan mijzelf te prostitueren voor een chassied achter in een smerige winkel in bakkerswaren.

Wat ik ervan denk? 'Ik denk dat dit niet zo'n goed idee is,' zei ik nijdig.

'Jammer, maar dan zeg ik je gedag, Ruchele.' Hij leek niet erg verrast, en op de een of andere manier had ik het gevoel dat dit weleens eerder gebeurd was. 'Maar *nu*, dan heb je hier mijn nummer. Bel me op als je iets nodig hebt, ik meen het. Dit is een grote stad, weet je? Het is eenzaam hier. En het is niet goed voor je om altijd zo alleen te zijn, zo'n leuk meisje als jij.'

11

Schaam jij je dan nergens voor?

Op de avond van 1 februari 2007 nam mijn oma een douche voordat ze ging slapen. Zij en mijn opa waren bang voor de huishoudelijke ongelukjes waardoor zo menige tachtiger voortijdig naar de pieren gaat en hadden daarom steeds ingewikkelder voorzorgsmaatregelen getroffen voor dat soort levensgevaarlijke activiteiten. Ze moesten allebei thuis zijn, allebei wakker, en allebei op dezelfde verdieping. Eenvoudig even douchen was een hele onderneming geworden. Ik zie voor me hoe ze de badkamer in gaat, haar verschoten badjas uitdoet, en haar oude botten met martelende traagheid neerlaat in haar speciale badstoel. Ze had zich al nooit zo vlot bewogen, maar de laatste tijd leek alles echt een eeuwigheid te duren. In de tijd die het haar kostte om uit de auto te stappen kon je zwanger raken en een voldragen kind ter wereld brengen, en tegen de tijd dat ze de voordeur had bereikt, deed dat kind eerstejaars rechten. Als we thuis waren in de vakantie maakten mijn zus en ik grappen dat de oma die we met een slakkengangetje door de hal zagen binnenkomen in feite het gerefracteerde beeld was van de werkelijke oma, die zich voortbewoog met de snelheid van het licht.

'Je moet je oma niet zo plagen,' zei mijn oma. Als zo vaak sprak ze over zichzelf in de derde persoon, net als Jezus Christus en Kanye West. 'Oma is oud. En op een dag ben jij ook oud.'

Kort nadat ze de kraan had opengedraaid en ze net bezig was zich in te zepen, begon oma van haar stoel af te glijden. Om haar val te breken greep ze zich vast aan de knop van de mengkraan, zo'n hendel waarmee je zowel warm als koud water kunt krijgen, die ze helemaal naar links trok bij haar val op de vloer van de douchecel. De badstoel blokkeerde haar uitweg en ze kon niet meer bewegen. Bijna drie minuten zat ze klem onder de dikke straal kokendheet water. In de kamer daarnaast hoorde mijn opa haar boven het geluid van de tv uit gillen. Hij stormde naar de badkamer. Opa had een leven lang achter het hakblok gestaan om runderen uit te benen en na een paar operaties voor zijn artrose was hij ook niet bepaald Speedy Gonzalez himself. Met grote inspanning wist hij de kraan dicht te draaien en zijn naakte vrouw uit de dampende douchebak te tillen. Toen ze op de blauwe badmat lag te gillen van pijn en angst, deed hij wat ieder weldenkend mens zou doen in geval van nood: hij belde mijn moeder.

'Ik had die avond eigenlijk naar een film zullen gaan,' zei mijn moeder later. 'Dan zou ik mijn telefoon niet aangehad hebben toen hij belde.' Ze zweeg even. 'En je vader was natuurlijk de stad uit.'

Ze reed door een reeks rode verkeerslichten en was binnen tien minuten bij het huis van mijn oma. Na één blik op haar stelde ze voor een ziekenwagen te bellen. Mijn oma zei dat ze de ziekenbroeders geen overlast wilde bezorgen. Mijn moeder wilde geen ruziemaken, wikkelde mijn oma in een deken, droeg haar de trap af, en zette haar op de achterbank van de auto. Mijn moeder stelde voor meteen naar het Clarkson Ziekenhuis te rijden waar ze onlangs een hypermoderne brandwondenafdeling hadden ingericht, maar mijn grootouders waren niet te vermurwen: hun huisarts werkte in het Bergen Mercy en in het Bergen Mercy had mijn opa zijn meest geslaagde knieoperatie gehad (waaraan hij bijna was doodgegaan), dus Bergen Mercy moest het worden.

Een aantal minuten later wierp een verpleegster op de afdeling spoedeisende hulp van het Bergen Mercy één blik op mijn oma en stuurde haar linea recta per ambulance naar de brandwondenafdeling van het Clarkson.

'Ik wil niemand... tot overlast zijn,' zei mijn oma zwakjes.

Ze had tweedegraads verbrandingen op bijna een derde deel van haar lichaam, waaronder haar rechterbeen, haar romp, en het grootste gedeelte van haar rug, met nog wat kleinere plekken op haar armen en handen. Terwijl haar vitale functies werden gecheckt, haar wonden werden verbonden en haar bloed rijkelijk werd voorzien van de nodige morfine, deden mijn moeder en mijn opa een hazenslaapje op de banken in de wachtruimte. Rond vier uur 's morgens was ze eindelijk stabiel. Mijn moeder ging naar huis, probeerde een uurtje of zo tevergeefs te slapen, en belde me op.

'Wordt ze wel weer beter?' mompelde ik slaperig.

Ben draaide zich om in bed en trok het kussen over zijn gezicht. 'Wie heb je daar?'

'Mijn moeder.'

Hij slaakte een grote zucht van ergernis. 'Maar het is nog zo vroeg. Wat wil ze?'

Het was bijna zes maanden nadat we waren getrouwd, in een grote joodse huwelijksplechtigheid die – heel ontroerend – samenviel met de zestigjarige bruiloft van mijn grootouders. (Ik zou best willen uitweiden over dat hele trouwen-en-gaan-samenwonengedoe, maar dat is iets voor een andere keer. Bewaar die ongelovige gezichten maar even.) Sinds onze trouwdag hadden we de gewone pieken en dalen meegemaakt van ieder stel dat zich plotseling voor zijn hele leven gebonden ziet aan een onverbrekelijk contract: paniek, wrok, en plotselinge uitbarstingen van woeste, redeloze liefde. En het trof me nu dat dit weleens de eerste grote crisis zou kunnen worden die wij als man en vrouw zouden krijgen te doorstaan, ons eigen kleine filiaal binnen het grotere familieverband. Ik vroeg me af hoe we ons daardoorheen zouden slaan.

'Er is iets gebeurd met mijn oma,' zei ik. 'Ga jij maar weer slapen.'

Hij lag alweer te snurken, met zijn hand behaaglijk om zijn genitaliën geslagen. Ik drukte de telefoon dicht tegen mijn lippen en liep naar de woonkamer.

'Wordt ze wel weer beter?' vroeg ik nog eens angstig.

'Ik denk het eigenlijk wel,' zei mijn moeder. 'De doktoren leken me vrij optimistisch. Ik bedoel, ze is oud natuurlijk, en er kan van alles fout gaan, maar ik geloof niet dat dit het is. *Het*, weet je wel. Maar ze zal waarschijnlijk wel naar het Rose Blumkin Tehuis moeten, als ze uit het ziekenhuis komt.'

'Echt waar?' Mijn oma hoorde niet in een verzorgingshuis. Ze was *vrijwilligster* in het verzorgingshuis. 'Je bedoelt... voor altijd?'

Mijn moeder lachte. 'Nee, nee, nee! Voor een maand of twee waarschijnlijk, om te herstellen. Ze zal een tijdje volledige hulp nodig hebben, dat is alles. Maak je geen zorgen. Ze knapt wel weer op.'

'Moet ik naar huis komen? Ik kan een vlucht boeken...'

'Laten we ons daar nou nog maar niet druk over maken,' onderbrak mijn moeder me op luchtige toon. 'Op die brandwondenafdeling willen ze ook niet te veel bezoekers. Te veel risico van infectie. Misschien moeten jullie maar komen als het weer wat beter met haar gaat, over een paar weekjes of zo.'

Dat was een hele opluchting. Dit was een hele verkeerde week. Ik had van alles te doen in New York – werk, vergaderingen, een cocktailparty waar Ben niet naar toe wilde en waar ik naar uitkeek om me er te kunnen storten in het soort zinloze, zweterige geflirt dat pasgetrouwde vrouwen het gevoel kan geven dat hun leven nog opties biedt.

Ik wachtte tot de volgende dag om mijn oma in het ziekenhuis op te bellen, omdat ze dan misschien al weer wat sterker zou zijn. Toen ik haar aan de telefoon kreeg vroeg ze dezelfde dingen die ze anders ook vroeg. Hoe gaat het met Benjamin? Schiet je boek al op? Hoe staat het met je huis? Wat eet je vanavond? Kook jij dan helemaal nooit zelf?

'Nee,' zei ik. 'Helemaal nooit.'

Ik kan me nu niet meer herinneren waar we het verder nog over gehad hebben. Op zo'n moment sla je die dingen niet op zoals het zou moeten. Ik weet nog wel dat ik dacht dat het raar was dat oma ondanks al die pijnstillers eigenlijk nog heel oma-achtig was, wat kon betekenen dat ze de laatste twintig jaar ofwel seniel was geweest, ofwel stiekem morfine had gebruikt uit een voorraad die ze in de keuken verborgen hield in een reusachtige pot met matsemeel, als een joodse Mary Tyrone. Ik zei dat nog tegen mijn moeder toen ik die later belde.

'Seniel,' antwoordde die. 'Dat zeg ik al jaren tegen iedereen. Waarom denk je dat ze die warme kraan niet uitzette toen ze zich zo brandde? Omdat ze niet meer wist hoe dat moest! Ik heb altijd al gezegd dat ze daar eigenlijk niet langer konden blijven wonen, dat het niet veilig meer was voor haar. Maar ja, ik ben dat kreng van een schoondochter, die nooit iets zegt wat mensen graag willen horen. Waarom zouden ze ook naar mij luisteren? Ik test oude mensen op dementie voor mijn beroep, dus wat weet ik er nou van?'

'Ik trek jouw professionele kwaliteiten ook geen moment in twijfel.' Dit waren oude wonden – van die wonden die binnen families jarenlang stilletjes blijven zweren, waar zelden over gepraat wordt en die blijven doorwoekeren tot aan de dood van de betrokken partijen. Erover praten hielp niet, dat wreef alleen maar extra zout in de wonden en voorkwam dat het leven van alledag er langzaam weer een korstje over liet groeien. 'Ik zei alleen maar dat ze best goed klonk door de telefoon.'

'Nou ja, ze vond het fijn om iets van je te horen.' Haar toon was nog steeds defensief, al zwakte dat nu wat af. 'Maar bel toch maar niet te vaak, de dokter heeft eigenlijk liever niet dat ze aan de telefoon zit. Die in haar kamer kan ze niet zo goed gebruiken met haar gewonde hand, en ze hebben liever niet dat mensen mobieltjes meebrengen, vanwege de ziektekiemen.'

Mijn opa daarentegen wilde maar al te graag met me praten. Hij liep over van de plannen. Ze zouden gaan verhuizen naar een splinternieuwe flat in een luxe woongemeenschap voor senioren. Daar was een zwembad en een activiteitencentrum, en er was iemand om boodschappen voor ze te doen en het huis schoon te houden, en al hun vrienden zouden jaloers op ze zijn. Ze zouden nieuwe meubelen kopen en nieuwe vloerbedekking, en omdat oma voorlopig wel niet zou kunnen autorijden, zouden ze hun twee oude auto's inruilen voor één glanzende nieuwe met leren bekleding en een TomTom en een cd-speler met hun favoriete muziek (*Goud van Oud; de Hitparade van 1942* en de religieuze gezangen van Richard Tucker), die hen zou begeleiden op hun tochten door deze nieuwe fase van hun leven.

Waarop mijn oma droogjes reageerde met: 'We zullen wel zien.'

Na een paar dagen zorgvuldige behandeling vertoonden haar brandwonden nog geen tekenen van verbetering. Haar gevoelige huid, die onder de beste omstandigheden al kwetsbaar en weinig elastisch was geweest, was eenvoudigweg te zeer beschadigd om nog te genezen. De doktoren confronteerden de familie met het volgende dilemma: ze konden een huidtransplantatie uitvoeren, wat een vrij riskante onderneming was gezien haar leeftijd en haar gezondheidstoestand (hoge bloeddruk, een vernauwing van de aorta, en een ernstig verminderde nierfunctie), of ze konden niets doen, maar dan stierf haar spierweefsel intussen beetje bij beetje af en zou ze van buiten naar binnen langzaam sterven.

Wat ze dacht en voelde toen ze die dag naar de operatiekamer werd gebracht – dat de gehandschoende hand van de anesthesist die het masker over haar gezicht drukte weleens het laatste kon zijn wat ze ooit zou zien, een felle lamp die gloeide op haar huid en langzaam in het niets verdween – kon ik mij niet goed voorstellen. Of eigenlijk kon ik dat juist wel. Ik stelde me weinig anders voor. Ik stelde me een gevangene voor op weg naar zijn executie, die zich concentreerde op een paar minieme details (een kapotte linoleumtegel, een bordje met GEVAARLIJK! HOOGSPANNING), zoals ik zelf een handvol gezichten uit de menigte had gepikt toen ik op mijn trouwdag door het middenpad liep omdat ik wist dat die beelden me mijn hele leven lang zouden helpen me het gevoel van dat moment te herinneren. Maar in de dood herinner je je niets, en als er nog iets was dat oma opmerkte in haar laatste golfje bewustzijn – het patroon van het lelijke, perzikkleurige behang, de hulpverpleger zonder wenkbrauwen en met dat lange litteken over zijn wang – dan was het een vertwijfelde poging, een vergeefse inspanning om het leven vast te houden, dat beeld van de werkelijkheid dat ons maakt tot wie we zijn, en dat zomaar, zonder waarschuwing een einde vindt. Wat een kille, koudmakende gedachte: dat onze geest, het enige huis dat je nooit kunt verlaten, op een dag verdwenen zal zijn. Zolang de dood bestaat is niemand van ons veilig.

'Oké,' zei mijn moeder. 'Jij moet jezelf echt eens beter in de gaten gaan houden.'

'Hoezo mezelf in de gaten houden?'

'Nou, ik merk dat dit met oma de *problemen* die jij hebt met de dood behoorlijk aanwakkert. Maar we hebben er nu allemaal baat bij als jij je een beetje sterk houdt.'

'Problemen met de dood?' vroeg ik verontwaardigd. 'Problemen met de dood? Alsof dat zo geschift zou zijn! Iedereen die *leeft* heeft problemen met de dood.'

'Jawel,' zei mijn moeder. 'Maar behalve patiënten van mij die echt actief gestoord waren, heb ik nog nooit iemand meegemaakt die er zo bang voor is als jij.'

Hoe dan ook, tot algemene vreugde en enige verrassing hier en daar, overleefde mijn oma de drie uur durende operatie.

'Ze is nog buiten bewustzijn, en het gaat misschien nog dagen duren voordat ze haar ogen weer opendoet, maar ze leeft en haar bloeddruk en haar hartslag zijn stabiel,' zei mijn vader. Het was vast en zeker alleen nog een kwestie van tijd voordat ze weer zelfstandig adem zou halen, overeind zou gaan zitten, weer zou gaan praten, en aan het breien zou slaan. Reusachtig opgelucht begonnen we lichtzinnig te babbelen over wat ze nu precies gedaan hadden bij die nogal absurde en gruwelijke operatie. Het was toch wel een beetje iets uit een griezelfilm. Ze hadden de dode, afgebladderde huid van haar buik eraf gesneden en vervangen door een lap gezonde huid van haar rug.

'Waanzinnig idee eigenlijk,' zei mijn moeder. 'Stel je voor dat je een moedervlek hebt op je rug, en die zit dan opeens aan de voorkant. Zou je daar dan niet helemaal... *gedesoriënteerd* van raken?'

Ik dacht van wel. 'Of stel dat je niet eens wist dat je een moedervlek had, omdat het op je rug zat en dat je hem nog nooit had gezien?'

'Of wat als je getatoeëerd was?' deed mijn zus een duit in het zakje. 'Ik heb een vriendin met van die engelenvleugels op haar rug. Dan heb je opeens vleugels van voren!'

'Ja,' zei ik. 'Dat kun je eindelijk zelf zien wat voor gezicht de mensen trekken als ze ontdekken wat voor een ordinaire sukkel je bent.'

Helemaal mal was dat de huid die oma nu tekortkwam op haar rug was aangevuld met een stuk donorhuid, afkomstig van een zevenentwintigjarige Ierse immigrant die met te veel alcohol in zijn bloed bij een verkeersongeluk was omgekomen. Mijn opa vond dat een erg grappige situatie.

'*Top o'the mornin*'' zei hij met een zwaar Iers accent. 'Dat ga ik straks tegen haar zeggen als ik bij haar mag,' zei hij vrolijk. 'Ik zeg nog tegen die chirurg, ik zeg: "Nou, als ze straks om een glas whisky vraagt als ze wakker wordt, dan weten we hoe het komt!"'

Als chirurg Reilly dat net zo'n leuke grap vond als hij, dan was dat in elk geval niet echt aan haar te zien.

'O jongens!' ging hij verder, en hij wreef opgewonden in zijn handen. 'Wat een *St. Patrick's Day* zullen we dit jaar vieren!'

Twee weken lang was het iedere dag hetzelfde. Mijn oma bleef stabiel, maar ze werd niet wakker, en sprak niet. Volgens een hele reeks van tests was er geen sprake van een coma of van een beroerte, ze bleef eigenlijk meer hangen in een soort halve bewusteloosheid, een soort wakkere slaap. Er waren meer dan genoeg hypothesen om haar wonderlijke toestand te verklaren: ze was uitgeput, ze verkeerde in een nachtbewustzijn, ze nam wat welverdiende 'tijd voor zichzelf'. Mijn opa zat geheel in plastic gewikkeld en van top tot teen ingesmeerd met desinfecterende middelen breeduit op de roze plastic stoel naast haar bed, alsof het zijn geliefde La-Z-Boy thuis was. Hij had het onophoudelijk over het opwindende leven dat ze met zijn tweeën zouden leiden als oma weer thuis was, hoe ze nog eens naar Hawaï zouden gaan of naar Israël, of die treinreis zouden gaan maken door de Canadese Rockies, zoals ze altijd nog eens van plan waren geweest. Hij praatte tegen haar over politiek, klaagde over de achterlijkheid van deze regering, van de kiezers, en van mensen in het algemeen. Hij vertelde haar hoe allerlei mensen van het JGC naar haar hadden gevraagd; hoe goed haar vriendin Judy voor hem zorgde en elke dag pannetjes met zelfgemaakte stamppot en stoofschoteltjes voor hem neerzette achter op de veranda; hoe hij op de parkeerplaats tegen iemand met een BUSH/CHENEY '04-sticker had gezegd dat hij op moest rotten. Hij praatte en praatte en praatte, en als beloning voor zijn moeite kreeg hij soms een kleine handbeweging te zien of een langzame heen-en-weerbeweging van haar hoofd. Een of twee keer klopte het hart hem opeens in de keel toen haar benen centimeters omhooggingen alsof ze van vreugde trappelde als een klein kind, en zelfs toen hij een ogenblik later besefte dat het alleen maar het hypermoderne ziekenhuisbed was dat haar onderlichaam op en neer bewoog om de bloedcirculatie te bevorderen, kon hij nog niet goed geloven dat het niet echt gebeurd was, dat ze niet elk moment de dekens van zich af kon gooien en naar de gang kon schuifelen om de verpleegsters de mantel uit te vegen omdat ze niet genoeg van zijn favoriete frisdrank in hun keukentje in voorraad hadden. Het kon alleen maar een kwestie van tijd zijn voordat ze dat zou doen. Ze werd niet beter, maar het ging ook niet slechter met haar. Als ze van plan was geweest om dood te gaan, dan had ze dat al lang gedaan. Je overleeft tenslotte een dergelijke operatie niet voor niks, dan moet je ook echt blijven leven. Dat kan niet anders.

Het was mijn vader die belde, dus ik wist dat het slecht nieuws moest zijn. 'Het is tijd,' zei hij. Mijn vader is soms heel vreemd. Als hij zijn sleutels kwijt is, of het spul dat hij in het kruis van zijn fietsbroekje smeert, gaat hij tekeer alsof de Gestapo voor de deur staat. Maar als er iets veel ernstigers aan de hand is, zoals ziekte of een sterfgeval of bijvoorbeeld die keer dat een van zijn tienerdochters (ik zeg niet welke, maar het was niet mijn zus) om twee uur 's nachts werd gearresteerd langs de snelweg even buiten Savannah in Missouri wegens bezit van marihuana, kon hij verbazingwekkend rustig blijven – uiterlijk althans. Maar je kon aan zijn stem horen dat hij deze keer moeite moest doen om kalm te blijven: die klonk hoog, geknepen, en gespannen.

Ik hield me van de domme: 'Tijd waarvoor?'

'Tijd om een vliegtuig te boeken naar huis,' zei hij, terwijl die vreemde stem een beetje brak. 'Oma... nou ja, ze gaat het toch niet halen.'

Er was een of andere aandoening bij haar geconstateerd, zei hij, een aandoening waar ook hij in al zijn jaren van paranoïde medische zelfstudie nog nooit van had gehoord. Het had niet echt een naam, alleen zo'n afkorting, die hij zich op dit moment met geen mogelijkheid kon herinneren. In gedachten zag ik voor me hoe hij nu aan het andere eind van de lijn met de muis van zijn hand tegen de zijkant van zijn hoofd stond te bonken, als tegen de bodem van een onwillige fles ketchup, alsof met behulp van enig geweld het goede antwoord er wel uit zou komen rollen. Hoe dan ook, het deed er ook niks toe hoe de afkorting van die geheimzinnige kwaal luidde, maar wel dat die afkorting mijn oma's bloedsomloop tot stilstand bracht. Haar bloeddruk daalde razendsnel; het kon een dag duren, een uur of zelfs maar een paar minuten voordat haar hart het bloed niet meer rond gepompt kreeg en oma vertrokken zou zijn.

'Maak je geen zorgen over de kosten, dat komt wel goed,' zei mijn vader. 'Kom maar gewoon zo snel als je kunt.'

Ik had altijd gehoopt dapper te zullen zijn op de dag dat ik geacht werd mijn familie bij te staan, dat ik onverschrokken de bres zou beklimmen, met kalme hand en onbewogen gelaat. Ik zag mezelf allerlei handige en praktische dingen doen, mijn gezicht glanzend van een engelachtige vastberadenheid. Ik vulde een keurige lederen koffer met vers gewassen en gestreken linnengoed, kleine glazen ampullen met nuttige vloeistoffen, een revolver, en een bundel ritselend nieuwe bankbiljetten – als een soort kruising tussen een moedige verpleegster van oorlogsgewonden uit de Eerste Wereldoorlog en de onverstoorbare vrouw van een maffialeider. Maar ja, als u dit boek gelezen heeft, dan weet u dat dergelijk gedrag volstrekt niet strookt met mijn persoonlijkheid.

'Rustig, schat,' probeerde Ben me te kalmeren, zoals hij tijdens ons korte huwelijk al zo vaak gedaan had. 'Rustig nou maar.'

'*Ik kan niet rustig zijn!*' gilde ik. 'Dit is iets echts! Dit gebeurt echt!'

Toen het gegil en gejammer en tekeergaan zover was afgenomen dat Ben erop vertrouwde dat ik mezelf noch het meubilair verder zou beschadigen, liet hij mijn armen los en zocht hij op internet naar vliegtickets terwijl ik een tas inpakte. Ik bezat geen keurige lederen koffer zoals in mijn redder-in-noodfantasie, en ook had ik geen stapels fris linnen en ongemerkte biljetten. In plaats daarvan had ik zo'n grote, lompe boodschappentas op wieltjes waar de rits van kapot was en een wieltje aan ontbrak, met op de bodem geplette, al dan niet verpakte tampons, condoomverpakkingen, en hoewel ik al jaren niet meer rookte, diverse met korrelige tabaksresten bedekte en niet bij elkaar passende sokken. Ik voegde daar één schoen met hoge hak aan toe, een fles wodka, diverse potten vochtinbrengende crème, een biografie van Walt Disney, een reisgids met gegevens over de pittoreske overdekte bruggen van Vermont, vier beha's, en geen schone slips. Een botervloot, een Frans leerboek, een pak Chanoekakaarsen, een doosje met vijfhonderd paperclips – het maakte niet uit wat ik erin gooide, zolang het maar geen zwarte jurk was. Geen zwarte jurk. Die zou ik niet nodig hebben. Intussen bleek op internet dat de ticketsituatie beroerd was. Vanwege een sneeuwstorm eerder die week waren honderden vluchten opgeschort, waardoor er de komende dagen geen enkele plek beschikbaar was. Uiteindelijk, na meer dan een uur zoeken, vonden we een vlucht met een maatschappij die ik verder niet zal noemen, maar waarvan de naam begon met een N en eindigde op west. Die vlucht vertrok van Newark in het begin van de middag, parkeerde me bijna vijf uur in Minneapolis, en zou me rond middernacht in Omaha brengen, en dat allemaal voor de spotprijs van $917,43. Een vlucht naar Omaha kost normaal gesproken minder dan driehonderd dollar, maar ik was wanhopig. Haastig boekte ik de stoel, pakte mijn tas opnieuw in, ditmaal met meer draagbare en hygiënisch verantwoorde bagage (met alleen een korte pauze om een flinke hoeveelheid wodka in mijn keelgat te gieten), waarna ik systematisch mijn afspraken voor de hele week begon af te zeggen.

'Je moet eigenlijk even vragen naar de speciale tarieven bij sterfgevallen,' zei mijn vriendin Lauren toen ik haar opbelde om te zeggen dat ik de volgende dag niet met haar kon lunchen.

'Ik heb al een ticket geboekt bij N...west,' zei ik.

'Bel ze toch maar even op,' raadde ze me aan. 'Wie weet kunnen ze op z'n minst een eerdere vlucht voor je regelen.'

De reden dat ik dit telefoongesprek aanhaal is dat ik het heel duidelijk wil hebben gemaakt dat ik diezelfde avond nog gesproken heb met de ticketservice van N...west, en dat ik de juffrouw die me daar te woord stond onder tranen mijn situatie heb uitgelegd, en haar het nummer van mijn paspoort heb gegeven, van de boeking, van mijn creditcard – alle nummers die maar iets met die vlucht te maken konden hebben. Ze was vriendelijk, verontschuldigend zelfs, maar legde uit dat ten gevolge van het slechte weer, het late tijdstip, en de rampzalige toestand van het moderne vliegverkeer in het algemeen, er niets beschikbaar was. U hebt eigenlijk, zo zei ze, al geboft dat u überhaupt iets heeft kunnen boeken.

'Moet u luisteren,' zei ze. 'Het is al laat, en vanavond zijn er toch geen vluchten meer. Waarom belt u morgenvroeg niet opnieuw, dan kunnen we zien of we niet een plekje op een eerdere vlucht kunnen vinden voor u.'

'Dank u wel,' zei ik. 'Heel fijn dat u mij zo goed heeft geholpen.'

'Dat spreekt toch vanzelf. Mijn medeleven nog met het overlijden van uw grootmoeder,' zei ze welgemeend. 'En bedankt dat u voor N...west hebt gekozen!'

De volgende ochtend zei een andere juffrouw van de N...west ticketservice (die duidelijk minder met me meevoelde) in grote lijnen hetzelfde tegen me. 'U boft al dat u nog een vlucht heeft kunnen boeken. Het is de hele week al een gekkenhuis met vertrekvluchten uit New York.' Ik bedankte haar voor de moeite. 'En u bedankt dat u voor N...west hebt gekozen!' gaf ze ten antwoord.

Toen ik bij de terminal van Newark Liberty Airport wilde uitstappen had ik eerst nog een kleine woordenwisseling met de taxichauffeur. Hij had verzuimd te vermelden dat er een toeslag betaald moest worden van vijftien dollar bij bestemmingen buiten het centrale stadsgebied, de vijf *boroughs*, en beweerde dat ik dat had kunnen lezen op het bordje achterin met de Vervoersvoorwaarden. Ik legde hem uit dat de Vervoersvoorwaarden on-leesbaar waren door een enorme voetafdruk in wat kennelijk hondenstront was, en dat ik volgens diezelfde Vervoersvoor-waarden trouwens recht had op een 'beleefde, Engelssprekende chauffeur' die als ik vriendelijk vroeg om de Oproep tot het Gebed van de muezzin die uit de luidsprekers van de autoradio galmde alstublieft wat zachter te zetten daarop niet reageerde door het geluid juist op vol volume te zetten. Ik sjorde mijn eigen kleretas uit de kofferbak en gaf mooi geen fooi. Hij reageerde door bij het optrekken zorgvuldig mijn hele onderlichaam onder te spetteren met smerige natte kledder uit de goot.

Er stond niemand bij de incheckbalie van N...west, behalve een stel aangeschoten Nederlanders en een vrouw met een grote krat waar een bedwelmde Ierse setter in lag. Ik stak mijn credit-card in de computer om mijn reservering op te vragen, maar op het scherm verscheen het plaatje van een 747 in volle vlucht met daaronder de woorden die alle reizigers uit alle landen met al hun multiculturele zielen vrezen: *Assistentie vereist. Raadpleeg een medewerker.* Ongelukkig genoeg leken de bijzondere behoeften van de Ierse setter de volledige mentale capaciteit op te eisen van de enige medewerker die dienst had. Ik ging dus achter de Neder-landers staan en staarde op mijn horloge, terwijl ik mee probeer-de te luisteren naar wat ze tegen elkaar zeiden. Ik had een tijdje in Nederland gewoond en vond het leuk om te ontdekken dat ik nog steeds de Nederlandse woorden kon herkennen voor 'de' 'een' en 'iPod'. Volkomen verbluft door de hondensituatie verdween de enige ticketmedewerker achter de schermen, vermoedelijk op zoek naar een chef-ticketmedewerker. Ik bleef het oog gericht houden op mijn horloge, en hield mijn tranen in. Zou oma al dood zijn? Ze zouden me vast wel opgebeld hebben als ze gestor-ven was. Er ging een kwartier voorbij, een halfuur. De Nederlan-ders haalden hun schouders op en liepen zonder iets te zeggen verder, alsof de luchthaven een winkel was waar ze wat rond liepen zonder per se iets te willen kopen. Het duurde meer dan veertig minuten voor de medewerker weer opdook met een lang, laag karretje achter zich aan waar ze de Ierse setter op wilde gaan laden om hem gemakkelijk naar het vliegtuig te kunnen brengen. Mijn tijd begon een beetje op te raken.

'Neemt u me niet kwalijk,' zei ik, en ik deed een stap naar voren.

'Neemt u *mij* niet kwalijk,' zei de kaartjesmedewerker. 'Ik ben bezig een klant te helpen.' Is het u ook weleens opgevallen dat sommige mensen er precies uitzien als een kut? Ik bedoel dat ze er echt, fysiek, precies zo uitzien als een kut, en met *kut* bedoel ik dus vagina?

'Ja, maar u bent al meer dan een uur bezig diezelfde teringklant te helpen,' zei ik. Mijn verdriet moedigde me aan. 'En intussen dreigen sommigen van ons hun vlucht te missen.'

Een zelfvoldaan lachje gleed over haar kuttenkop. Ze had me zo ver gedreven een lelijk woord te gebruiken, en wist zich nu de sterkste. Waarom had ik na twintig jaar reizen met mijn vader deze simpele les toch nog steeds niet geleerd? Waarom, o waarom?

'Dat soort taalgebruik is absoluut nergens voor nodig,' zei ze, meesmuilend. 'Wanneer u dergelijke verbale agressie blijft vertonen, heb ik geen andere keuze dan u van de passagierslijst af te voeren.' En dat, vrienden, is het punt waarop de terroristen werkelijk een overwinning hebben behaald: door nóg een nieuw niveau van perversie toe te voegen aan de zogenaamde klantenservice van de vliegtuigmaatschappijen, die toch al de *date rape* van de maatschappelijke dienstverlening genoemd kon worden.

'Laat haar maar even voorgaan, ik vind het niet erg,' zei de vrouw met de Ierse setter.

'Nee,' zei de ticketmedewerker op scherpe toon. 'Ik was u aan het helpen.'

'Echt hoor,' zei de vrouw. 'Ik heb al zoveel van uw tijd in beslag genomen, en straks mist deze mevrouw haar vliegtuig. Helpt u haar alstublieft even eerst.'

De ticketmedewerker griste mijn rijbewijs uit mijn hand en begon zwijgend en met angstaanjagend geweld cijfers in te toetsen. Plotseling glimlachte ze. Er was kennelijk iets mis.

'Tja, ik heb hier uw reservering, *mevrouw*, maar het schijnt dat u een vlucht hebt geboekt met Continental Airlines.' Ze bleef glimlachen, met sprankelend witte tanden.

'Maar dat kan niet,' zei ik. 'Ik heb door de telefoon met twee verschillende medewerkers van N...west gesproken, nadat ik die reservering had gemaakt. Het nummer van de orderbevestiging begint met *NW*. En de e-mail die ik heb gekregen had als kop *Uw N...west Vluchtplan* godv... jandorie.'

O, maar dat kon best. Als het heel druk was brachten ze soms weleens reizigers onder bij collega-vliegmaatschappijen. Als ik mijn vluchtinformatie zorgvuldiger had gelezen, zou ik die informatie zeker hebben ontdekt in de kleine lettertjes onder aan de bladzijde.

'Maar kunt u mij dan niet gewoon hier inchecken?' vroeg ik wanhopig.

Nee. Omdat de betreffende dienst werd onderhouden door Continental, moest ik mij melden bij de incheckbalie van Continental.

'Heeft Continental een balie in deze terminal?'

O, nee nee nee. Dit was terminal A. De balie van Continental was in terminal E. Het pendeltreintje kon ik vinden direct onder aan de trap – het zou over een minuut of vijftien arriveren.

Bidden en smeken mochten niet baten, en tranen evenmin. De mensen aan de balie van Continental weigerden mij nog aan boord van het vliegtuig te laten. Ik was te laat. Er was niet genoeg tijd meer om de veiligheidscontrole te passeren en om mijn bagage aan boord te krijgen.

'Maar u begrijpt het niet,' zei ik snikkend. 'Mijn moeder is gestorven.'

Ik weet niet precies waarom dat nou uit mijn mond kwam rollen. Ik was in ieder geval niet van plan geweest het te zeggen. Misschien zocht ik naar een manier om mijn verdriet te verklaren, iets wat daarmee beter in proportie was dan de werkelijkheid. De dood van je grootouders, hoe plotseling ook, kan moeilijk aankomen als een schok. Bijna zodra je oud genoeg bent om dat te begrijpen, beginnen ze immers al enge kwalen te krijgen – hartaanval, maagkanker, longemfyseem, een hele lijst – en als je een jaar of twintig bent beginnen ze serieus te sneuvelen. Met ouders is dat heel anders; meestal ken je wel iemand uit je klas die al vroeg een ouder is verloren door een raar ongeluk of een ongeneeslijke ziekte, maar zulke sterfgevallen staan toch een beetje ver van je af; ze lijken vrij onmogelijk, bijna net zo onvoorstelbaar als je eigen dood. Als een van je ouders sterft is het heel logisch dat je het gevoel krijgt dat de wereld een beetje instort, en heb je er alle reden toe om je aan de haren te trekken en je kleren te scheuren, maar de dood van een grootouder, hoe teerbemind ook, zal gewoonlijk toch een gematigder reactie oproepen. Ongelukkigerwijze was er weinig gematigds aan die van mij.

'*Mijn moeder is gestorven!*' krijste ik wild, vol afschuw van mezelf. Een klein meisje met een rugzakje aan de balie ernaast greep de hand van haar eigen moeder wat steviger vast en staarde me aan met een mengsel van medelijden en weerzin. Op die leeftijd zou ik me precies zo hebben gevoeld. Wat onverantwoord om zomaar je ouders kwijt te raken. 'Kunt u mij nou echt niet in dat godverdomde vliegtuig laten?'

Nee, dat kon niet. Maar ze hadden wel een plaatsje voor me in het toestel naar Omaha, morgen om dezelfde tijd, tegen een extra betaling van $396. Wegens verzachtende omstandigheden werd er geen aanmerking gemaakt op mijn gevloek.

'U heeft uw vlucht niet gemist vanwege vertraging of annulering,' zei de niet onsympathieke medewerker nog maar eens. 'We zullen een nieuw ticket voor u moeten uitschrijven, maar gezien de droeve omstandigheden mogen wij u dat aanbieden tegen het rouwtarief.'

'Dank u wel,' zei ik. 'En hoeveel bedraagt dat rouwtarief?'

Hij keek me aan of ik niet goed snik was. 'Driehonderd zesennegentig dollar.'

Toen ik de volgende dag terug op het vliegveld was voor mijn tweede poging, had ik wat tijd over, dus ik dacht, ik loop even naar het boekwinkeltje om iets te lezen te kopen voor in het vliegtuig. Niks zwaars of ingewikkelds – een roman over een dik meisje met een voorkeur voor Gucci en een zeurende moeder dat uiteindelijk toch de man krijgt van haar dromen, zo'n roze boek met een handtasje op de omslag, als symbool voor alles wat er verontrustend is aan vrouwen. Het werd ten slotte *Het Jaar van Magisch Denken* van Joan Didion. 's Lands belangrijkste critici bazuinden vanaf het omslag dat dit precies was wat ik lezen moest; een van hen, van de *New York Review of Books*, ging zelfs zo ver te beweren dat hij zich 'sterven zonder dit boek niet kon voorstellen'. Het was onduidelijk of hij daarbij nu verwees naar zijn eigen ontslapen dan wel naar het menselijk sterven in het algemeen, alsof zonder Joan Didions expertise op dat terrein de dood zou ophouden te bestaan, en wij gedoemd zouden zijn om eeuwig voort te leven op een planeet die dichtbewoond werd door een steeds maar ouder wordende bevolking, voor altijd verscholen tussen restjes touw en oude kranten in appartementen die onder de huurprijsbeheersing vallen, en de oorzaak van kilometerslange kettingbotsingen op de snelweg. Hoe dan ook, ik zat daar op dat vliegveld, en las dat boek met groeiende ontzetting. Ontzetting voor wat Joan Didion was overkomen, ontzetting voor wat mij te wachten stond als ik eindelijk in Omaha zou arriveren, en ontzetting als ik eraan dacht dat wanneer het ooit voor mij – onvermijdelijk! – zo ver was, dat ook ik zou moeten schrijven over mijn verdriet en over de mensen die ik had verloren, en dat ik dat dan onmogelijk zou kunnen doen met de helderheid, de kracht, en de mentale onuitwisbaarheid van Joan Didion. Binnen mijn persoonlijke vorm van magisch denken kwam dat dan niet door een gigantisch verschil in talent, vaardigheid, of ervaring, maar doordat ik niet de juiste haarsnit bezat. Proza op het niveau van een Didion vereiste volgens mij een zeer zorgvuldig geknipt bobkapsel, een kort, sluik gordijntje van haar dat telkens weer even keurig en glad op zijn plaats viel als haar goedgeordende gedachten. Ik heb heel vaak zo'n strak bobkapsel geprobeerd, in de verwachting dat precisie aan de buitenkant van mijn hoofd de verwarde bende daarbinnen een beetje zou kunnen temmen, maar ik heb gewoon geen haar voor een keurige bob. Het is te dik en te woest, en elke poging om het kort te knippen leidde tot een rommeltje van onregelmatige happen en plukken overal, waardoor mijn hoofd eruit ging zien als een paddenstoelwolk of een gehavend exemplaar van zo'n opengewerkte frenologiekop. Ook zag ik mezelf niet het soort maaltijd bereiden dat Joan Didion opdiende vlak voordat haar man aan tafel doodbleef, en die mij sterk deed denken aan de foto's uit de oude kookboeken van mijn moeder uit haar jaren in Berkeley: studentikoos, quasibohémien, en bestaande uit een losjes samengestelde salade in een reusachtige uitgeholde noot en smaakvol bescheiden biefstukjes die liggen te sputteren in zo'n zware warm-oranje geëmailleerde braadpan van Le Creuset waar de intellectuelen uit de jaren zeventig zo dol op waren. Ik heb geen glad geknipt bobkapsel, en het laatste wat ik mijn echtgenoot heb opgediend was een zak Skittles die ik zorgzaam leegstortte in een met hoela-danseressen versierde schaal; mijn borsten puilen soms uit aan de zijkanten – niet aan de bovenkant, maar aan de zijkanten! – van mijn beha op een uiterst ordinaire manier, en ook ben ik allerminst een 'rustige klant', zoals Joan Didion zichzelf noemt in haar schitterende boek, maar een klant die met haar volle gewicht over de balie gaat hangen bij de klantenservice, hysterisch en hartverscheurend snikkend als de zwaar gesluierde ooggetuige van een zelfmoordaanslag in Basra, en die misselijkmakende leugens vertelt over haar moeder, zodat ze meer medelijden met haar zullen krijgen. Het is wel duidelijk dat ik nooit in staat zou zijn tot enige door de kritiek bejubelde vorm van rouwverwerking.

Ik voelde een lichte pijn aan de bovenkant van mijn dijen, die naar mijn onderrug trok. Ik legde Joan Didion terzijde, haalde uit mijn handbagage het daar nooit ontbrekende *Mayo Clinic Diagnostisch Handboek* tevoorschijn, en trok de heilzame conclusie dat ik waarschijnlijk leed aan eierstokkanker.

Los van hoe hij er in werkelijkheid uitziet, is het beeld dat ik heb van mijn vader altijd net zo gebleven als op mijn kleutertekeningen: een enorme gestreepte das waarachter zijn lichaam bijna helemaal schuilgaat, een slordig getekende pompon van zwart haar, en een brede, glimlachende mond. Het was al laat toen hij mij die avond van het vliegveld kwam halen, dus ik weet zeker dat hij geen das om had; zijn zwarte haar was al lang geleden wit geworden, en glimlachen deed hij onder de omstandigheden al helemaal niet, maar een kloppender beeld bestaat er in mijn herinnering niet. We groetten elkaar min of meer zwijgend. Hij omhelsde me heftig terwijl we op mijn bagage stonden te wachten en ik hield hem tegen mij aan, hoewel ik vreesde elk moment het schokken van zijn magere schouders te voelen, het enige dat zou verraden dat hij stilletjes stond te huilen met zijn hoofd in mijn hals. Ik had dat nog maar een paar keer in mijn leven gevoeld – toen mama en hij me alleen achterlieten op mijn eerste studentenkamer bijvoorbeeld – maar elke keer had het mij koude rillingen bezorgd: het plotselinge, onontkoombare besef dat mijn vader geen kleurpotloodtekening was die met een magneetje tegen de ijskast was geplakt, maar een menselijk wezen met echte gevoelens.

Gelukkig bleef dat schokken deze keer uit.

'Ze is op dit moment stabiel,' zei hij. Hij keek van me weg naar een gezin in allemaal dezelfde sweatshirts van de Huskers, die elkaar blij verenigd omarmden. 'Dat is wel heel bijzonder. Eerst ging ze alsmaar verder achteruit, maar op een bepaald moment ging het opeens beter. Ik bedoel, toen ik jou opbelde dachten we dat ze de ochtend niet meer zou halen, maar nu...'

Ik tilde mijn tas van de lopende band. 'Denken ze dat ze het misschien nog wel haalt?'

Hij haalde zijn schouders op. 'Ik weet niet... nou ja, ze is nu in elk geval stabiel. We zullen zien.'

Mijn moeder zat thuis te wachten met mijn zus, die zonder enig probleem de dag ervoor van Los Angeles naar huis was gevlogen. Een paar maanden daarvoor, toen ze haar middelbare school had afgerond, was ze naar L.A. verhuisd, en elke keer dat ik haar nu zag leek haar huid gebruinder en haar haar blonder, zodat ze er steeds meer ging uitzien als mijn geliefde Malibu Barbie – althans voordat ik al haar haar had afgeschoren tijdens haar tragische verblijf in een krijgsgevangenenkamp voor barbies. We aten een rommelig maal van opgewarmde zalm en slappe groenten, terwijl mijn moeder mij op de hoogte bracht van de recente gebeurtenissen. Oma gaf nog steeds niet op; de lastigste momenten waren de weekends, als de normale medewerkers van het ziekenhuis vrij hadden en het brandwondencentrum bemand werd door een allegaartje van studenten, stagiaires en hulpverplegers die erom bekendstonden zo af en toe onder het dweilen de stekker van een beademingsapparaat los te trekken.

'Pasgeleden,' zei mijn vader hoofdschuddend van verbijstering, 'was er opeens geen enkele uitslag meer te zien op de monitor, en zo'n negentienjarige leerlingverpleegster kwam binnensloffen met d'r tong half uit d'r mond weet je wel...' Mijn vader hield zijn hoofd scheef en smakte met zijn lippen om een complete halvegare te verbeelden. 'En die bleef alleen maar naar dat verdomde apparaat staan staren alsof het een tijdmachine was.'

'Hoezo een tijdmachine?' vroeg mijn moeder. 'Was Christopher Lloyd erbij? Of leek dat apparaat op een DeLorian?'

We lachten veel harder dan de grap verdiende.

Voor tweeën werden er geen bezoekers toegelaten in het ziekenhuis. Mijn zus had oma's auto geleend, dus gingen we eerst met z'n tweeën naar Target om een broodje te eten, en reden we daarna een paar uur rond en luisterden naar Lil' Kim. De auto lag vol met sporen van onze oma: een bedrukt schort dat was neergesmeten over haar doos met kwasten en glazuur voor het pottenbakken, nooit opgegeten snoepjes die gesmolten waren in de zon en weer gestold op de bekerhouder als een soort dikke vulkanische laag, en verfrommelde papieren zakdoekjes die ze altijd van de grond opraapte en aan ons gaf met de woorden: 'Hij is schoon hoor!'

'Het heeft gelukkig ook weer niet zo lang geduurd,' zei mijn zus. 'Ik bedoel, ze heeft niet, zeg maar, vijftien jaar kanker gehad of zoiets. Misschien is dit gewoon maar het beste.'

'Ik weet het niet,' zei ik. 'Als ze jarenlang ziek was geweest en dan doodging, zou iedereen zeggen: "Ach, het is ook maar beter zo, nu heeft ze tenminste rust, ze is uit haar lijden verlost." En als het helemaal onverwacht was, een hartaanval of een aneurysma, en ze was op een dag opeens doodgebleven, dan zouden we zeggen: "Nou ja, het is in elk geval snel gegaan. Ze is tot het eind actief gebleven. En ze heeft tenminste niet hoeven te lijden." Op welke manier hun geliefden ook sterven, de mensen zullen altijd zeggen dat het de beste manier was. Maar dood ben je, hoe dan ook.'

Een poosje zwegen we allebei. Geen van ons tweeën had er behoefte aan de voor de hand liggende opmerking te maken dat oma het op geen van beide fronten getroffen had: haar sterfbed was zowel plotseling als langdurig.

'Het is wel gek om zonder haar in deze auto te zitten,' zei ik. 'Hij ruikt helemaal naar haar.'

Mijn zus trok haar neus op. 'Zeg dat wel,' zei ze. 'Muf. Niet te geloven wat een rotzooi ze in die wagen heeft liggen. Net als bij zo iemand die in zijn auto woont met, zeg maar, zo'n hasjpijp en een hele valse hond.'

We lachten. Het gaf wel een goed gevoel om grapjes te maken over oma, een aloude traditie die leek te helpen het ondenkbare in elk geval voorlopig af te wenden. Iemand die op sterven ligt kun je niet uitlachen, dus oma lag niet op sterven.

'Gek hoor,' ging ze verder. 'Je weet natuurlijk dat ze een keer zal sterven, maar... nou ja. Ik kan niet geloven dat het ook echt gaat gebeuren.'

'Ik weet niet. Je verwacht toch op een of andere manier van je grootouders dat ze doodgaan.' Ik herhaalde mijn mantra van de afgelopen paar dagen. *Hier ben je op voorbereid. Je bent voorbereid.* 'Arme papa. Wat zal hij zich droevig voelen. Ik denk niet dat je van je ouders ooit echt het gevoel hebt dat ze dood zullen gaan, hoe oud je ook bent. Ik bedoel, als je klein bent is er altijd wel een kind van wie de ouders jong zijn gestorven en dat is dan heel erg raar, maar dat zie je dan toch niet als iets wat jou ook zou kunnen overkomen.'

Mijn zus keek me bevreemd aan.

'Wat nou?' vroeg ik.

'Ja, hallo,' zei ze. 'Mama was zo'n kind.'

Opa was al in het ziekenhuis toen wij aankwamen. Hij zat op een bank in de wachtkamer. Op een klein televisietoestel in de wandkast was CNN te zien, maar hij keek er niet naar. Hij staarde naar de rij liftdeuren in de hal.

'Er komen niet veel mensen hier boven,' legde hij uit. 'Er zijn maar zeven bedden op de brandwondenafdeling. Echt niet te veel bezoekers.' Zijn groene trainingsbroek zat een beetje opgestroopt, en gaf uitzicht op zijn atletieksokken en zijn schenen, die glad en haarloos waren geworden door tachtig jaar broeken dragen. Verder droeg hij een bleekgeel T-shirt, dat een beetje te klein was en strak om zijn buik zat. OMA'S HUIS stond erop, boven een geappliceerd vogelhuisje vol hartjes, en daaronder: GRATIS KUSSEN, GRATIS KNUFFELS, GRATIS OPPASSEN, GRATIS KOEKJES.

'Ja,' zei hij, toen hij zag dat ik ernaar keek. 'Die is van haar, maar die draag ik nu.'

'Staat je leuk,' zei mijn zus.

'Ik zal jullie eens wat vertellen.' Zijn stem werd zachter. Hij moest moeite doen om verstaanbaar te blijven. 'De dag dat ze overeind gaat zitten in dat ziekenhuisbed, spring ik van vreugde tot aan het plafond en jubel ik halleluja.'

Elk jaar op mijn verjaardag belde mijn oma 's morgens vroeg met een variatie op telkens hetzelfde verhaal: 'Ik was buiten in de tuin plantjes in de grond aan het zetten, toen ik de telefoon hoorde overgaan. Ik rende naar binnen om hem op te nemen, en het was je vader om te vertellen dat we een prachtig mooi kleindochtertje hadden gekregen. En toen ik tegen opa vertelde dat het een meisje was, sprong hij zo hoog in de lucht dat hij met zijn hoofd tegen het plafond kwam!' Omdat ik heel laat op de avond geboren ben, is het heel onwaarschijnlijk dat mijn oma inderdaad aan het tuinieren was in het pikkedonker, en mijn opa was zelfs voordat hij begon te krimpen in werkelijkheid lang noch atletisch genoeg om zelfs maar met zijn vingertoppen langs het plafond te kunnen vegen. Maar mijn oma was nogal eigenaardig in dat opzicht, een beetje zoals Blanche DuBois, maar dan zonder haar zuidelijke charme en haar demonen. Ze vertelde je de dingen nooit zoals ze waren, maar zoals ze hadden moeten zijn, of eigenlijk, ze vertelde wat ze dacht dat jij graag wilde horen. In de tuin bloemen planten op het ogenblik dat je prachtige eerste kleinkind wordt geboren, is een stuk poëtischer dan in bed liggen te slapen met je kunstgebit uit. Soms pakte dat revisionisme grappig uit; toen ik haar een keer vroeg of haar moeder Pools of Russisch was geweest, antwoordde ze na een heel korte aarzeling: 'Pruisisch.'

Iedereen mocht weliswaar op de drempel van oma's kamer staan en een beetje verdwaasd naar haar zwaaien, maar vanwege haar ernstig aangetaste immuunsysteem mochten er maar een paar mensen ook werkelijk naar binnen om even bij haar te zijn.

Mijn opa had ervoor gezorgd dat ik op de laatst overgebleven plek op de lijst kwam te staan. Ik zou langer in Omaha blijven dan mijn zus en bovendien, zei hij een beetje stroef, 'jij bent nu een getrouwde vrouw. Jij moet daar nu mee om kunnen gaan, volgens mij.'

Ik kan daarmee omgaan.

We wasten ons in de kleine voorruimte bij haar kamer, smeerden ons in met antibacteriële zalf en hulden ons in plastic gewaden en rubber handschoenen. Oma lag bewegingloos midden in de kamer, omgeven door een wand van apparatuur. Haar armen en schouders staken naakt uit boven haar romp die in wit verband was gewikkeld, en haar haar, dat feloranje was geweest toen ik een kind was en in de loop der jaren tot flauw rossig was afgezwakt, lag plat en samengeklit op het kussen, als de pruik van een nooit meer gebruikte pop.

'Hallo, oma,' zei ik.

'Dat is mijn oudste kleindochter,' kakelde opa tegen de jeugdige verpleegster. 'Die pasgetrouwd is, uit New York. O, oma is zo dol op onze Rachel, hè, oma?'

'Hallo, oma,' zei ik nog maar een keer.

'Hoor je dat, lieverd?' zei opa. 'Rachel is hier!'

Als ik zou zeggen dat ze haar ogen bij die woorden dadelijk opsloeg zou dat klinken als een vals cliché of zelfs een leugen, maar het is wel waar. Haar ogen gingen open, en ze bewoog haar hoofd een heel klein stukje in mijn richting, zover als de slangetjes en buisjes het toelieten. Ik kon bijna horen hoe ze mijn naam riep, behalve dan dat er geen enkel geluid kwam.

'Mag ik haar aanraken?' vroeg ik aan de zuster.

'Natuurlijk mag je haar aanraken!' bulderde mijn opa. 'Ze is niet van suikergoed! Toch, liefje?'

Ik greep haar hand en pakte de twee knokige vingers vast die onder het verband uitstaken. Haar nagels glansden nog van de heldere nagellak die ze gebruikte, en van een van die nagels ontbrak de helft. Ik weet nog hoe dat gekomen is, jaren geleden: ze was een verjaardagstaart aan het snijden toen het mes uitschoot en een stuk van haar vingernagel afhakte. Zonder haperen sneed ze door; niemand van ons merkte er ook maar iets van totdat mijn zusje, die onder de tafel zat te spelen, het bloed door het stuk keukenrol heen zag sijpelen op oma's schoot.

'Maar nog niet iedereen had taart!' protesteerde ze. 'Mij mankeert niks.'

'Ik ben het, oma,' fluisterde ik. 'Ik ben hier. Je krijgt de groeten van Ben. Je knapt vast weer helemaal op.'

Ze had haar ogen weer gesloten, maar langzaam druppelden er tranen uit haar ooghoeken tot in haar haren. Ik wist niet wat ik verder nog kon zeggen, dus ik hield alleen maar haar hand vast en staarde naar haar, en naar de apparatuur, het verband, de gele teennagels die uit haar steunkousen staken. Haar borsten, viel me op, waren nergens te bekennen. Waren die beschadigd of verwijderd of, gruwelijkste gruwel, waren die eraf gebrand als ooit bij zo'n heilige maagd en martelares? *Arme oma! Wat hebben ze met je tieten gedaan?*

Ze haalde rochelend adem, het beademingsapparaat deed haar lichaam schudden en opeens zag ik rechts naast haar heup een of andere bult lichtjes trillen. Ah, *daar* waren ze gebleven.

'Vanmorgen reageerde ze wat meer,' zei de verpleegster. 'Maar nu is ze moe. U kunt het beste morgen maar weer terugkomen.'

Ik ben een week gebleven; het leek weinig zinvol om nog langer te blijven. Ze leefde nog toen ik vertrok, maar het was elke dag hetzelfde als de dag ervoor. Haar toestand was als een achtbaantje voor kinderen: hij schommelde nu eens een klein eindje omhoog, en dan weer een onbeduidend stukje omlaag. De ene keer was ze stabiel, de andere keer weer niet. Vandaag verliep de dialyse uitstekend, de volgende keer stolde het bloed in het slangetje en verstopte de machine. De ene dag deed ze haar ogen open of bewoog ze haar vingers, de andere dag gebeurde er niets. Mijn opa zat voortdurend naast haar bed, en met gebroken stem vroeg hij aan zusters, hulpverplegers, en technici, of ze dachten dat ze misschien een kans had om hier ooit nog uit te komen. Het kon hem niet schelen in wat voor toestand, of ze misschien niet meer zou kunnen lopen, of ze misschien niet meer zou kunnen praten, hij wilde alleen maar horen dat ze nog een kans had.

Hun antwoorden waren diplomatiek opzettelijk vaag. 'Ze is een echte vechter, dat staat vast.' 'Volgens mij heeft iedereen een engeltje daarboven dat voor hem zorgt, en die van haar is een hele goeie.' 'Nou, meneer Shukert, ik ben niet zo'n gokker, maar als ik dat wel was, zou ik er wel iets op durven inzetten.' Als mijn opa dat soort woorden hoorde, stak hij zijn armen in de lucht en sloeg hij zijn zware handen verheugd ineen. 'Dat is alles wat ik wilde horen. Dat geeft tenminste hoop.' Dat kwam er dan uit in één adem. Elke keer als hij zijn vraag stelde hield hij zijn adem in, en bad in stilte dat hij het antwoord zou krijgen dat hij wilde horen. En op een uitgekookte manier was het dat ook altijd. Het zou trouwens onmogelijk geweest zijn om mijn opa een antwoord te geven dat hij níét wilde horen. Dat zou hij eenvoudig niet hebben verstaan.

'Hoor je dat, liefje?' zei hij, en hij drukte een kus op de krachteloze hand van mijn bewusteloze oma. 'Het komt weer helemaal in orde. Ze zouden het heus niet zeggen als het niet waar was.'

Je hart brak ervan als je het zag, voor zover het al niet gebroken was.

Er staan een paar krabbeltjes in mijn notitieboekje uit die tijd, waaraan ik goed kan zien hoe ik me toen voelde.

Heimwee is niet dat je je huis mist, maar het stuk van je leven dat je al hebt geleefd. Dus, rouwen om de gestorvenen = treuren om een thuis dat verloren is gegaan, een tijd die verloren is gegaan waarvan de gestorvenen deel uitmaakten. Echt, een mens zou zijn hele leven aan rouwen kunnen besteden als er geen *reality-tv* was...

Papa, de nobelste aller Romeinen, zegt: *Dum spiro, spero*. Zolang ik ademhaal, bezit ik hoop. Latijnse zegswijze, tevens motto van de staat South Carolina. Vraag me af of dat een speciale betekenis heeft, vraag me ook af hoeveel Zuid-Carolijnen (Carolingen? vgl. Karel de Grote) dat weetje weten... Persoonlijk hoop ik dat de hemel een reusachtig cruiseschip is waar je bij iedere maaltijd aan tafel zit met uiterst boeiende en aantrekkelijke historische figuren; de hel daarentegen is dan een reusachtig bar mitswa-feest waar je bij je familie moet blijven zitten en je je niet onder de andere feestgangers mag mengen...

N...west Airlines zit aan de GROND. Hoop dat ze weer failliet verklaard worden, dan kan ik dansen op hun graf, en zo niet dan ga ik VERNIETIGENDE kritiek op ze uiten in mijn boek, tot algemeen vermaak van het hele land. $917,43 + $396 = WAANZIN. VAL DOOD, STELLETJE TERINGLIJERS, VAL DOOD.

Ik ben blij dat ik in de archieven deze flarden schriftelijk bewijs aantrof, al mogen ze dan vaag en wraaklustig zijn. Ik heb verder maar twee enigszins samenhangende herinneringen aan deze periode van voortdurend wachten op een telefoontje, van elke dag websites met goedkope vluchten naar Omaha langslopen 'alleen om te kijken wat ze hebben', van slapeloze nachten en oververmoeide dagen. Eén zo'n herinnering heb ik aan een zaterdagmiddag kort nadat ik in New York terug was. Het was prachtig weer, de eerste echte lentedag, en ik besloot van mijn appartement aan de Upper East Side dwars door het Central Park te gaan wandelen naar het Museum voor Natuurlijke Historie omdat ik de nieuwe zaal van de Menselijke Afstamming wilde zien die onlangs met veel bombarie was geopend. Ik denk dat ik op een bepaalde manier hoopte dat de grootsheid van de evolutie me zou kunnen helpen oma's onvermijdelijke overlijden niet alleen te zien als het verlies van een vrouw van wie wij gehouden hadden,

maar ook als een eenvoudige wenteling van het eindeloos, onontkoombaar wentelende Rad van het Leven, of dat soort flauwekul.
En bovendien ben ik een groot liefhebber van levensgrote diora-
ma's, vooral als de Nobele Wilde erin voorkomt.

Het park was stampvol met New Yorkers die net enthousiast
uit hun winterslaap waren ontwaakt. Het wemelde van de fiet-
sers, mensen op skeelers, en er was veel bloot te zien van mensen
in bij dit weer toch wat te optimistische kleren. Opwarming van
de aarde betekent niet meteen dat je in je bikini kunt gaan liggen
zonnebaden op de Grote Weide als het pas maart is. Het is al best
raar om bijna naakt in het gras te gaan liggen in augustus als de
meeste mensen het liefst hun hele huid zouden afstropen als dat
kon en zichzelf daar uitstrekken in heel hun vlezige, met interne
organen bezaaide glorie, als rottende halve koeien op een markt-
plein ergens in de derde wereld, maar om dat nou te doen als iedereen om je heen nog een sjaal om heeft, is ronduit vreemd. Maar
goed. Wie wat moois heeft mag dat natuurlijk best laten zien. Je
bent maar één keer jong. Voor je het weet lig je bewusteloos onder
een laag ontsmettingsmiddelen op de intensive care met hape-
rende nieren, terwijl je kinderen ruziemaken wanneer De Zorg de
stekker eruit mag trekken, omdat je een niet meer te rechtvaardi-
gen last bent geworden voor de belastingbetaler. Had ik al gezegd
dat mijn wandelingetje bedoeld was om me wat op te vrolijken?

Aan de andere kant van het park opende zich voor mij die ma-
jestueuze vlakte der afgunst die wij kennen als Central Park West;
hoe goed ik ook gekleed ben, nooit voel ik mij netjes genoeg om
over die straat te mogen lopen, alsof de schoenen die ik in de uit-
verkoop bij Target heb gekocht glibberige strepen van armoede
zullen achterlaten op de stoep, waar haastige kleine meisjes die
van balletles komen dan over uitglijden, zodat ze overeind moeten worden geholpen door hun portiers die het zien gebeuren en
die mij minachtend en medelijdend tegelijk aankijken met een
blik van: *Ik draag ook wel goedkope schoenen, dame, maar ik werk hier*

tenminste. Vandaag echter voelde ik mij, net als koningin Victoria en Jackie Kennedy, door verdriet geadeld.

Twee keurig geklede, donkerharige meisjes liepen op een holletje langs mij heen. Ze trokken al rennend de linten uit hun haar, en hun lentejurkjes zweefden als grote bloemkelken over de tegels. Dicht achter hen aan, maar met kalmer pas, liepen twee joodse papa's. Slank, donker, knap, smaakvol maar niet te modieus gekleed in goedgesneden pakken en met een das die ongetwijfeld door hun vrouw was uitgekozen, liepen ze van de synagoge naar huis met hun tallietzak losjes in de hand, terwijl ze af en toe even voelden of hun suède keppeltje nog stevig genoeg op hun weerbarstige haar zat.

De kleine meisjes kwamen gevaarlijk dicht bij een stoplicht. 'Leah, voorzichtig!' riep een van de papa's, en hij hervatte het gesprek met zijn vriend. Op basis van ervaring schatte ik in dat hun gesprek een mengeling bevatte van de honkbaluitslagen, de Thoralezing van deze week, en nieuws uit de zakenwereld.

'Papa!' riep een van de kleine meisjes, die inmiddels veilig voorbij de kruising waren. 'Kijk eens!' Lachend tolde ze alsmaar rond, zodat haar jurk wijd uit ging staan als een parasol.

'Mooi!' riep het meisje, terwijl ze steeds sneller ronddraaide. Ze stak haar armen uit en raakte zachtjes de stof aan die om haar heen zweefde. 'Mooi, mooi, mooi, mooi!'

Ik werd getroffen door een golf van heimwee, zo sterk dat ik er bijna helemaal door werd teruggespoeld naar de andere kant van het park. Een droef verlangen naar een leven dat ik ooit geleefd had. Droef omdat het nooit weer zo zou zijn.

Die andere herinnering is aan een droom. Zo fascinerend als het is om na te peinzen over je eigen dromen, zo ongenadig vervelend het is om te moeten luisteren naar die van iemand anders, ik weet het. Ik zal het dus kort houden. Het was typisch een droom voor mij. Het is donker buiten. We zitten in de trein naar Auschwitz; de vloer van de goederenwagen is van gesmolten lava en op de achtergrond klinkt de muziek uit *Oklahoma!*, zo luid dat al het andere geluid wordt verdrongen. Maar dan opeens sta ik voor de glazen kast met de grijparm op de kermis en probeer ik een klein pluchen leeuwtje te grijpen met de ijzeren klauw van het apparaat, en president Clinton staat naast me, alleen is hij naakt en tegelijkertijd ook een papieren pop. En plotseling buigt mijn oma zich boven uit het raam en roept naar mij. Ze is in verband gewikkeld, maar met blote schouders, zoals ik haar de laatste keer heb gezien, maar haar haren zijn gekamd en pas geverfd, en ze heeft haar bril op en haar zware gouden ketting om met de diamanten hanger die altijd een omgekeerde letter D in mijn voorhoofd drukte als ze me omhelsde.

'Het is goed,' roept ze naar me.

'Wat?' roep ik terug.

'Het is goed, lieverd. Het is goed met mij.' Ze glimlacht en steekt een knokige hand naar me uit, ook al kan ze er niet bij. 'Wees maar niet bang, popje. Het komt allemaal goed.' Ze trekt haar hoofd naar binnen en doet het raam dicht. Ik had nooit eerder van haar gedroomd, en dat heb ik daarna ook nooit meer gedaan.

Ze stierf op donderdag, twee dagen voor St. Patrick's Day, met hetzelfde Hibernische geluk dat de jongeman wiens huid langzaam op haar rug was weggerot naar zijn fatale ongeluk had gevoerd. Ik heb me vaak afgevraagd waarom men juist aan de Ieren een bijzonder soort *mazzel* toeschrijft, terwijl het mensen zijn wier lange, tragische geschiedenis maar nauwelijks vrolijker lijkt dan die van mijn eigen ongelukkige volk; in elk geval, de combinatie was voor mijn oma te veel. Naar ieders zeggen is ze er vreedzaam tussenuit geglipt. Toen de dagzuster haar dienst begon zag ze dat alle waarden opeens erg snel terugliepen, en belde ze mijn vader, mijn oom, en mijn opa om te zeggen dat het vandaag wel zou gaan gebeuren. Ze installeerden zich in de cafetaria van het ziekenhuis, waar ze limonade dronken uit papieren bekertjes met de familieleden en vrienden die langskwamen om hun medeleven te tonen, en toen het einde kwam waren zij erbij. Mijn vader zat naast zijn moeders bed, en toen haar adem zwakker en zwakker werd en uiteindelijk helemaal ophield terwijl de uitslagen op de monitor veranderden in een vlakke lijn, boog hij zich naar haar toe, en fluisterde in haar oor: 'Mam. Zeg me snel: hoe is het daar?'

'Weet jij wat haar nou uiteindelijk de das heeft omgedaan?' Mijn moeder is dol op retorische vragen. 'Na dat verbranden, en haar nierprobleem, en die hoge bloeddruk en alles, weet je waar ze nou uiteindelijk aan dood gegaan is?' Mijn moeder nam een dramatische pauze. 'Aan een schimmelinfectie.'

Ik moest hardop lachen.

'Een schimmelinfectie,' herhaalde mijn moeder. 'Die bacterie verspreidde zich in haar bloed, en ze raakte ontstoken. Kun jij je dat nou voorstellen? Ik bedoel, hoeveel schimmelinfecties moet ze wel niet gehad hebben in haar leven? En dat doet haar dan uiteindelijk de das om. Niet te geloven.'

'Is dat ook wat ze straks als doodsoorzaak gaan vermelden?' vroeg ik. 'Op de overlijdensverklaring, bedoel ik? Dat zou toch *hilarisch* zijn?'

'Ik denk dat ze gewoon gaan opschrijven "complicaties na een ongeluk" of zoiets,' zei mijn moeder. 'Maar ik ben het met je eens: dat zou wel heel grappig zijn.'

'Wat doe je eigenlijk met zo'n overlijdensverklaring, trouwens?' vroeg ik. 'Inlijsten en aan de muur hangen, als een diploma? Die-en-die heeft officieel het leven afgerond? Oma hield erg van dingen inlijsten. Misschien kunnen we het in zo'n plat vlinderkastje doen met een ruitje ervoor; oma heeft weleens zo'n kastje laten maken, heel griezelig, met het haar van Bubbe erin. Dan doen we bijvoorbeeld die overlijdensakte erin, en haar ziekenhuisarmbandje met een stuk verband of zo, en een foto van haar. Een soort relikwie wordt het dan, weet je wel, zoals die dingen in het Vaticaan, alleen zijn die dan helemaal bezet met juwelen en van alles, zoals die van de heilige Teresa, daar steekt aan de bovenkant een vinger uit, als een kaars op een verjaardagstaart. Weet je wat ik bedoel?'

Mijn moeder zweeg, en dacht na hoe ze hierop moest reageren. 'Ga een vliegticket kopen, jij,' zei ze uiteindelijk, 'en probeer op tijd op het vliegveld te zijn.'

Als de gojim[†] een geliefde verliezen, moeten ze allerlei besluiten nemen. Het 'afscheidnemen' moet worden geregeld, een begrafenisondernemer moet worden ingehuurd, bloemen moeten

---

[†] Heidenen, het is alweer een tijdje geleden dat we elkaar hebben gesproken. Maar omdat we bijna aan het eind gekomen zijn van onze gezamenlijke reis, wilde ik jullie graag nog een gedachte meegeven ten afscheid. Allereerst: zoals ik hopelijk al duidelijk heb weten te maken is *gojim* de meervoudsvorm. Dus de volgende keer dat je trots probeert te etaleren hoe handig je bent met het Jiddisch – of het 'kosmopolitanisme' zoals ik verneem dat het in Sovjet-Rusland werd aangeduid – verkondig dan niet: 'Ik ben een gojim.' Je bent geen gojim. Jij bent, zoals je juist pijnlijk duidelijk hebt gemaakt, een goj. Trouwens, ik raad je in het algemeen aan om sowieso maar liever geen jiddischismen te gebruiken. Niemand vindt het grappig om een voormalige inwoner van North Dakota *oy gevalt* te horen zeggen, en met het verkeerd gebruiken van de term *farkakte* verdien je ook geen extra bloemenpunten bij de joodse ouders van je nieuwe vriend(in), die toch al vreselijk hun best doen om je zo aardig mogelijk te vinden onder de omstandigheden, terwijl ze stiletjes hopen dat het tussen jullie vanzelf uitgaat voordat ingrijpen van buitenaf noodzakelijk wordt. Veel andere tips liggen voor de hand: vraag niet om mayonaise bij een broodje pastrami; als je het moeilijk vindt de *ch* als keelklank uit te spreken, maak er dan een luie, neutrale *h* van in plaats van een harde *k*, want dat klinkt zo ongeletterd; en kom je ooit om een of andere reden terecht in een Lactaid joden, zoals ik zo'n gezelschap graag noem, zoals je het ook hebt over een *roedel* wolven of een *horde* schoolkinderen – op een bar mitswa, een bruiloft, of andere familiebijeenkomsten van diezelfde vriend(in) bijvoorbeeld – denk dan alsjeblieft niet dat zulks een geschikte gelegenheid is om medeleven te tonen met de benarde toestand van de Palestijnen, of om de militaire politiek van Israël te bekritiseren, dan wel de rol die Amerikaanse fondsen daarbij spelen – ook al wijs je tenslotte alleen maar op fouten van de regering, en maakt je dat allerminst tot een antisemiet. En daar ben ik het mee eens. Beargumenteerde kritiek op het Israëlische beleid, geuit onder studenten, of in een links georiënteerde krant is niet vanzelfsprekend antisemitisch, maar zoiets ter sprake te brengen op de familiereünie van de Leventhals in Palm Springs, bestempelt je zonder meer tot een nazi. Heel fijn, beste heidenen. Dat was het dan. Veel geluk, *l'chaim*, en mogen we in vrede samenleven.

worden besteld, het lichaam moet worden opgemaakt. Er moet een kist worden uitgekozen – niet te luxe, maar het mag er ook weer niet te armoedig uitzien – en er moeten (op z'n oud-Egyptisch) kleinigheden worden uitgekozen om 'mee te geven': familiefoto's, geluksvoorwerpen, kruisbeeldjes en dergelijke. En iemand krijgt de bittere taak om te bedenken welke kleren de overledene op haar laatste reis zal moeten dragen. Toen ik nog een heel klein meisje was en dacht dat bloemen ook gevoelens hadden en dat een pan het uitschreeuwde van pijn als je hem op het vuur zette, dacht ik dat er geen erger lot kon zijn voor een kledingstuk dan opgetogen te worden meegenomen uit de winkel naar huis, ervan overtuigd de drager te mogen begeleiden bij allerlei vreugdevolle gebeurtenissen, en dan tot de ontdekking te moeten komen tot in de eeuwigheid onder de grond te moeten liggen beschimmelen in een kist met langzaam ontbindend vlees; het leek me bijna net zo ondenkbaar als het idee dat mijn eigen lichaam, dat zo onverwoestbaar leek, zo onontkoombaar aanwezig, op een dag net als al het andere zou wegrotten.

Joodse begrafenissen zijn simpel. Als jood begraven worden, is net zo begraven worden als alle andere joden voor je. Het lichaam wordt overgedragen aan de Chevrah Kadisha, de begrafenisvereniging, een groep anonieme vrijwilligers (vaak voormalige artsen en verpleegsters, die niet zo gauw ergens van schrikken), die het lichaam gereedmaken, wassen en in een eenvoudige witte lijkwade hullen. Een man draagt eventueel ook een keppeltje en een gebedssjaal. Het lichaam wordt niet gebalsemd of opgemaakt, er zijn geen bloemen en het lichaam wordt niet meer getoond. Ze nemen het lichaam mee, en je ziet het nooit meer terug, behalve voor in de synagoge, waar mijn oma nu was, in een kale kist van blank vurenhout alleen getooid met een davidster die in het gesloten deksel is gebeiteld. Stof zijt gij, en tot stof zult ge weerkeren; het idee is dat je wordt begraven in iets dat zo natuurlijk en zo biologisch afbreekbaar mogelijk is, zodat er nauwelijks sporen van overblijven, alsof het nooit bestaan heeft. We geven niet graag overlast.

Ik zat naast mijn opa aan het uiteinde van de bank en had mijn arm beschermend om de schoudervullingen van zijn donkere pak geslagen. Hoe hij zich zou houden was onmogelijk te voorspellen. De afgelopen paar dagen was hij begrijpelijkerwijze nogal labiel geweest. Het ene moment maakte hij grappen, het andere zat hij wezenloos naar de muur te staren of brak hij uit in een amechtig gesnik: 'Waarom? Waarom? Ze heeft het niet verdiend om zo te moeten sterven, geroosterd als een kip.' Hij had zijn recente ongeloof in god verkondigd, in een god die zulke dingen liet gebeuren; ook hadden we met enige consternatie ontdekt dat mijn grootouders, die halverwege de tachtig waren en zestig jaar in dezelfde stad hadden gewoond, nog steeds niet hadden gezorgd voor een plekje op het kerkhof.

'Ik dacht, als ik geen graf koop, zal ze ook niet sterven,' zei mijn opa met een knipoog. En wat dan als hij eerder doodging dan zij?

'Dan zou zij daar wel voor gezorgd hebben. Ze zorgde altijd zo goed voor mij.'

De banken van de synagoge vulden zich langzaam met familieleden en vrienden, waarvan ik de meesten voor het laatst gezien had bij mijn huwelijk, zes maanden daarvoor. Het was vreemd om ze nu weer te zien, in somber zwart gekleed terwijl ze met moeite hun tranen bedwongen. 'Je zult wel blij zijn dat ze nog heeft meegemaakt dat je ging trouwen,' zeiden ze als we elkaar begroetten in de hal. 'Dat heeft veel voor haar betekend; dat zal je wel troosten.'

Nee! wilde ik wel uitschreeuwen. *Nee, dat troost me helemaal niet. Krijg de tering met dat hele trouwen! Ik wil alleen maar mijn oma terug.*

'O ja, zeker,' zei ik met een droevig lachje. 'Dat is een hele troost.'

Ik had nog nooit meegemaakt dat het zo stil was in de synagoge. De rabbi sprak een paar minuten, de cantor zong, en toen stond mijn vader op om de lofrede te houden. Hij plukte zenuwachtig aan het zwarte lint dat de rabbi voor de dienst had gezegend en hem op zijn revers had gespeld.

'Wat kun je zeggen over je moeder op haar begrafenis? Hoe hou je een lijkrede voor iemand die jou het leven heeft geschonken, die je heeft opgevoed, en die je zevenenvijftig jaar lang onvoorwaardelijk heeft liefgehad en gesteund?'

Vervolgens citeerde hij de Bijbel. 'Een degelijke vrouw, wie zal haar vinden? Haar waarde gaat koralen ver te boven.' Hij sprak over mijn oma's gulheid, en over haar zorg voor mensen die het minder hadden dan zij, over haar ongelofelijke behendigheid met een knot wol, en haar bereidwilligheid om eenzame vreemdelingen op te nemen in haar huis, ze te eten te geven, met ze te praten, en ze goede raad te verschaffen. Hij sprak over haar optimisme, over haar liefde voor haar familie, en over hoe er in het verleden regelmatig wat extra biefstukjes of hamburgers waren terechtgekomen in de boodschappentassen van klanten die dat erg goed konden gebruiken, over een vroege herinnering die hij had aan hoe ze hem had leren fietsen op het achterplaatsje, waarbij ze hem geruststellend om zijn middel had vastgehouden totdat hij zo ver was dat hij zelfstandig durfde verder te gaan. Toen hij uitgesproken was had niemand van de aanwezigen nog droge ogen.

En toen was de beurt aan mijn grootvader. Ik hielp hem opstaan uit de bank, en we keken allemaal angstig toe hoe hij langzaam naar de bema schuifelde. De dagen tot aan de begrafenis hadden al wel duidelijk gemaakt wat er nu ging komen. Hij was kwaad, en dat zou hij ons laten weten. God was dood, wat hem betrof, en het kon hem niets schelen: hij zou daar gaan staan, recht voor de ark en de thorarollen en de kist met zijn arme overleden vrouw, en hij zou dat gaan zeggen ook. Hij had tachtig jaar lang de synagoge bezocht, maar dat had oma niet onsterfelijk gemaakt, en dus konden we allemaal net zo goed ophouden met koosjer eten en met geld geven aan het Verenigd Joods Appel, want dat was toch allemaal één grote waardeloze rotzooi.

'Wat?' zei hij, en hij keek ons allemaal recht aan. 'Zijn jullie nu geschokt? Hebben jullie nog nooit iemand zo over zijn eigen godsdienst horen praten?'

'Jawel,' zei ik, 'maar dat zijn dan meestal katholieken.'

'Maak je geen zorgen,' zei hij nu. Hij richtte zich rechtstreeks tot haar kist, alsof de rest van ons verdampt was en ze daar met z'n tweeën samen waren, of ze in hun rommelige televisiekamer naar *Crossfire* zaten te kijken. 'Mij zullen ze niet tot zwijgen kunnen brengen. Ik zal altijd een echte Democraat blijven. Ik zal altijd de pest blijven houden aan de Republikeinen en hun klotepresidenten. Ik zal altijd blijven zeggen wat ik denk, en het kan me niet schelen wie dat hoort.'

Naast mij klonk een vreemd, snuivend geluid. Mijn moeder zat stil, maar hysterisch te lachen. De tranen liepen over haar gezicht. 'Mijn god,' fluisterde ze tegen me, terwijl ze moeizaam probeerde haar lachen binnen te houden. 'Mijn god. Schaamt die man zich niet? Schaamt die man zich dan *nergens* voor?'

'Alles in huis pak ik vast,' ging hij verder. 'Alles in huis' – de clowns en de kaketoes, de theepotten en de belletjes, de herdenkingslepels en souvenir windgongs, de Chinese vazen en de Japanse waaiers, de poppen uit vele landen en de poppen uit vele tijdperken, de Platen van alle Staten van de Danbury Mint, de Jacqueline Kennedy Bruidspop van de Franklin Mint, en de hele serie porseleinen verzamelobjecten Grote Gebouwen uit het Amerikaanse Tijdperk – 'ik pak het vast, en ik kus het, omdat zij het heeft aangeraakt.'

Mijn oom haalde zijn schouders op en deed voor het eerst in dagen zijn mond open. 'Nou ja,' mopperde hij stroef, 'het had erger kunnen wezen.'

Cremeren moet prettig zijn voor de familie. Het gebeurt ergens uit zicht, buiten je gedachten om, en als het klaar is krijg je een keurig urntje mee, met iets erin dat op geen enkele manier verwijst naar de persoon die je gekend hebt, geschikt voor op de schoorsteen of om op smaakvolle wijze uit te strooien langs een winderig strand of op een andere aantrekkelijke plek die is doortrokken van Blank-Amerikaanse mythologie – Nantucket bijvoorbeeld, of de rotsige kust van het voorouderlijke Cornwall. Misschien ontbeert het een zekere finaliteit, maar er wordt je tenminste het moment bespaard dat de kist wordt neergelaten in de grond, waarmee alles zo angstaanjagend, onherroepelijk reëel wordt; je staat in de rij om ook je schep aarde in het graf te werpen, waardoor het deksel steeds verder wordt bedolven en alleen de davidster nog zichtbaar is, totdat ook die door de groeiende hoop aarde verzwolgen wordt, en voor altijd verdwijnt. En dan de geluiden, telkens de misselijkmakende *plof* van de aarde op het hout, het gedempte snikken van de mensen die eromheen staan, en boven alles uit, mijn opa die wanhopig weeklaagt, heen en weer wankelend in zijn rolstoel naast het graf: 'Vaarwel, liefje! Vaarwel, liefje!'

Alsmaar weer, 'Vaarwel, liefje!' Doodsbang als een kleine jongen die uitzinnig zijn ouders staat uit te zwaaien die hem hebben weggebracht naar zijn eerste zomerkamp; alsof ze niet echt weg zijn zolang hij ze nog kan zien, zolang hij ze nog naroept. 'Vaarwel, liefje!'

Ik druk mijn gezicht tegen Bens schouder en houd hem stevig vast, in het afschuwelijke besef dat er ooit ook een dag zal komen dat een van ons jammerend in een rolstoel naast het graf zal zitten waarin de ander wordt neergelaten. 'Vaarwel, liefje!' totdat de professionele grafdelvers, kerels met baarden en met gevangenistatoeages op hun armen, geen geduld meer hebben met die treuzelende stoet treurende joden en het werk overnemen. Ze grijpen de schep uit de handen van een bejaarde neef en maken korte metten met de hele berg zand – in een paar seconden vullen ze het hele gat tussen leven en dood. Zo eindigt het verhaal. Zo eindigt ieders verhaal, zo eindigt ieders huwelijk – tenminste, als je geluk hebt.

'Lieveling.' Ben wrijft over mijn rug en fluistert in mijn oor. 'Geen van ons tweeën gaat dood, dat duurt nog heel lang.' Ik kijk hem aan, als altijd verbaasd dat hij zo goed mijn gedachten kan lezen.

'Echt waar?' fluister ik.

'Echt waar. Dit is je grootmoeder, weet je nog wel? En eh,' voegt hij eraan toe, 'je wurgt me bijna.'

Mijn moeder wrijft de tranen uit haar ogen en komt naar ons toe gewankeld. Haar hakken zakken weg in de zachte grond. 'Kom mee,' zegt ze. 'Wegwezen hier. Ik moet nog elf noedelkugels opwarmen.'

En zo begint het weer opnieuw.

Mijn vader zet me vroeg af bij het vliegveld. Hij moet terug naar kantoor, dus bij de incheckbalie zegt hij me gedag en geeft me een kus. Ik dwaal alleen verder door het bekende gebouw, langs het stalletje van de Omaha Steaks, en de kiosk waar ik een keer heb gevraagd om een exemplaar van *The New Yorker*, maar als antwoord een lege blik kreeg en de vraag 'Staat dat op de bestsellerslijst?'

Zelfs *ik* vind het uitgesproken onwaarschijnlijk dat op het vliegveld van Omaha terroristen zouden zijn; toch is de beveiligingsapparatuur op weg naar de gates van het allermodernste type. Het geld van het Departement voor Binnenlandse Veiligheid moest érgens aan besteed worden, neem ik aan. Wanden van staal en glas scheiden de passagier van de buitenwereld terwijl deze zich van het merendeel van haar kleding ontdoet, haar koffer uitpakt, en zichzelf onderwerpt aan een onderzoek door beveiligingsmensen die niet alleen hun tienerjaren zijn ontgroeid maar ook werkelijk deskundig lijken en hun werk kennelijk serieus ne men. Als ik mijn laptop weer terug doe in zijn tas, valt mijn oog op een oudere vrouw die uit de rij is gehaald voor verder onderzoek. Ze behoort tot de generatie die zich nog speciaal netjes kleedde voor de reis: ze draagt een keurig broekpak en orthopedische schoenen die er vrijwel nieuw uitzien. Ze heeft ongeveer de leeftijd van mijn oma.

'Het spijt me, mevrouw,' zegt de beveiligingsman die haar uit haar rolstoel tilt. 'Het is alleen maar een routineonderzoek, elke zoveelste reiziger. Dat is voorschrift, begrijpt u wel.' Ze houdt zich aan zijn schouder vast om overeind te kunnen blijven, terwijl hij van boven naar beneden haar benen beklopt.

'Het spijt u?' zegt ze. 'Ach wat, ik zou u dankbaar moeten zijn. Al dertig jaar heeft geen man me zo aangeraakt!'

Ik veeg met mijn mouw langs mijn neus en loop naar de gate. Wat een onzin allemaal. Er zijn geen terroristen. Niet in Omaha. Alleen een halflege terminal met wat voetbalfans en een paar steakliefhebbers op weg ergens heen.

Dankwoord

Ik heb er mijn hele leven al van gedroomd om ooit eens juist dit gedeelte van een boek te schrijven, maar nu het werkelijk zo ver is, ontbreekt het me volledig aan spitsvondige opmerkingen, quasibescheiden bon mots, elegante bruggetjes en diepzinnige overpeinzingen over het schrijven van boeken en dat je dat eigenlijk niet in je eentje kunt. Ik zal er dus niet langer omheen draaien. Er zijn een heleboel mensen die ik wil bedanken.

Allereerst wil ik mijn ongelofelijke literair agent en vriendin Rebecca Friedman bedanken voor haar steun, haar aanmoedigingen en haar bijna pathologisch optimisme. Zij weet als geen ander een wanhopige schrijver terug te praten van het randje van een hoog flatgebouw, je ego tot duizelingwekkende hoogten op te krikken en je te bestoken met telefoontjes ('Zit jij online te scrabbelen in plaats van te werken? Hoeveel uur al? Dat geeft niet, maar nu moet je echt *stoppen!*'). Mijn geweldige, uiterst bekwame redacteur Jill Schwartzman heeft me met veel warmte, inzicht en geduld tussen alle valkuilen voor debuterende auteurs heengeloodst. Rebecca Shapiro heeft me onder andere geleerd hoe je een puntkomma op juiste wijze toepast, waarvoor ik bij haar in het krijt sta. Ongelofelijk dankbaar ben ik mijn vriend Dario Nucci als briljant ontwerper, net als Michelle Spear omdat zij begrijpt hoe belangrijk drank is voor een model. Veel dank aan Adam Korn en Jane von Mehren die vanaf het begin vertrouwen in me hadden, en aan mijn publiciteitsmedewerker Kate Blum en alle medewerkers bij Villard en Random House voor hun onvermoeibare inzet bij de totstandkoming van dit boek. Dank ook aan Michael Martin, Ada Calhoun, Josh Neuman, Shafer Hall, Derek Zasky en Andy Horwitz die mij hebben aangemoedigd om te gaan schrijven en te blijven schrijven. En dank aan Jack Lechner voor zijn waardevolle hulp.

Eeuwig dankbaar ben ik mijn vrienden Lauren Marks, Bj Lockhart, Stephen Brackett, Reginald Veneziano, Neal Medlyn, Julie Klausner en Peter Cook voor hun onverminderde aanwezigheid, hilariteit en steun. Bedankt ook de mensen van de broodjeszaak en de drankwinkel hier verderop in de straat die geen enkele keer met hun ogen hebben geknipperd of me stilletjes het telefoonnummer van een therapeut hebben toegeschoven als ik weer eens op een onmogelijk uur in mijn pyjama en met een wilde blik in mijn ogen hun zaak binnenstruinde en drank eiste. En bedankt ook mijn kat, Angelica, dat ze het zitten op het toetsenbord van mijn computer om rustig haar gat te kunnen likken zo lang heeft willen beperken tot dinsdag en donderdag om-en-om.

Mijn ouders, Marty en Aveva Shukert, zijn de grootmoedigste mensen van de wereld. Ze zijn ook de allerbeste ouders en staan altijd klaar met een luisterend oor, een vliegticket, een diagnose of een ongevraagd advies. Je zou serieus moeten overwegen om ze in te huren als je hun tarieven tenminste op kunt brengen, wat onwaarschijnlijk is, want ze zijn onbetaalbaar. Dank ook aan mijn zus Ariel Shukert, omdat ze de enige is die alles begrijpt. Een bijzonder bedankje en veel liefs voor mijn opa Nate Shukert en wijlen mijn oma Doris Garland Shukert die ik nog elke dag mis. En voor mijn man Ben Abramowitz, voor eeuwig en altijd.

Mijn grootste dank gaat uit naar de stad Omaha. Die weet zelf wel waarom.